JAYMAR INVESTIMENTOS LTDA.

CB124506

O MENINO QUE ODIAVA MENTIRA

FSC
www.fsc.org
MISTO
Papel produzido
a partir de
fontes responsáveis
FSC® C019498

A marca FSC é a garantia de que a madeira utilizada na fabricação do papel deste livro provém de florestas que foram gerenciadas de maneira ambientalmente correta, socialmente justa e economicamente viável, além de outras fontes de origem controlada.

M. J. HYLAND

O menino que odiava mentira

Tradução
Angela Pessoa

COMPANHIA DAS LETRAS

Copyright © M. J. Hyland, 2006

Direito moral do autor está garantido

Publicado mediante acordo com Canongate Books Ltd., Edimburgo

Grafia atualizada segundo o Acordo Ortográfico da Língua Portuguesa de 1990, que entrou em vigor no Brasil em 2009.

Título original
Carry me down

Capa
Marcos Kotlhar

Preparação
Cacilda Guerra

Revisão
Arlete Zebber
Angela das Neves

Dados Internacionais de Catalogação na Publicação (CIP)
(Câmara Brasileira do Livro, SP, Brasil)

Hyland, M. J.
O menino que odiava mentira / M. J. Hyland ; tradução Angela Pessoa. — São Paulo : Companhia das Letras, 2010.

Título original: Carry me down.
ISBN 978-85-359-1703-1

1. Ficção inglesa I. Título.

10-05844 CDD-823

Índice para catálogo sistemático:
1. Ficção : Literatura inglesa 823

[2010]
Todos os direitos desta edição reservados à
EDITORA SCHWARCZ LTDA.
Rua Bandeira Paulista, 702, cj. 32
04532-002 — São Paulo — SP
Telefone: (11) 3707-3500
Fax: (11) 3707-3501
www.companhiadasletras.com.br

Para Stewart Andrew Muir
(se ao menos houvesse outros como você)

1.

É janeiro, um sombrio domingo de inverno, e estou sentado com minha mãe e meu pai à mesa da cozinha. Meu pai tem as costas voltadas para a mesa, os pés pressionados contra a parede, um livro no colo. Minha mãe acha-se à minha direita e seu livro repousa sobre a mesa. Sento-me próximo a ela e minha cadeira, virada para a janela, está perto do calor do fogão.

Há um bule de chá quente no meio da mesa e cada um de nós tem uma xícara e um prato. Há sanduíches de presunto e peru nos pratos e, se quisermos comer e beber mais, há fartura. A despensa está cheia.

De quando em quando, paramos de ler para conversar. O astral está bom, como se fôssemos uma só pessoa lendo um único livro — não três pessoas separadas e independentes.

Dias como este são os perfeitos.

Pela janela pequena e quadrada, vislumbro a estreita estrada rural que conduz à cidade de Gorey e, no outro lado da estrada, um campo coberto de neve. Para além do campo de neve, ainda que agora não consiga enxergá-la, acha-se a árvore pela qual passo todas as manhãs, e três quilômetros depois da árvore fica a Gorey National School, para onde vou voltar depois do feriado de Natal.

Na beira da estrada, à esquerda do portão principal, há uma trave com uma placa indicando Dublin e outra menor, embaixo desta, indicando o cemitério. Por mais dois dias vamos ficar juntos, nós três, e é o que desejo. Não desejo nada diferente disso.

Quando percebo que minha mãe está perto da última página do livro, pego um baralho e o empurro na direção de seu cotovelo. Ela logo vai largar o livro e sugerir um jogo. Observo seu rosto e espero.

De repente, ela fecha o livro e se levanta.

— John — diz —, por favor, venha comigo. — Ela me leva para o corredor, para longe de meu pai; me afasta das vistas dele, como se eu fosse lixo. — Venha agora e deixe o livro — diz.

Paramos ao pé da escada íngreme e estreita que conduz ao quarto-sótão de meus pais — o único aposento no andar superior — e ela se apoia no corrimão com os braços cruzados sobre o peito, a pele em suas mãos fria e branca como giz.

— Estou parecendo diferente hoje? — pergunta.

— Não. Por quê?

— Você estava encarando de novo. Você estava me encarando.

— Eu estava só olhando — respondo.

Ela se afasta do corrimão e pousa as mãos em meus ombros. Tem um metro e sessenta e cinco de altura e, embora eu seja apenas quatro centímetros mais baixo, ela projeta-se sobre mim até que eu afunde. Seu corpo se curva para a frente e seu traseiro se empina.

— Você estava me encarando, John. Você não deve me encarar assim.

— Por que eu não posso olhar para você?

— Porque agora você tem onze anos. Não é mais um bebê.

Distraio-me com os gritos de nossa gata, Crito, que está trancada no armário sob as escadas, com seus novos gatinhos. Quero ir até lá. Mas minha mãe me aperta com mais força.

— Eu estava só olhando — digo.

Quero dizer que não há nada de infantil em observar as coisas, mas meu corpo estremece sob o peso de seus braços e estou trêmulo demais para falar.

— Por quê? — pergunta ela. — Por que você precisa me encarar desse jeito?

Ela está machucando meus ombros e seu peso é surpreendente. Parece mais leve, menor e mais bonita quando está sentada à mesa ou na beirada de minha cama, conversando comigo, me fazendo rir. Estou zangado com ela agora, por ser alta, por ser tão grande, tão pesada e por me tornar tão grande, grande demais para minha idade.

— Não sei por quê. Eu simplesmente gosto — explico.

— Talvez você devesse se livrar desse hábito.

— Por quê?

— Porque dá nos nervos. Ninguém consegue relaxar com você encarando desse jeito.

— Desculpe — digo.

Ela endireita o corpo e me solta. Inclino-me e lhe dou um beijo perto da boca.

— Tudo bem, então — diz ela.

Beijo-a uma segunda vez, mas quando ponho os braços ao redor de seu pescoço para puxá-la mais para perto para podermos nos abraçar, ela se afasta.

— Agora, não — diz. — Está frio aqui.

Ela se vira e sigo-a de volta à cozinha.

O cabelo escuro e cacheado de meu pai está despenteado e a franja caiu sobre seus olhos.

— Feche a porta — ele pede, sem erguer os olhos do livro.

— Já está fechada — respondo.

— Bom — diz ele. — Mantenha fechada.

Ele sorri olhando para seu livro: A *frenologia e o crânio criminoso*.

Meu pai não trabalha há três anos, desde que moramos aqui, na casa de campo da mãe dele. Antes de nos mudarmos para a casa de minha avó, ele trabalhava como eletricista em Wexford, mas detestava o emprego e dizia isso todas as noites ao chegar em casa. Agora, em vez de ir para o trabalho, ele lê. Diz que está se preparando para o exame de admissão no Trinity College e que não deve ter muito problema para passar porque no ano passado realizou o teste da Mensa e passou com distinção.

— Olhe pela janela — digo à minha mãe. — Está nevando em diagonal.

— Está mesmo — concorda ela. — Não parece farinha saindo de uma peneira?

— A farinha não passa pela peneira na diagonal — digo.

Sua língua desponta para lamber o canto da boca e fica de fora. Debruço-me sobre a mesa para tocá-la.

— Sua língua é fria — declaro.

Meu pai olha para nós e os lábios de minha mãe se fecham com força.

— Sou igual a lagartixa — diz ela.

Ela sorri para mim, devolvo o sorriso.

— Um par estranho — diz meu pai.

Crito está quieta agora. Provavelmente satisfeita por nos ouvir conversar e saber que estamos por perto.

Volto à leitura do *Livro Guinness dos recordes*, meu livro favorito. Tenho todas as edições, com exceção da de 1959, e é um dos meus presentes de Natal todos os anos.

Ainda me restam algumas páginas para ler da nova edição de 1972 e quase terminei de ler a seção Mundo Humano pela quarta vez. O *Livro Guinness dos recordes* está cheio de maravilhas, como o sacerdote chinês detentor do recorde pelas unhas mais compridas. Ele levou vinte e sete anos para deixar crescer unhas de cinquenta e seis centímetros de comprimento, e na fotografia elas são pretas e enroscadas, como os chifres de um carneiro.

O melhor de tudo são os artistas da fuga e homens como Blondin, que cruzou as cataratas do Niágara sobre uma corda bamba, e Johann Hurlinger, que caminhou plantando bananeira por mais de cinquenta dias. Ele percorreu mil quatrocentos e um quilômetros em cima das mãos.

Um dia vou estar no *Livro Guinness dos recordes*, junto com todas as outras pessoas que não desejam ser esquecidas ou ignoradas. Vou quebrar um recorde importante ou fazer alguma coisa fora do comum. Não vejo sentido em viver, a menos que haja alguma coisa que eu possa fazer melhor do que qualquer outra pessoa, ou a menos que consiga fazer alguma coisa que ninguém mais faz.

Dobro a foto da mulher mais baixa do mundo para compará-la com a do homem mais alto. O nome dele era Robert Pershing Wadlow e ele tinha dois metros e setenta e dois. Aos onze anos, já media dois metros e trinta.

Eu costumava me perguntar se a voz dele começou a mudar cedo, como a minha. Costumava me perguntar se iria me tornar um gigante. Ainda me preocupo com essas coisas, mas menos, agora que decidi que não vou acabar no *Livro Guinness dos recordes* por ser uma aberração. Vou entrar lá por uma razão muito melhor.

A mulher mais baixa era Pauline Musters e media cinquenta e oito centímetros e meio. Quando dobro sua foto ao lado da do homem mais alto, ela parece um objeto que caiu do bolso dele, e não uma pessoa: uma pessoa não fica ao lado de outra e alcança a base dos joelhos desta.

— Veja — digo à minha mãe. — Essa anã parece um ornaminto.

Já sei o que ela vai dizer.

— Ornamento — ela corrige.

— Não dobre o livro — diz meu pai.

— OK — respondo.

— E você mal tocou no seu sanduíche — ele acrescenta.

— Não quero tocar nele — respondo.

Minha mãe dá um tapa em minha mão.

— Você deixou de comer metade do seu sanduíche só para poder dizer isso?

— Não.

— Então coma o sanduíche.

Mas agora o pão está velho e são seis da tarde, hora do jantar. Minha mãe se levanta e olha pela janela. A neve parou de cair. Ela seca as mãos no pulôver e põe um bule com água no fogão. Abre a geladeira e retira uma embalagem.

— Você quer isso? — pergunta a meu pai.

Ele esfrega o queixo e não responde. Fez a barba ontem e o barbear revelou uma covinha; a escura fenda vertical em seu queixo. Ele a esfregou o dia inteiro, como se esperasse alisar a dobra.

— Michael, você quer isso para o jantar ou não?

Ele olha para o pacote.

— Não — responde. — Prefiro peixe defumado.

— Não temos — diz minha mãe. — Não temos peixe defumado.

Minha mãe detesta cozinhar.

— Então vou comer esse peixe no saco — diz ele.

— Então vai — diz ela.

Eles trocam um sorriso, um sorriso diferente do que dirigem a mim. O que meu pai chama de peixe no saco é uma refeição preparada em água fervente: um pedaço quadrado de peixe em um saco plástico transparente, repleto de molho branco.

— Posso segurar? — pergunto.

— Se você faz questão — responde minha mãe.

Retiro a embalagem da mão dela e aperto o plástico, flexível como feltro molhado.

— Parece com aquele peixinho dourado que ganhei em Butlins — declaro.

— Venha cá — diz meu pai e me abraça, mas seus braços pressionam firme meu pescoço e seu aperto é forte demais.

— Pare de abraçar meu pescoço — peço. — Está doendo.

— Dê cá o saco de peixe — diz ele.

Entrego o peixe no saco e ele o acaricia.

— Vou ter que discordar de você — diz ele. — Esse saco parece mais com um saco de meleca do que com um peixinho dourado.

Meu pai ri e rio também, embora não me agrade ele ter comparado meu jantar com meleca.

Minha mãe confisca o peixe e o coloca em uma panela com água. Fito meu pai.

— Pai, você pode me contar uma história?

— Que tipo de história?

— Qualquer uma.

* * *

Meu pai pigarreia e endireita o corpo na cadeira antes de começar.

— Muito bem. Essa é a história de Tântalo, que foi condenado pelos deuses a permanecer de pé com água até a cintura. No inverno a água ficava fria, e no verão, quente demais. Quando Tântalo sentia sede e sua boca ficava muito seca, ele se debruçava sobre a água para beber e a água evaporava, e quando sentia fome, estendia os braços na direção dos galhos cheios de frutos deliciosos, os galhos erguiam as frutas, e tanto a comida quanto a água permaneciam fora de seu alcance. E isso aconteceu com Tântalo durante...

— Alguns dias — diz minha mãe —, como castigo por não lavar as mãos antes do jantar, e então ele se sentou para um banquete de galinha assada e sorvete de chocolate e nunca mais sentiu fome ou sede.

Meu pai sorri e diz:

— Lave as mãos.

Enquanto lavo as mãos, vejo Tântalo lambendo os beiços ao se abaixar para beber água. No caminho de volta à cozinha, vou até a ampla estante de livros na sala de estar, onde meu pai guarda seus livros de consulta e manuais. Procuro na enciclopédia até encontrar as páginas que necessito. Lá está Sísifo, com um ponto de exclamação em vermelho ao lado do nome. Pus o ponto ali no ano passado. Volto à cozinha.

— Tântalo é bem parecido com Sísifo — informo. — Pode-se dizer que os dois sofrem do mesmo jeito.

Meu pai ri.

— Você lembrou disso enquanto estava sentado no vaso sanitário?

— Eu não estava sentado no vaso. Estava só lavando as mãos e foi aí que lembrei.

Examino cuidadosamente seu rosto. Ele não está rindo de mim, portanto participo.

— Vi bem claro Sísifo empurrando a pedra para o alto de um monte e a pedra passar rolando direto por ele, voltando para o pé do monte — explico. — Vi Sísifo ali, vendo a pedra rolar para baixo, todo triste e calado, então voltando a empurrar a pedra para cima e a pedra rolando novamente para baixo, para o lugar de onde veio, vezes seguidas. Acho que ele deve se sentir igual a Tântalo.

— Suando para levar a coisa grande e marrom para onde quer que ela vá — diz meu pai, rindo até que lhe surjam lágrimas nos olhos.

Agora minha mãe está rindo.

— Bom Deus — diz ela —, alguém pegue um copo de água para o pobre homem.

Ergo-me de um salto, pego um copo de água para meu pai e quando volto a sentar minha mãe me dá um beijo no nariz para agradecer.

— É bom ter você por perto — diz ela. — Acho que vamos ficar com você.

— Bom — eu digo.

Quando meu pai termina sua água, percebo que os botões de seu casaco foram abotoados de maneira errada. Ele faz isso de propósito, e não raro é sinal de bom humor. Debruço-me e estendo a mão para o botão mais alto.

— Posso arrumar seus botões? — pergunto.

— Não, não! — ele ri. — Você vai estragar meu visual desleixado e irresistível.

Ele está disposto a ter seus botões arrumados, portanto contorno a mesa e me apodero do segundo botão. Ele grita e ri.

— Sai de perto de mim, cara-de-peixe! Sai de perto de mim!

— Só mais quatro botões! — grito em resposta.

Consigo desabotoar mais um botão, então ele se levanta e vai até a janela. Permanece ali e olha para fora, o rosto subitamente sério; chega de brincadeiras.

— Deus todo-poderoso. Pensei que ela fosse voltar logo.

— É ela? — pergunto.

Ele está se referindo a minha avó, sua mãe, que vai voltar das corridas de Leopardstown na terça-feira. Só tenho mais dois dias sozinho com eles.

— Não — responde. — Alarme falso.

Sentamo-nos e ele volta a ler.

Viro na direção do guarda-louça de modo a enxergar o retrato em preto e branco tirado no dia do casamento deles, em 1960. Meu pai tinha vinte e sete anos na ocasião e era ainda mais bonito do que é agora porque seu cabelo era mais comprido. Minha mãe estava com vinte e seis. É tão linda hoje quanto antes.

Quase toda a comunidade de Wexford sabia do namoro de meus pais e de como ambos haviam rompido os respectivos noivados para ficar um com o outro. Ouvi dizer que não havia ninguém que não parasse para olhar para eles quando desciam a rua: pareciam artistas de cinema.

Eles parecem felizes na fotografia, meu pai atrás de minha mãe, dez centímetros mais alto do que ela, o que a torna menor. Gosto do jeito como cortam juntos o bolo, a mão de minha mãe sobre a de meu pai, ambos segurando a longa faca de punho branco.

Não sou bonito, sou magricela demais, e meu nariz já é demasiado grande para o meu rosto. Meus pais devem achar difícil olhar para mim, perguntando-se se há alguma esperança de que eu me torne tão bonito quanto eles.

Volto ao *Guinness* e leio, na página 398, que um irlandês chamado Tim Hayes detém o recorde de ser enterrado vivo em um caixão de tamanho "regulamentar". Ele permaneceu enterrado por duzentas e quarenta horas, dezoito minutos e cinquenta segundos. Saiu para a luz em busca de ar no dia 2 de setembro de 1970. Estou surpreso por não ter ouvido falar dele. Talvez venha a conhecê-lo algum dia.

São quase sete horas e estou ficando entediado. Ponho o pé sobre o de minha mãe e ela puxa seu pé de sob o meu e põe o dela por cima. Repetimos isso até que meu pai olha para nós e balança a cabeça. Não o deixo perceber que reparei, mas esse lento balançar de cabeça detém de imediato minha mãe e ela se levanta e olha para seu relógio.

— É melhor você acabar logo com isso — diz a meu pai. Está se referindo aos gatinhos de Crito, que devem ser sacrificados antes que minha avó volte.

— Em um minuto — diz ele.

— Por favor, faça isso antes que alguém comece a dar nomes a eles — pede minha mãe. — E, John, você fica aqui comigo.

— Eu não me importo — digo. — Vou ajudar desta vez.

— Eu também não me importo — diz ela. Agora está olhando para meu pai. — Simplesmente se livre dessas coisas antes de sua mãe voltar, ou nunca mais vamos ver o fim disso.

Meu pai deu a nossa gata o nome de Crito, em homenagem ao melhor amigo de Sócrates, o que mais chorou no leito de morte de Sócrates. Gosto do focinho preto e branco de Crito e de suas longas meias brancas.

Minha mãe balança a cabeça na direção de meu pai e ele põe-se de pé.

— Vamos então — diz. — Vamos ver do que esse garoto é feito.

* * *

Sigo-o até o armário embaixo da escada. Ele se agacha na escuridão fuliginosa, entre o aspirador de pó e a pá de ferro. Pede que eu acenda a luz e então puxa seis gatinhos pela cauda para retirá-los das tetas de Crito. Enfia-os no bolsão que formou ao enfiar o casaco na calça.

— Está tudo bem — digo a Crito —, estamos levando os gatinhos para dar uma volta.

— Você tem certeza de que está pronto para isso? — pergunta meu pai.

— Tenho — respondo.

— Então vá pegar o saco de carvão e leve para o banheiro. Encontro com você lá.

Ele dá a impressão de que estamos indo a algum lugar distante, mas a casa é pequena e ninguém jamais se perderia dentro dela: quem entra pela porta da frente está no corredor; se virar à direita, passa pela cozinha e, da cozinha, pode ou voltar para o corredor ou entrar na sala de estar. A sala tem duas portas, e é possível sair novamente no corredor, diante da porta do banheiro, então dar alguns passos e ver a porta do meu quarto e depois, no fundo da casa, o quarto de minha avó. E bem no final do corredor acha-se a porta dos fundos, que conduz a um pequeno jardim. A única aventura é subir a estreita escada de madeira até o quarto de meus pais.

Ponho o saco perto dos pés de meu pai.

— Certo. Atire os bichinhos aí dentro para mim.

Retiro os gatinhos — todos eles pretos e brancos como Crito — de dentro do bolsão no casaco de meu pai e os enfio no saco enquanto ele enche a banheira de água quente. O vapor faz o meu rosto suar.

— Eles não estão se mexendo muito — observo. — Deve ser confortável dentro do saco.

— Não seja mole — diz ele. — Pegue aquela cadeira para eu me sentar e a banqueta para você.

Ele puxa a cadeira para perto da banheira e me sento na banqueta ao lado das torneiras, caso ele precise de mais água. Ele abaixa o saco na direção da banheira quente. O saco flutua um instante, então desce até o fundo. O saco movimenta-se à medida que os gatinhos se agitam lá dentro.

— Quanto tempo normalmente demora? — pergunto.

Meu pai dá de ombros.

— Depende.

Permanecemos em silêncio. Sua perna salta para cima e para baixo e bolhas de ar flutuam até o topo da água. Estou instável na banqueta e não há onde me segurar. Vou cair e quero descer, mas nada digo.

— Meu Deus, pai — observo. — Eles estão se mexendo muito. Talvez devêssemos ter dado a eles alguma espécie de injeção ou coisa parecida.

Ele não responde. Olha fixo para a água e morde a parte interna do lábio. A cabeça dos gatinhos deforma o tecido enegrecido do saco.

Agora há menos bolhas.

— Está demorando muito — digo.

Ele vira-se para mim com raiva.

— Você tem competência para isso ou não? Se não tiver, vá ajudar sua mãe na cozinha.

Minha mãe não está na cozinha; está no meu quarto, ali ao lado. Posso ouvi-la cantar.

— Eu tenho competência — respondo.

Meu pai diz certas coisas, quando estamos sozinhos, que me dão a impressão de serem um misto de nervoso e aborrecimento.

— Foda-se — diz ele. — A água não devia estar quente o bastante.

Levanta-se da cadeira e retira o saco da água. Desço da banqueta e o observo enquanto luta para desfazer o nó do saco. Os gatinhos ainda estão se mexendo.

— Rápido — digo. — Deixe eles saírem.

O nó é difícil de desfazer, mas por fim o saco está aberto. Meu pai está vermelho no rosto e no pescoço. Despeja quatro gatinhos no chão e eles se contorcem e sobem uns por cima dos outros. Suas pequenas costelas arremessam-se para cima e para baixo sob as finas faixas de pelo molhado e escuro. Não fossem os miados, não se pareceriam em absoluto com gatinhos.

— Eu sabia que você ia deixar os gatinhos saírem — digo. — Eu sabia que não ia conseguir matar os bichinhos.

Meu pai se vira para mim, pega um gatinho na mão, impulsiona-o por sobre o ombro e bate a cabeça do bicho contra a borda da banheira. O som do crânio se quebrando é alto e agudo; como uma régua sendo partida ao meio.

— Seu merdinha mole e estúpido — diz.

Ele segura o gatinho ferido pela cauda sobre a banheira. Desejo que o animal viva e ainda tenho esperanças, mas o sangue escorre de seu crânio e de suas orelhas e ele não se move. Sei que deve estar morto.

Não há muito sangue, mas é o bastante para escorrer pela parte interna da banheira, o bastante para deixar a água cor-de-rosa perto da superfície. O sangue afunda, depois perde a cor. Não olho para meu pai e em seguida, sem avisar, ele ergue outro gatinho molhado do chão e bate com a cabeça do bicho na lateral da banheira. Nunca vi o rosto de meu pai mais vermelho e, ao estender a mão para pegar o próximo gatinho, sua mão treme.

— Pare com isso! — peço. — Por favor, pare.

Ele olha para baixo. Os gatinhos que ainda estão dentro do saco pararam de se mexer.

— Isso nada mais é que a natureza — diz ele, seu peito subindo e descendo. — Você tem que aprender que isso nada mais é que a natureza.

Olho para ele.

— Você não fica triste? — pergunto.

— Por que isso me deixaria triste? — Ele se levanta. — É só o que os fazendeiros têm que fazer todos os dias da semana para botar comida na mesa.

Olho atentamente para ele e uma coisa acontece. Eu sei — tenho certeza — que ele está mentindo. Há alguma coisa em seu rosto, um lampejo, um esgar momentâneo e então um olhar carrancudo. Também há certa falsidade na maneira como disse "É só o que os fazendeiros têm que fazer todos os dias da semana" (coisa que nunca disse antes). Ele está mentindo sobre não estar triste.

— Você realmente não está triste?

Ele me olha fixo e, quando o encaro em resposta, seus olhos castanho-claros tornam-se negros.

— Não, nem um pouco. Eles não têm nem alma ainda. Já está na hora de você ficar mais forte.

— Mas você esmagou a cabeça deles. Isso não te dá pena?

— Não, eu já disse. Não tem nada de triste nisso. Eles são só larvas com pelos.

— Você é corajoso — observo, e, assim que termino de dizer isso, fico nauseado.

De repente, sem avisar, vomito no chão do banheiro, a poucos centímetros da cabeça de um gatinho e a um centímetro do pé de meu pai. É como se um balde de veneno amarelo estivesse saindo de dentro de mim. Ele mentiu para mim e isso me deixou enjoado. Ele recua e grita por minha mãe.

— Helen, venha ajudar com essa sujeira.

Afasto os pés da poça de vômito amarelo e vomito uma segunda vez. Olho para baixo para que ele não veja meu rosto.

— Jesus — diz ele. — Coitado desse rapaz molenga.

Minha mãe entra com um pano de prato na mão e olha para o meu vômito no chão do banheiro.

— Michael? O que há de errado?

— Ele ficou enjoado — diz meu pai.

Olho para os sapatos dela. São de meu pai. Ela não deveria usar os sapatos de meu pai.

Quero que ela diga alguma coisa, mas ela olha fixo para o vômito e não fala comigo. Caminho em sua direção, ainda assim ela nada diz.

— Estão todos mortos — digo, enquanto me espremo entre minha mãe e meu pai e saio porta afora.

Minha mãe vem ao meu quarto às nove e meia e senta na beirada da cama.

— John, venha dar boa-noite ao seu pai.

— Que tal um teatro de marionetes? — pergunto.

Algumas noites, antes de dormir, minha mãe apresenta um show de marionetes de dedo para mim. Há uma caixa de maçãs de papelão com cortinas pintadas e buracos na lateral, para que suas mãos passem. A caixa fica no meu quarto, quase ao pé de minha cama, e as marionetes ficam guardadas no armário.

— Acho que não. Não esta noite, John.

Ela põe-se de pé.

— Venha. Você precisa dar boa-noite.

Meu pai está em sua poltrona ao lado do fogo. Normalmente, quando vou até lá dar boa-noite, ele separa ou descruza as pernas. E, embora eu seja bem grande, sento em seu joelho, apenas por brincadeira, e ele me pergunta se penteei os dentes, a mesma piada de todas as noites, e rimos.

Mas quando ele me vê entrar na sala conserva as pernas firmemente cruzadas e me olha como se nunca tivesse me visto de pé ao lado de sua poltrona. Ele afastou a franja dos olhos e a artéria em sua têmpora esquerda pulsa ao mesmo tempo que o relógio de pêndulo; parece mercúrio pulsando dentro de pele de linguiça, feio e quente.

— Boa noite, pai — digo.

— Boa noite, então — responde ele.

— Boa noite — digo novamente, mas ele finge não ouvir.

Volto para a cama e leio durante algum tempo.

Minha mãe entra.

— Tudo bem? — pergunta.

— Tudo bem — respondo.

— Leia um pouco mais esta noite, se quiser — diz ela.

Ela está usando um pijama de meu pai e as bainhas arrastam no chão.

— Por que foi tudo diferente hoje? — pergunto.

— Nada foi diferente hoje, John.

— Ah! Tem certeza? — pergunto.

— Tenho, querido. Tenho certeza.

Ela se aproxima da cama. Sento e me inclino para a frente. Em vez de me beijar, ela toca a gola da camisa de meu pijama.

— Durma bem — diz para a parede atrás de mim. Mas a voz é afetuosa e, depois que ela sai, fico feliz por algum tempo, até perceber que há alguma coisa presa em minha garganta e que a sensação está piorando.

Ouço a neve derretida gotejando no cano lá fora e sinto medo de alguma coisa, embora não saiba de quê. Pergunto-me o que significa ter certeza de que uma pessoa mentiu. Vou consultar o *Livro Guinness dos recordes* amanhã para ver se há alguma menção à detecção de mentiras.

2.

Minha mãe está lá fora no carro, esperando para me levar com ela à cidade para comprar calças novas. Estou grande demais para as antigas.

Ao sair pela cozinha, passo por meu pai, que está lendo sentado à mesa. Durante a noite ele enterrou os gatinhos no jardim dos fundos e colocou uma pedra em cima deles. A janela de meu quarto dá para a lateral da casa e, quando fico de pé, consigo enxergar, por sobre a sebe, a estradinha que conduz ao cemitério. E, embora não tenha olhado para fora ontem à noite (estava embaixo das cobertas, me mantendo aquecido), percebi, pelos ruídos de quem está dando pontapés, que meu pai estava à procura de uma pedra.

— Oi — digo.

Há um prato com um chouriço pela metade diante dele. Aproximo-me e pergunto:

— Sobre o que é o livro?

Ele ergue os olhos na minha direção.

— Sobre a mesma coisa que você perguntou da última vez.

— Ah — digo.

— Criminosos e criminologia — explica ele, estregando o joelho.

— Que tipo de criminosos?

— Os criminosos de nascença de Lombroso. Criminosos que, ao que parece, não conseguem evitar transgredir a lei.

Seu roupão está curto demais, e seus joelhos e suas panturrilhas brancas e peludas despontam sob a mesa.

— Como ladrões e assassinos? — pergunto.

— Sua mãe está esperando. Até mais tarde. E vou ter um presente para você.

— Da última vez você esqueceu.

Uma rajada de vento bate a porta e ele ergue os olhos na minha direção, como se a culpa fosse minha.

— Eu não esqueci — responde. — Mas esse presente vai ser muito bom. Você vai ver.

Ele volta a olhar para o livro e analiso sua boca larga. Pergunto-me o que aconteceria se eu fosse até a beirada da mesa e lhe desse um beijo de despedida. Ele poderia gostar, ou ficar irritado. Normalmente sei se ele está a fim de ser beijado, mas hoje ele parece tanto me querer quanto não me querer por perto. Observo-o com atenção.

Ele esfrega o joelho novamente, então ergue os olhos.

— O que é que você está olhando?

— Nada.

— Tchau, filho. Tenha um bom dia com sua mãe.

Eu me afasto.

Minha mãe está limpando o para-brisa por dentro com a manga do casaco. Entro no carro.

— Por que você demorou?

— Eu estava conversando com papai.

Está frio hoje e ainda mais frio no carro. Dobro os dedos na palma da mão e me pergunto como ela pode estar quente se meus dedos já estão tão gelados que parecem feridos. Aperto os braços com força ao redor do corpo e me enrijeço.

Desejo perguntar a minha mãe se acha que meu pai vai para a universidade e, se for, se vamos nos mudar para Dublin. Gosto daqui, mas também gosto de Dublin, e a cidade fica apenas a duas horas de distância. Deve ser mais fácil conhecer o pessoal do *Livro Guinness dos recordes* em Dublin.

— Você está ansioso para voltar para a escola na semana que vem?

— Na verdade, não.

Ela usa a mesma manga que usou para limpar o para-brisa para limpar o nariz.

— Quer um lenço? — pergunto. — Tenho um no bolso.

Limpo seu nariz com o lenço enquanto ela dirige e me pergunto onde foi parar o lenço cor-de-rosa que lhe dei de Natal. A ponta de seu nariz está vermelha e há uma fina veia azul em torno da borda de sua narina. Não me lembro de ter visto essa veia antes, ou o sinal escuro perto da articulação do dedo, do qual brotam três pelos pretos.

— Quando foi a última vez que mediram você na escola? — pergunta ela. — Acho que talvez devêssemos conversar com o médico de novo.

— Sou quatro centímetros mais baixo que você — digo. — Tenho exatamente um metro e setenta e três.

— Queremos ficar de olho nas coisas. Só isso. Você não ficaria mais contente se conversasse com o médico sobre essas coisas?

— Não tenho nada para conversar. Sou alto. Só isso.

— E sobre outras coisas?

— Não existem outras coisas! Só sou alto.

Ela pigarreia e desacelera o carro.

— É a puberdade? Pode ser que comece cedo para você.

— Bem, não começou. Então, o que eu tenho para falar?

— Mas olhe para as suas pernas — diz ela. — O carro mal tem espaço para elas. E suas mãos! São tão grandes quanto galochas.

— Estou desse tamanho há semanas. Elas estão assim há pelo menos três semanas.

— Pois bem. Você teve outro estirão de crescimento. Talvez nós devêssemos conversar com o médico. O que você me diz?

Pouco depois do meu décimo aniversário, minha voz começou a mudar como a voz dos garotos da sexta série. Mas agora a sexta série fica apenas uma turma acima da minha e minha voz e altura não me incomodam tanto quanto antes. Além do mais, sempre me sinto diferente na escola. Fico mais nervoso e, embora não goste, estou acostumado com isso.

Tenho apenas um amigo na escola. Seu nome é Brendan e fiz amizade com ele no meu primeiro dia na Gorey. Ele me perguntou se eu sabia fazer um helicóptero de papel e, na hora do intervalo, sentamos no chão da sala e fizemos uma tentativa. A maioria dos outros garotos não gosta de mim porque pouco falo e não pratico esportes nem brinco com eles.

A professora de minha turma, a srta. Collins, não gosta muito de mim porque estou me dando mal em irlandês e ela sabe que, se eu quisesse, podia me dar muito bem. Não sou um aluno brilhante; fico em terceiro, quarto, às vezes caio para o quinto lugar nos testes, mas não sou burro.

Admito que gostaria de ser mais inteligente do que sou, e que seria bom me sobressair nos exames com menos esforço. Mas sei que vou descobrir como me destacar e causar boa impressão ao mundo, de maneiras que serão muito mais importantes do que ser inteligente.

Minha mãe não quer deixar o assunto de lado.

— John, por favor, preste atenção quando faço uma pergunta. Implicam com você por causa da altura? As outras crianças implicam com você?

— Não — respondo. — Na verdade elas nem reparam.

Elas reparam. Às vezes me chamam de Troll por causa do monstro dos contos de fadas que mora embaixo da ponte em "Os três carneirinhos". E, antes do Natal, quanto meu tio Jack e meu tio Tony vieram passar alguns dias e jogaram cartas com meu pai, tio Jack entrou no banheiro quando eu estava me lavando antes de ir para a cama.

Tio Jack tem pequenos tufos de barba no rosto, é tímido e, não raro, tem um sapo na garganta; as palavras ficam presas e por vezes ele não consegue falar de jeito nenhum. Mas devia ter tomado uns drinques naquela noite porque parecia feliz. Deu-me uma libra e me perguntou sobre a escola.

Conversei um pouco com ele e ele disse:

— Conversar com você é como ver o boneco de um ventríloquo com o ventríloquo fora das vistas.

Mais tarde, quando coloquei a libra que ele me deu em meu porquinho, desejei não ter conversado com ele. Conversar com alguém que está bêbado é como conversar com um animal.

Minha mãe limpa o para-brisa enquanto esperamos, na esquina, que algumas crianças atravessem a estrada. Quando termina de limpar, ela se vira para mim.

— Se algum dia você quiser conversar com o doutor Ryan

ou com a senhorita Collins, me avise. Seu pai e eu te amamos muito.

— OK — digo, perguntando aos meus botões se quem está atravessando a estrada consegue ler lábios.

— Meu menino querido. Você vai conversar com a senhorita Collins se precisar? Se tiver algum problema?

— Eu já conversei — respondo. — Está tudo bem.

Não conversei com a srta. Collins sobre minha altura ou minha voz. Quero seguir em frente; isso é tudo que desejo fazer.

Passamos pelo declive na estrada e entramos na cidadezinha movimentada, onde compramos minhas calças novas. Quando terminamos na loja, parto para a biblioteca mais adiante, enquanto minha mãe vai à farmácia. Pego emprestado um livro sobre detecção de mentiras e a bibliotecária me ajuda a pedir outro livro da biblioteca de Wexford, que é muito maior. Informo-a de que vou retirá-lo a caminho de casa, na saída da escola, na semana que vem.

3.

É terça-feira, final de tarde, e estou sentado na cama comendo uma banana e lendo um livro quando o carro dela vira na entrada da garagem coberta de cascalho. Minha avó está em casa, voltando de Dublin.

Levanto da cama e fico ouvindo à porta. Ela está na soleira da porta da frente, conversando com Joseph, cujo trailer está estacionado, com outros cinco, na beira da estrada, a três quilômetros daqui. Ele devia estar esperando vovó voltar. Ela lhe dá algum dinheiro e ele diz:

— Obrigado, senhora Egan. A senhora é minha amiga mais fiel. A senhora teria uma maçã para o Neddy?

Neddy é o cavalo malhado de Joseph, que me encara e bufa toda vez que o vejo. Minha avó vai até a cozinha, pega uma maçã e a entrega a Neddy.

— Você é um ótimo cavalo — diz.

Ela fecha a porta da frente e volto para a cama, de onde a ouço ir até seu quarto, depois à cozinha, antes de vir até mim. Eu queria que ela me deixasse em paz. Quando vem ao meu quarto, muitas vezes desejo puxar um cobertor sobre a cabeça, na esperança de produzir um blecaute e acordar quando ela tiver ido embora.

— Voltei — diz ela no momento em que invade meu quarto e me olha de cima a baixo com os olhos grandes e arregalados de um peixe de águas profundas.

— Olá — digo.

— Sentiu saudades?

— Senti — respondo. — Você se divertiu nas corridas?

— Ah, me diverti. E vi sua tia Evelyn em Dublin também.

— Fantástico.

— Será que vou contar a história de um rato em Gorey? Será que vou começar? É só isso que tem nela.

Odeio essa charada. "Vá embora", quero dizer, mas não posso. Esta é a casa dela e prefiro morar aqui. Quando ela senta na cama e pega minha mão, não a impeço.

Nós morávamos em um apartamento de dois quartos com paredes verde-claras, que cheirava a mofo e urina de rato. Mas, quando meu pai perdeu o emprego, o salário de minha mãe não chegava para o aluguel e então, alguns meses mais tarde, minha avó nos convidou para morar com ela.

Meu avô era dono de uma joalheria, que deixou para vovó no testamento. Ele morreu quando eu tinha sete anos, e vovó vendeu a loja e todas as joias. No que diz respeito a meu pai, parte do dinheiro da venda da joalheria deveria ser dele.

— Cosquinha, cosquinha, cosquinha — diz ela enquanto se lança sobre mim, enfiando os dedos frios sob minha axila direita, me cravando as unhas.

— Sei onde você sente cócegas — diz ela. — Eu sei onde! Lá embaixo!

Agito-me e recuo. Quero que ela me faça cócegas, mas sei que vai começar com uma sensação boa e terminar com uma sensação ruim.

Quanto mais me afasto, mais ela cava minhas axilas. Nada dizemos e finjo rir, finjo estar me divertindo, e o silêncio durante esses episódios os tornam ainda mais estranhos, como se ambos soubéssemos que estou fingindo.

Ela para.

— Posso comer doce agora? — pergunto.

— Pode ser que sim — diz ela. — Pode ser que não.

— Por favor? — peço. Antes que minha avó tenha tempo de responder, minha mãe abre a porta do quarto com tanta força que esta bate na parede. Talvez não fosse essa a intenção.

Seu rosto está corado até o pescoço, e seus olhos azuis, arregalados. Ela fica mais bonita quando volta para casa depois de trabalhar em seus shows de marionetes, e sei que nunca vai ficar muito velha ou feia e nunca vai se parecer com vovó.

Quando minha mãe fala, olho para sua boca, que tem a aparência que uma boca bonita deveria ter. Quando uma pessoa feia fala, seus lábios movem-se como um corte feito na massa que cobre um buraco escuro. Muitas vezes contemplo rostos para ver se a boca é bonita e tem a aparência que uma boca deveria ter ou se é feia e parece com um rasgo torto que abre e fecha.

— John, está na hora do jantar — anuncia minha mãe.

Enfio a banana pela metade embaixo do travesseiro. Não gosto de comer banana diante das pessoas.

— Pode trazer a banana com você, se quiser.

Minha mãe refere-se à banana como se fosse um bichinho de estimação.

— Tudo bem — digo. — Vou comer mais tarde.

— Faça o que quiser — diz ela.

Sentamo-nos à mesa da cozinha e tomamos creme de galinha. A bolsa de vovó se encontra no chão da cozinha e seu casaco, nas costas da cadeira. Quando volta de Dublin, ela geralmente me pede para levar seu casaco e sua bolsa para o quarto e geralmente me dá um doce quando volto com seus chinelos. Hoje há alguma coisa diferente.

Ela larga os sapatos no chão e o cheiro de náilon e suor sobe até a mesa e penetra em minha sopa de galinha. Observo-a enquanto come e seus hábitos alimentares me deixam enjoado. Os de meu pai são quase tão ruins. Comparados com minha mãe, eles parecem cães selvagens e os ruídos que produzem enchem a cozinha, como os do ato de urinar enchem o banheiro, e sinto vontade de tapar os ouvidos. As colheres retinem na tigela, as línguas se espalham dentro da boca e é impossível pensar em qualquer outra coisa.

Quando terminamos a sopa, minha avó vai até o guarda-louça e volta com seis pãezinhos de creme e um pedaço de bolo de casamento. O bolo tem cobertura de marzipã e seu cheiro é terrível, como tinta fresca. Coloco dois pãezinhos em um prato e me levanto da mesa. Quero comer em meu quarto. Mas meu pai estende a perna a minha frente, de forma que eu não consiga sair.

— Aonde você pensa que vai? — pergunta com uma raiva repentina demais, pronta demais; como se a estivesse acumulando desde domingo.

Uma dor, não exatamente aguda, mas tampouco indistinta, dispara de minha bexiga até minha garganta.

— A lugar nenhum — digo e volto a sentar.

— Bem, e então — pergunta meu pai a minha avó —, você se divertiu em Dublin?

O batom de minha avó manchou um pãozinho e ela tem creme no nariz. Sua boca está cheia de pão molhado, geleia e creme, mas ela não se dá o trabalho de engolir a porcaria úmida antes de falar.

— Foi ótimo. Depois das corridas, fui até a loja de Evelyn e passei um tempo sentada perto da lareira.

Evelyn é a irmã mais velha de minha mãe.

Meu pai e minha avó conversam um pouco, e minha mãe e eu os observamos, esperando que alguma coisa aconteça. Não raro há brigas quando meu pai e minha avó estão juntos à mesa.

Depois de tomar chá, minha avó toma um copo de xerez e seus ombros relaxam de prazer. Sua cabeça se inclina, seus olhos se fecham e, por fim, sua cabeça pende para a frente. Meu pai move sua cadeira e o rangido a acorda. Ela olha para ele, assustada.

— O que aconteceu com a sua barba? — pergunta, como se despertasse de um sonho.

Minha mãe e eu rimos.

— Quero saber o que aconteceu com o rosto do meu filho — diz ela. — Ficou liso e pelado.

Ela mal acabou de falar quando seus olhos se fecham e a cabeça tomba sobre o peito.

— Acorde! — grita meu pai. — A mesa não é uma cama.

Ela abre os olhos.

— A casa é minha e durmo no armário embaixo da escada se quiser.

Pergunto-me onde está Crito e começo a chamá-la.

— Gatinha, gatinha, gatinha. Aquiiiii, Crito! Aquiiiii, Crito!

Meu pai me lança um olhar carrancudo, levanta e deixa a cozinha sem nada dizer.

Sempre que a minha avó ganha mais do que cinquenta libras nas corridas, ela me leva ao resort Butlins ou ao circo, se houver algum por perto. No Butlins, ano passado, havia uma exposição chamada "Incríveis Mistérios do Mundo".

Havia fotografias de gigantes e anões, de um homem sem braços que tocava piano com os pés e de gêmeas siamesas, olhando em direções opostas enquanto beijavam seus namorados.

Minha avó e eu sentamos na primeira fileira e assistimos a um filme de um homem passando por cima das cataratas do Niágara em um barril e uma reapresentação de Harry Houdini escapando de uma camisa de força e de correntes. O verdadeiro nome de Houdini era Ehrich Weiss. Ele nasceu em 1874 e morreu em 1926.

Minha tia Evelyn esteve nas cataratas do Niágara. Quando voltou para casa, anunciou: "Consegui um belo bronzeado". Mas estava mais gorda do que quando partiu e ninguém estava olhando para o seu bronzeado. Minha mãe diz que tia Evelyn está cavando uma sepultura com os dentes.

Fico ansioso para ver tia Evelyn porque ela me conta histórias da viagem. Fala sobre a cidade, com seu imenso monte chamado Clifton Hill, repleto de museus e salões de entretenimento; casas de raridades, prodígios, luzes de neon e incríveis distrações. Ela diz que a cidade perto das cataratas do Niágara é nossa maneira de competir com a natureza. O fenômeno natural das gigantescas quedas-d'água e o show humano de extravagâncias. Está tudo lá, no Niágara.

Ocorre-me que eu poderia ir ao Niágara em breve se minha avó ajudasse.

— Você ganhou? — pergunto enquanto dou um tapinha em seu braço. Ela acorda. — E aí? Você ganhou alguma coisa nas corridas?

— Dessa vez, não — responde ela. — Mas vencer não é tudo.

— Então você não ganhou nenhuma corrida? — pergunto.

— Não — responde ela. — Mas me diverti.

De repente fico tonto, como se houvesse perdido o equilíbrio.

— Você não ganhou mesmo dinheiro nenhum? — pergunto.

— Claro que não, eu já não disse? — pergunta ela. — Não ganhei um centavo.

Baixo os olhos na direção da mesa.

— Vou fazer mais um pouco de chá — anuncia minha mãe. — Pegue o casaco e a bolsa de sua avó e leve para o quarto dela.

Levo o casaco e a bolsa de minha avó para seu quarto. Estar no interior de seu imenso quarto é como estar em outra casa, ou em um chalé como aquele em que ficamos em Butlins. Ponho sua bolsa em cima da cama e abro-a.

A bolsa está rebentando de maços de dinheiro. Verifico a porta e então começo a contar o dinheiro, separando as notas. Notas de cinquenta, de vinte e de cinco aos montes. Algumas notas estão amassadas, umas poucas estão rasgadas. Conto uma vez, então conto novamente, meu coração batendo forte, tremendo no peito.

Vou vomitar. Saio correndo para o banheiro, abro a torneira de água fria e ponho a cabeça sobre a privada. Vem como da última vez, um jato de líquido amarelo. Consigo fazer grande parte do vômito ir para dentro do vaso e limpo o restante com papel higiênico. Minha boca fica com gosto de suco de laranja amargo.

Passo pela cozinha e olho lá para dentro. Vovó está tomando chá e conversando com minha mãe. Volto ao seu quarto e olho para o dinheiro: setecentas e quarenta e cinco libras! Peço a Deus que mantenha minha avó na cozinha para não ser apanhado e minhas mãos tremem enquanto pego parte do dinheiro para mim. Enfio as notas no bolso, mas não sou ladrão. Esta é a prova de que necessito de que não imaginei essa riqueza e de que não imaginei suas mentiras.

Vou para o meu quarto e não saio novamente pelo resto do dia. Não posso deixar que ninguém veja minhas mãos trêmulas. Arrasto a cômoda para diante da porta e torno a contar o dinheiro. Tirei noventa libras. Separo as notas em pequenos maços. Três de vinte, duas de dez e duas de cinco. Vou guardar o dinheiro embaixo do colchão e decidir mais tarde o que fazer com ele.

Às nove horas, minha mãe vem ao meu quarto para me dar boa-noite.

— Como está o Doutor Presunçoso? — pergunta.

— Bem.

— O que você está fazendo?

— Pensando.

— Você pensa um bocado. Tome cuidado para não se tornar um ermitão.

Não sei por que as pessoas que gastam tempo pensando causam surpresa. Há milhares de coisas sobre as quais se pensar. Quando se trata de pensar, a vida parece um gigantesco parque de diversões. Se a pessoa entra no parque, deveria querer ir a todas as atrações.

Eu diria isso a ela, mas ela poderia pensar que estou sendo engraçado e rir, e não estou com disposição para risos.

— Tudo bem — digo. — Vou parar agora. Você pode ficar um pouco aqui comigo?

Ela fecha a porta e senta na cama.

— Você pode esfregar os meus pés? — pergunto.

— Você vai ter que tirar os pés de debaixo das cobertas.

Ela massageia meus pés e olho para ela.

— Você está parecendo triste — diz ela.

— Porque papai é mentiroso — digo. — Foi por isso que vomitei no chão.

— Como é que é? — Ela solta meu pé.

— Eu disse que papai é mentiroso.

— O que você está querendo dizer com isso, de que seu pai é mentiroso?

Quero contar que vovó também é mentirosa, mas aí ela vai saber que inspecionei a bolsa dela e pode suspeitar de mim.

— Ele é mentiroso e tenho provas. Eu vomitei porque ele mentiu para mim. Ele mentiu dizendo que não estava triste.

— Você vomitou quando viu os gatinhos mortos.

Sento-me ereto.

— Não — digo. — Eu vomitei porque percebi que ele mentiu. Se eu contar como, promete que não vai contar para o papai?

— Vá em frente e fale.

— Promete?

— Prometo. Diga.

— Jura que não vai contar?

— Juro. Agora fale.

— Antes eu já suspeitava que papai era mentiroso. Às vezes ele promete que vai fazer coisas e eu sei que vai quebrar a promessa. Às vezes ele diz que vai estar em casa para o jantar e sei que não vai. Desconfio dele há séculos. Eu só precisava de provas. Agora tenho a prova porque vomitei. Sei que papai é mentiroso.

— Isso é um absurdo. Você vomitou porque ficou perturbado. O seu pai não é mentiroso.

— Foi mais do que vomitar. Vi a expressão no rosto dele

mudar quando ele disse a mentira, ouvi a mudança na voz dele e vi as mãos dele tremerem.

Ela levanta-se e dirige-se à porta, sem olhar para trás.

— Você está cansado e perturbado — diz. — Vá dormir. Até amanhã.

— Mas...

Ela se foi.

Examino o *Livro Guinness dos recordes* para ver se há alguém que tenha o dom da detecção de mentiras. Não há ninguém. Vou escrever para eles e contar que consigo detectar mentiras. Se decidirem me testar e eu passar no teste, pode ser que entre para o livro, não por quebrar um recorde (como comer o máximo de ovos cozidos ou ter o bigode mais longo), mas por realizar algo surpreendente.

Talvez eu também deva escrever para o Museu Ripley Acredite se Quiser! Pode ser que eles se interessem por mim. Há uma fotografia de Robert Leroy Ripley sobre minha cabeceira. Ele está de pé com o braço ao redor dos ombros de um sujeito chamado El Fusilado, que encarou um pelotão de fuzilamento e sobreviveu. O rosto de El Fusilado acha-se repleto de orifícios de bala, mas ele sorri, feliz por estar com Ripley. No mínimo, vou ganhar dinheiro suficiente com meu talento para pagar uma viagem às cataratas do Niágara.

Dirijo a atenção lá para fora à espera de meu pai e me pergunto se ele virá até meu quarto com meu presente quando chegar em casa. Pego minha caixa de sapatos embaixo da cama e contemplo os cartões-postais e prospectos que tia Evelyn me enviou do Niágara.

Sei exatamente como quero que seja a viagem. Em primeiro lugar, seremos mamãe e eu; quero que sentemos juntos em um Jumbo e quero ver a catarata Horseshoe, a maior delas, da janela do avião antes de aterrissar no aeroporto em Niágara. E quero bater uma foto de nós dois na cabine com o piloto e o copiloto.

Quero que fiquemos ensopados com os borrifos das cataratas e, depois, nos secaremos — será verão — em nossa escalada de Clifton Hill rumo ao parque de atrações, onde há passeios e, mais importante de tudo, o Museu Ripley Acredite se Quiser!

Verifico meu relógio às nove e meia e meu pai ainda não está em casa. Vou até a sala e pergunto a minha avó onde ele está. Ela informa que ele vai passar a noite em Wexford. Precisava se encontrar com seu antigo patrão para pedir um favor. Pego no sono com um folheto do Museu Ripley debaixo do travesseiro.

4.

Meu amigo Brendan vem ao chalé pela manhã uma hora antes do combinado. Ele está sempre adiantado, como se quisesse pegar as pessoas fazendo alguma coisa que não devem. Vem até a janela de meu quarto enquanto estou me vestindo e bate no vidro.

— Oláaaaaa — diz, com sua falsa voz de fazendeiro. — Vendi nove vacas hoje mesmo.

— Oláaaaa — grito em resposta. — Dizem que nove é melhor que oito.

— Pela frente ou pelos fundos? — pergunta ele.

— No que me diz respeito, pela chaminé.

Há uma porta na frente e outra nos fundos, e ambas estão sempre abertas.

— Certo, então — diz ele.

Ele achata a boca e o nariz contra a janela e lambe o vidro. Brendan é mais baixo que eu, porém mais velho e mais largo. Mais forte também. Tem o hábito de arquear as costas, projetando para a frente e abaixando a cabeça e o pescoço, o que dá a impressão de que está tentando equilibrar alguma coisa no lombo.

Ele vem até meu quarto, sentamos no chão e conversamos por algum tempo. Não sento na cama com ele. Só sento na cama com minha mãe. Pergunto-me se devo mostrar-lhe o dinheiro, mas decido que não. E se ele quiser gastar uma parte? E se contar a uma de suas irmãs?

Estamos saindo rumo ao campo diante do chalé quando vovó nos detém ao passarmos pela cozinha.

— Brendan! — diz ela. — Você deve parar e conversar um pouco.

— Tudo bem, senhora Egan — diz ele.

Minha avó não raro se veste de cima a baixo com uma única cor e hoje está vestindo camisa amarela, saia amarela e sapatos de salto alto amarelos. Até mesmo seus grandes olhos parecem amarelos. Oferece-se para preparar ovos cozidos para Brendan e, enquanto cozinha os ovos e prepara a torrada, Brendan conta-lhe que havia duas gêmeas bagunceiras em sua casa, brincando com suas irmãs antes que ele saísse, e que mal podia esperar para se ver longe delas.

— Quais gêmeas? — pergunta minha avó.

— Bernice Boyd e sua irmã Bernadette — responde Brendan. — Elas levaram um cartão e um bolo de aniversário para minha irmã.

— Seria bom sua irmã ter cuidado com esse cartão. Quem sabe dar uma limpada com um pano úmido antes de tocar nele novamente.

— Você não pega germes de um cartão de aniversário — digo.

— Raiva — diz minha avó em voz alta, e pequenas porções de cuspe precipitam-se de sua boca frouxa. — Você poderia acabar com raiva. Aquela família inteira está espumando pela boca por causa da raiva.

Sinto vontade de sair da cozinha quando minha avó fala desse jeito, mas os ovos estão prontos.

— Aqui está — diz ela.

Os ovos não cozinharam tempo suficiente e estão moles demais para se comer. A clara é a pior parte: um líquido cru e transparente. A gema não parece tão terrível quanto a clara crua do ovo.

— Pode ficar com esses — digo a ela. — Não estou com muita fome.

Minha avó usa uma faca para quebrar a casca do ovo e a clara escorre pela lateral da casca até o prato. Em vez de usar uma colher ou um pedaço de pão para limpar a sujeira, leva o oveiro até o rosto e lambe a lateral da casca quebrada. Em seguida ergue o prato da mesa, inclina-o na direção da boca e lambe mais um pouco, até que não reste mais ovo nenhum. Ela come como se achasse que mastigar fosse um obstáculo à comida, como se desejasse que todos os alimentos fossem escorregadios. Se um peixe surgisse à mesa, ela o comeria assim.

Não entendo como uma pessoa tão ordeira e correta pode comer desse jeito e fazer tanta sujeira, deixando sempre um rastro pegajoso de comida e respingos atrás de si. Fico furioso com ela por ser nojenta e a irritação me deixa com falta de ar. Mas ela nos acolheu quando não tínhamos dinheiro nenhum e nos diz que este é nosso chalé; nosso lar. E canta canções de guerra quando está no banho, joga mexe-mexe comigo, me ensinou a jogar gamão e pôquer e não me deixa vencer.

Agarro o casaco de Brendan e o arrasto para fora da cozinha.

— Nós temos que ir — digo.

— Ah — diz ela —, se vocês realmente precisam... — E não há nada que eu possa fazer para deixá-la menos triste por ficar sozinha novamente.

* * *

Jogamos bola durante horas e acabamos indo parar no campo que fica a cerca de um quilômetro e meio de distância, a meio caminho entre o chalé e nossa escola. Está quase escuro e está ficando difícil enxergar a bola. Agacho para descansar um minuto e Brendan senta em cima da bola.

— Sabe — diz ele —, quando começarmos a sexta série, daqui a oito meses, algumas das garotas vão estar usando sutiã.

Ele quica para cima e para baixo sobre a bola.

Fico de pé e chuto com força a bola embaixo dele.

— A essa altura vou estar no *Livro Guinness dos recordes*.

— O quê?

— Vou escrever para eles daqui a alguns dias, antes do início das aulas.

— Por que colocariam você no *Livro Guinness dos recordes*?

— Ainda não posso contar, mas conto assim que receber uma resposta. Tem que ser segredo por um tempo.

— Pare de chutar a bola! Para quem eu iria contar?

— É só porque o motivo pelo qual vou entrar é meio fora do comum.

Ele se ergue de cima da bola, estufa o peito e eu também estufo o meu. É uma brincadeira que fazemos quando temos algum desentendimento. Digo "E daí?", ele diz "E daí?", e nos empurramos durante algum tempo.

— E daí?

— E daí?

— E daí?

Ele recua e parto para cima dele.

— E daí?

Ele vem para cima de mim. Perco o equilíbrio e caio. Do chão, digo:

— E daí?

Ele ri de mim.

— São cinco horas. Tenho que ir.

— Como você sabe que são cinco horas se nem está de relógio? — pergunto.

— Olhei para o seu faz tempo e já passava das três.

Olho para meu relógio e falta apenas um minuto para as cinco da tarde.

— Ainda não são cinco — digo.

— Aposto com você que são.

Eu normalmente começaria outra briga a essa altura, apenas por diversão, mas desejo voltar ao meu quarto.

— Vejo você naquela escola horrorosa na segunda-feira.

— Até lá — despede-se Brendan enquanto pega a bola. — E não se esqueça de dizer às vacas no caminho de volta que grama faz mal a elas.

Tchau — digo.

Ele começa a caminhar de costas e eu também. Olhamos um para o outro por tempo demais; sem saber se acenamos com a cabeça ou sorrimos, e acabamos fazendo caretas estranhas que nos constrangem a ambos. Viro de costas e parto para casa o mais rápido possível.

Faço o caminho de costume, descendo a longa alameda de abetos, e em seguida atravesso os campos rumo ao chalé de vovó. No último campo há um caminho estreito, que percorro todos os dias depois da escola, onde a terra está batida de tanto ser pisada e a grama não cresce. Fui eu que fiz esse caminho e ele se curva três vezes na metade, como uma cobra.

Na extremidade do campo, ao norte de nosso chalé e não distante da estrada, há uma boneca presa em uma árvore e não consigo passar por ela sem erguer os olhos.

Ela está firmemente encaixada na curva de dois galhos, a cerca de três metros de altura, e fora de alcance; acha-se ali há anos, desde que comecei na Gorey National School. O vestido está desbotado e parte da pele em suas mãos e braços está preta, como se ela tivesse ulcerações provocadas pelo frio.

No inverno, afasto-me dela assim que verifiquei que continua lá, mas no verão, quando não está tão escuro à tarde, sinto pena e quero puxá-la para baixo. Algumas noites de verão, voltando da escola a caminho de casa, prometo que vou subir na árvore e trazê-la para baixo, mas assim que como e bebo alguma coisa me esqueço dela.

Não fosse por Crito sentada sobre a mesa da cozinha ronronando, o chalé estaria vazio e silencioso. Não há nenhuma luz acesa e o rádio está desligado. Talvez minha avó esteja no bingo ou fazendo compras e meu pai continue em Wexford. Pode ser que minha mãe esteja em um ensaio para a pantomima de verão. Sento à mesa e ponho Crito no colo. Vou pensar enquanto espero que alguém volte para casa.

Minha mãe cria marionetes, mas diz que não é boa o bastante para ser marionetista.

— Deixo isso para os especialistas — alega. — Não sou artista.

Mas sei que ela está errada. Depois da pantomima do ano passado, quando grande parte das pessoas havia deixado o teatro e as luzes e os aquecedores haviam sido desligados, uma menininha implorou para que as marionetes voltassem. A mãe da menininha perdeu a paciência e disse:

— Agora estou indo embora — e deixou a menininha berrando sozinha.

— Onde está o Lobo? Onde está a Galinha Galeta?

Minha mãe mostrou à menina que as marionetes não são de verdade, fazendo a Galinha Galeta falar como o Lobo e fazendo o Lobo falar como a Galinha Galeta. Quando a menina chorou ainda mais, minha mãe se ajoelhou e pousou as mãos ao redor das costelas da garotinha.

— Agora fique quieta — disse. — Os bonecos foram dormir.

A menina continuou a chorar até que minha mãe beijou seu cabelo. Fui até lá e minha mãe afastou as mãos do tórax da garota.

— Nos deixe sozinhas, John. Vá esperar no carro — disse. Deu-me as chaves, mas não fui para o carro. Entrei na cozinha do auditório da igreja e fiquei vigiando pela janela para ter certeza de que mais nada aconteceria.

E é como sei que ela é melhor marionetista do que alega ser.

Preparo algumas torradas com geleia de amora e vou para a sala. E vejo que meu pai estava em casa esse tempo todo. Está sentado em silêncio no sofá, na extremidade mais próxima à lareira, lendo *Os cinco grandes filósofos desde Platão*. Está usando uma calça larga e um pulôver verde, com um furo perto do pescoço. Há pelos escuros em seu queixo.

— Oi, pai — digo.

— Oi, filho — responde ele.

— Você trouxe aquele presente para mim? — pergunto.

— Que presente?

— O que você prometeu.

— Ah, sei. Ainda não consegui comprar. Vou comprar amanhã. Vai ser uma surpresa maior ainda.

— Mas você disse.

— Perversidade amorfa — declara meu pai. — É isso que você tem: a convicção infantil de que pode, e deve, ter tudo.

Ligo a televisão, sento na outra ponta do sofá com minhas torradas e, depois de aproximadamente dez minutos assistindo *Doctor Who,* sinto frio. Levanto para mover a brasa na lareira com o atiçador.

Quando volto a sentar, ele diz:

— Oi, filho — como se houvesse esquecido que já iniciamos a conversa. — Teve um bom dia com Brendan?

— Tive — respondo. — Tudo bem.

Dou algumas mordidas na torrada, mas minha língua parece paralisada.

— Pai? Quando você se formar em criminologia, vai querer ajudar a prender criminosos?

Ele respira fundo e põe o livro no colo. Percebo que hoje ele quer conversar. Puxo as pernas para cima do sofá e me aproximo dele, fazendo meu joelho encostar em sua perna.

— Não especificamente — responde ele. — Quero entender esses sujeitos. Você já ouviu o dito "É melhor prevenir do que remediar"?

— Mas você, tio Jack e tio Tony falam que os criminosos merecem tudo o que recebem. Vocês disseram que eles deviam ser enforcados.

Meu pai percebe que o peguei em contradição. Fecha os olhos por um instante, então os abre, como se fosse começar de novo.

— Às vezes é quase impossível saber o que alguém realmente pensa a partir do que diz. É muito difícil conhecer as pessoas. O que realmente penso é muito mais complicado. O que realmente penso é que só um monstro poderia enforcar um homem. E que os homens que aboliram a pena de morte nos Estados Unidos vão estar entre os maiores que já viveram.

Ele olha para mim para ver se estou conseguindo acompanhar. Estou. Melhor do que ele se dá conta.

— E o discurso — continua — e as palavras usadas em uma conversa quando as pessoas estão tentando entreter umas às outras, passar o tempo e se livrar da dor do tédio e da solidão... Bem, essas palavras são provavelmente a pior maneira de julgar alguém, e o tipo de conversa que você ouve na maior parte do tempo entre mim e seus tios, bem, é uma espécie de reflexo, como quando dou um tapinha no seu joelho e sua perna chuta.

Então, sem dizer mais nada, ele volta ao livro. Quero continuar conversando e ele não deveria parar desse jeito.

— Mas você está querendo dizer que não tem intenção de punir criminosos. Mesmo os muito maus? E se um deles matasse mamãe?

— Eles deveriam ser punidos — responde ele enquanto esfrega o rosto — dentro de certos limites. Mas, em primeiro lugar, talvez devêssemos saber por que eles cometem crimes.

Aproximo-me dele no sofá; posso sentir o calor de seu corpo.

— Mas e se alguém soubesse que o criminoso estava mentindo? E se alguém fosse um detector de mentiras?

— Essa é uma pergunta idiota.

Sinto uma súbita e inesperada queimação no estômago; como o atrito produzido por uma corda. Desloco uma torrada no prato e torno a olhar para ele.

— Mas — digo — quero saber o que acontece quando alguém sabe com certeza que um criminoso está mentindo.

— Você está se referindo aos polígrafos? Às máquinas detectoras de mentiras? — pergunta ele.

— É.

— Mas algumas pessoas sabem mentir muito bem.

— E se existisse uma pessoa que fosse um detector de mentiras humano, que percebesse quando alguém está mentindo?

Ele franze a testa.

— Não acredito que tal pessoa exista.

Endireito mais o corpo e sorrio. Ao que parece, minha mãe cumpriu com sua palavra e ele não sabe de nada.

— E se existisse?

— Bem, o sujeito teria que me provar isso. Mas provavelmente seria um excêntrico, como uma das aberrações dos seus livros.

Tiro a casca de uma torrada, atiro-a no fogo e não digo mais nada. Removo o restante das cascas uma a uma, e lanço-as no fogo.

— É um mau hábito jogar pão bom fora desse jeito.

Fico de pé.

— Não estou com muita fome — digo. — Vou para o meu quarto.

Mas não é o que faço. Saio pela porta da frente. Embora esteja frio, úmido e escuro, sento em cima de meu casaco no pequeno gramado ao lado do caminho de cascalho que dá acesso à garagem e arranco a grama aos punhados. Fico observando os carros passarem e as vacas no campo do outro lado da estrada; as vacas que se aproximam da cerca em grupos de duas ou mais, como se achassem que alguém vai libertá-las.

Por vezes aceno na direção das vacas, vou até lá e lhes dou a grama que arranquei do gramado. Gosto de arrancar a grama, gosto do som da vegetação se partindo, o som imaculado desse rompimento.

Ouço minha mãe e minha avó chegarem em casa, mas não saio para encontrá-las. Permaneço em meu quarto, lendo.

É tarde, mas minha mãe não veio ao meu quarto para dar boa-noite. Vou ao banheiro e a encontro. Ela está de camisola, curvada sobre a pia, escovando os dentes. Permaneço de pé no umbral da porta e olho para ela. Ela endireita o corpo quando percebe que a estou observando.

— Mmm? — pergunta, com pasta de dente nos lábios e no queixo. — O que você quer?

— Nada — respondo.

Minha mãe termina e, ao deixar o banheiro, esquece-se de me entregar minha escova de dentes azul.

— Posso trocar uma palavra com você? — pergunto.

— Uma palavra? — pergunta ela, sorrindo; por fim um pouco de calor humano.

— É — respondo. — Agora mesmo.

Vamos até meu quarto. Entro debaixo das cobertas, e ela faz o mesmo. Deitamos de costas, bem próximos. Seu braço é macio de encontro ao meu e, em pouco tempo, respiramos juntos. Seu cabelo longo faz cócegas em meu ombro e sua mão toca minha coxa. Quero me virar para ela, ter seu rosto mais perto, mas primeiro preciso contar.

— Vovó também mentiu.

Ela apoia a cabeça na mão e vira-se para olhar para mim.

— É muito sério dizer uma coisa dessas — adverte.

— Mamãe, eu sei quando as pessoas estão mentindo. Fico enjoado e sei. — Ela me olha firme por um bom tempo e tento não piscar.

— Que mentira vovó contou?

Explico a questão do dinheiro, mas não digo que peguei uma parte para mim. Agora ela está sentada e não me toca mais. Fecho os olhos e espero que fale alguma coisa.

— Você tirou dinheiro da bolsa de vovó?

— Não, mamãe. É claro que não.

Paro de respirar. Meu coração bate tão forte que posso senti-lo nos ouvidos. Embora esteja nervoso, preciso prestar muita atenção na forma como me sinto. Vai ser importante para mim descobrir qual é a sensação produzida pela mentira e registrar exatamente o que ela provoca em meu corpo. Não quero mentir, mas, se conversarmos sobre o dinheiro, não conversaremos sobre meu dom. Se eu contar uma verdade, então verdades mais importantes não virão à tona.

— Tem certeza? — pergunta ela.

— É claro que tenho certeza.

Não consigo olhar para ela quando conto essa mentira e fecho a cara para parecer constrangido e um pouco contrariado.

— É bom ouvir isso — diz ela.

É bom ouvir isso. É o mesmo que dizer que você sabe que alguém está mentindo, mas prefere ouvir a mentira porque ela o faz se sentir melhor do que ouvir a verdade.

— Que bom — digo.

— O que acontece quando alguém conta uma mentira? — pergunta ela.

— Fico enjoado, minhas orelhas e meu pescoço queimam e percebo cada coisa que está acontecendo.

Ela contempla o tapete durante algum tempo.

— Quero que você prometa que não vai dizer uma palavra a seu pai ou sua avó sobre esse assunto da mentira.

Embora não tenha mentido, sei que ela não acredita em mim e está preocupada, sobretudo, em evitar que eu passe vergonha. Quase não fez perguntas; se acreditasse em mim, ficaria mais curiosa. Ela normalmente é de fazer perguntas, uma após a outra, e sempre as respondo.

— Não vamos chamar isso de segredo. Vamos só... vamos chamar de nossa casa de marimbondos.

— Que tipo de marimbondos?

— Dos grandes, zangados.

Ela deita novamente. Sorrimos, mas quero mais: quero que ela me abrace. Ergo o braço e pouso-o sobre seu ombro. Ela põe o braço em torno de minha cintura. Isso não acontece há um bom tempo.

— Feche os olhos — diz ela. Assim que fecho os olhos, ela me beija nos lábios.

— Fique de olhos fechados — pede.

— Tudo bem — respondo.

Ela corre a mão por meu flanco, sente meu quadril, mas para de repente, me dá dois tapinhas e torna a puxar a mão. E então se põe de pé, rápido demais, longe de minha cama quente.

— Boa noite — diz ela.

— Mas...

— Boa noite.

Fico acordado até tarde, lendo o livro da biblioteca, *A verdade sobre a detecção de mentiras*, e, com caneta e caderno novos, começo a escrever a respeito de mentiras e de como as pessoas se comportam quando mentem. Batizo o caderno de Oiraid de Saritnem e escrevo a respeito da mentira de meu pai, a respeito da mentira de minha avó e então a respeito da estranha reação de minha mãe à verdade.

Pergunto-me o que vai acontecer quando as pessoas descobrirem que tenho essa rara aptidão. Ou quando descobrirem que não conseguem me enganar. Preciso ter cuidado. Preciso ter muito cuidado.

5.

Acordo cedo e subo a escada estreita que conduz ao quarto de meus pais. Meu avô construiu o sótão porque desejava um cômodo isolado do restante do chalé, onde pudesse consertar joias. Ele tem duas janelas grandes e teto baixo. Vovó é a única que não precisa se inclinar quando passa pela porta.

A porta está aberta apenas o bastante para que eu vislumbre o interior. Minha mãe está dormindo de lado, com o pé projetando-se por baixo do edredom.

Meu pai não se encontra na cama. Está dormindo em um colchão no chão, debaixo de um cobertor marrom. Está acordado, olhando fixo para o teto, ou talvez esteja dormindo de olhos abertos. Não sei ao certo qual dos dois.

Fico na ponta dos pés, olhando por tempo demais, e ele me vê. Deve estar me vendo, seus olhos encontram os meus, mas nenhuma outra parte de seu rosto se move. Ele não fala nem parece querer falar. Olha fixo para mim, um olhar prolongado e vazio, e continuo sem saber se ele está acordado ou dormindo.

"Por que você está no chão?", sinto vontade de perguntar, e

na semana passada teria feito a pergunta, mas agora, de alguma forma, perdi a coragem, como na escola, e recuo, tateando a parede com as mãos até sair de suas vistas.

A escada é estreita e desço de lado, segurando firme o corrimão.

Faço mais barulho na cozinha do que de costume, esperando que minha avó escute de seu quarto na outra ponta do chalé. Em pouco tempo, ela chega.

— John! — diz. — São seis e meia da manhã.

— Eu estava com fome.

— Seu diabinho. Pensei que houvesse um ladrão na casa. Venha cá.

— Desculpe — digo, mas não me aproximo.

— Bem, agora eu estou acordada. Que tal me trazer um pouco de chá e se sentar um pouco comigo?

Preparo chá com torradas e levo ao quarto dela.

— Se estiver com frio — diz ela —, pode entrar debaixo das cobertas.

— Não — digo. — Não estou com frio.

Sento na beirada da cama e ela come a torrada com a boca escancarada, da maneira como come tudo o mais, como se estivesse resfriada e não conseguisse respirar pelo nariz.

— Não é engraçado que, quando estamos resfriados, não temos um cano por onde respirar? — pergunto. Ela aperta o queixo. — Como o cano de uma chaminé...

— Ah. Agora entendi. É preciso estar perfeitamente acordado e acordar bem cedo para não ficar atrás de você.

— Mas *é* cedo! — digo.

Ela sorri, mas o sorriso murcha rápido e sua boca feia amolece novamente.

— Você gosta de morar aqui comigo, não gosta? — pergunta ela.

— É claro — respondo. — É muito melhor do que antes. Posso ir para a escola pela trilha que fiz para atravessar os campos e não tenho que pegar o ônibus.

— Isso é excelente — diz ela.

Ficamos ali sentados, comemos nossa torrada e nada dizemos.

Termino minha torrada e ela termina a dela.

— Um pouco mais de chá seria ótimo agora — diz ela.

Trago o chá, largo a bandeja em cima da cama e permaneço de pé.

— Nunca fique de pé quando puder sentar — diz ela.

Eu sento.

— Onde está sua xícara?

— Não vou tomar mais.

Permaneço sentado e observo.

Ela bebe ruidosamente o chá e sorri para mim. Estende a língua para receber a xícara antes de cada gole e, depois que sorve o chá, sorri para mim.

Há apenas os ruídos que ela produz ao beber e tanto silêncio entre nós que, quando um caminhão passa, fico grato pelo barulho e pela distração. Olho pela janela e presto atenção ao caminhão à medida que este desce lentamente a estradinha que passa ao lado do chalé.

Minha avó esvazia a segunda xícara e um constrangedor cheiro de silagem flutua pelo quarto.

— O que você viu quando foi até lá em cima antes? — pergunta ela.

— Não vi nada.

— Você viu seus pais na cama?

O cheiro de estrume em decomposição ou forragem fermentada se instalou no quarto de minha avó e a pergunta parece coberta de imundície.

— Vi. Vi os dois dormindo.

— Os dois estavam dormindo? Dormindo juntos?

Há muco brotando em minha garganta, perto do fundo da boca.

— Vi papai dormindo no chão — respondo.

— Isso mesmo — diz ela. — Ele está outra vez com problemas nas costas. Como no ano passado, quando dormiu na sala por uma semana. Mas deixe estar. Ele detesta que sintam pena dele por causa disso. Está entendendo? Não converse com ele sobre a dor nas costas, nem sobre o fato de estar dormindo no chão. Você está entendendo?

— Estou — respondo.

Ela está mentindo. Há alguma coisa acontecendo entre minha mãe e meu pai e eu deveria saber o que é.

Vou para meu quarto e leio o segundo livro sobre detecção de mentiras que tomei emprestado da biblioteca de Wexford. Aprendo, a partir do livro, que na antiga China pedia-se às pessoas suspeitas de estarem mentindo que cuspissem uma porção de arroz. Arroz seco indicava a boca seca de um mentiroso. Pergunto-me se algum dia terei a oportunidade de usar esse truque. Tomo nota disso no Oiraid de Saritnem, que mantenho escondido sob o colchão, junto com o dinheiro que tirei da bolsa de minha avó.

Agora tenho três cabeçalhos: Grandes Mentiras (Sednarg Saritnem), Pequenas Mentiras (Saneuqep Saritnem) e Mentiras Inocentes (Saritnem Setneconi). Mas mentiras inocentes de trás para a frente não forma uma boa expressão, então troquei mentiras inocentes por Senconi Saritnem.

Guardo o Oiraid de Saritnem sob o colchão e, como precaução extra, também emprego codinomes para minha família: mamãe é Emam, papai é Ipap, vovó é Ovov, tio Tony é Toti e tio Jack é Jatic. Embora ainda não haja ocorrências a seu respeito, tia Evelyn é Linev e há uma página encabeçada com seu nome, Linev, esperando pelas mentiras que há de contar.

6.

É domingo, faz uma semana desde que meu pai mentiu sobre os gatinhos, e estou lendo um livro sobre Sherlock Holmes investigando os assassinatos de Jack, o Estripador.

Minha mãe e meu pai estão sentados comigo no sofá e leio partes do livro em voz alta para eles.

— É ridículo e anacrônico ter Sherlock Holmes e Jack, o Estripador, no mesmo lugar — diz meu pai.

— Como pode ser anacrônico — pergunta minha mãe —, se Sherlock Holmes é um personagem fictício e o outro não? Um personagem fictício pode viver na época que quiser. E, além do mais, acho que eles existiram na mesma época.

— O que quer dizer anacrônico? — pergunto.

— Quer dizer historicamente inconsistente — responde meu pai. — Seria o mesmo que Jesus Cristo beber coca-cola antes de ir para a cruz.

— Vou pegar o dicionário. Vamos ver o que diz o dicionário — declara minha mãe.

Ela sai. Meu pai se ergue para mover as brasas na lareira,

então sai de repente, sem nada dizer. Minha mãe não volta com o dicionário. Leio o livro sozinho.

Quando termino, vou para a cozinha. Meu pai se acha à mesa da cozinha com minha avó. Não entro. Permaneço na beirada do portal, onde eles não podem me ver.

Minha avó está lendo uma carta e, quando termina, ergue os olhos na direção de meu pai.

— O que você quer que eu faça a respeito? — pergunta. — Não fui trazida a esta terra só para o seu benefício.

Meu pai pergunta em voz baixa:

— E John? E o seu neto?

Minha avó aperta os lábios antes de falar.

— Você pode ser o judeu da família — declara. — Mas não tem o direito de mandar em mim no que se refere a dinheiro. E que espécie de exemplo é você para o seu filho? Um homem deve ganhar seu sustento.

— Tudo bem, então. Vou arranjar emprego, se é isso que vai te deixar feliz. Me ver infeliz.

Minha avó agarra-se à mesa.

— Estou em um barco que está afundando rápido — diz ela. — O dia inteiro sinto que ele está balançando, mergulhando e recebendo água. Você não faz ideia do que é encarar a morte. Eu quero viver, mas minha existência está quase acabada. Se eu quiser gastar o que meu marido deixou, é direito meu. Você não vai me dizer como passar meus últimos anos.

— Você nos convidou para vir para cá.

— Convidei vocês para ficar até que você encontrasse trabalho e, em vez disso, vocês caíram sobre esta casa como gafanhotos — diz ela, tão furiosa que cospe nele.

Meu pai baixa os olhos na direção de seus punhos cerrados.

— Quando foi que eu disse que vocês podiam ficar aqui para sempre? — continua ela. — Você não trabalha há três anos. Ah é, assim pode fazer todos aqueles testes e palavras cruzadas. Para quê? E tanto estudo, para quê? Você passa o tempo inteiro provando que é inteligente, e tempo nenhum tirando proveito disso!

Antes que meu pai tenha tempo de responder, ela se levanta da mesa e caminha em direção à porta. Tento escapulir, mas ela me vê.

— Olá, John — diz. — Pensei que você estivesse vendo televisão.

— Fiquei com fome — digo.

— Bem, então. Saia do caminho e não me atrapalhe.

Ela agarra meu braço e me arrasta para o lado como se eu fosse uma peça de mobília no caminho.

Vou lá para fora. Minha mãe está entrando no carro.

— Você está indo para onde? — pergunta ela.

— Não sei.

— Bem, vou comprar farinha e açúcar no Keating e estou com preguiça demais para ir a pé.

— Posso ir? E aí compramos peixe e batatas fritas na cidade?

Ela franze a testa.

— Não podemos — responde ela. — Não vai dar tempo. Preciso costurar um pouco hoje à tarde por causa dos bonecos.

— Então vou só até o mercado.

Entro no carro e rumamos para o mercado do Keating. Meus braços estão quentes e meu coração bate forte.

— Você não quer mais fazer coisas junto comigo — digo. — Você mudou.

— Acho que não fui eu que mudei. Acho que alguma coisa está afetando você.

— Não tem nada me afetando — respondo.

Desejo que ela continue olhando para mim, mas digo:

— Pare de ficar olhando para mim.

Ela sorri.

— Qual é o problema? Fale. Nós não temos segredos.

— Ouvi vovó e papai discutindo por causa de dinheiro e porque moramos no chalé.

Ela suspira.

— Não se preocupe com isso. Isso não é coisa com que você tenha que se preocupar.

— Mas parece sério. Ela vai nos expulsar.

Meu coração bate forte no peito; sorvo um bocado de ar para freá-lo, mas ele continua a bater forte.

— Sua avó não tem a menor intenção de fazer isso. As pessoas dizem coisas que não querem dizer quando discutem.

— Não — discordo. — Elas esclarecem mais o que estão querendo dizer.

Eu não havia planejado tais palavras e pergunto-me se é mentira falar alguma coisa quando as palavras surgem antes do pensamento.

— Isso é um assunto sério — diz ela.

— É a verdade — digo.

— Às vezes sim, às vezes não. Nesse caso, eles não querem dizer o que dizem. Não há perigo nenhum de sermos expulsos. Sua avó te ama demais para isso e com o tempo eles vão dar uma trégua.

Ela não está mentindo, e fico mais calmo. A forte palpitação em meu peito parou e as palmas de minhas mãos estão secas novamente. Ela dirige devagar e canta.

— Às vezes seu coração bate forte e suas palmas das mãos ficam suadas? — pergunto.

— Às vezes. Quando estou nervosa.

— Quando você fica nervosa?

— Acho que é quando estou com medo, ou sinto que alguém está me vigiando como um falcão.

— Às vezes fico nervoso quando estou sozinho. Isso acontece com você?

— Normalmente, não — responde ela.

— Porque as pessoas não devem sentir medo delas mesmas? — pergunto. — Porque são necessárias duas pessoas para que uma delas se sinta mal?

— Acho que sim.

Paramos em um cruzamento e aguardamos a lenta passagem de um caminhão e de um trator. Vejo pela janela um cachorro se coçando contra a trave de uma cerca.

— Aquele cachorro vai se cortar — digo.

— Ele vai ficar bem. Tem uma camada grossa de pelo.

Ficamos em silêncio um instante, observando o cachorro se coçar, até que ele para e se vira para olhar para nós. Baixo o vidro da janela.

— Au — digo.

— Au-au — faz minha mãe. O cão parece confuso e se afasta.

— Quer saber? — diz ela. — Posso deixar para lá os bonecos. Diga o que você realmente gostaria de fazer. Não podemos ficar aqui nesse cruzamento o dia todo. Podemos ir para onde você quiser a tarde inteira. Desde que estejamos de volta para o jantar.

— Nós ainda vamos às cataratas do Niágara?

— É claro. Vamos quando você tiver terminado o seu Leaving.*

* Leaving: prova aplicada ao final do ciclo sênior de estudos na Irlanda, decisiva para entrar na faculdade. (N. T.)

* * *

— Quero que a gente vá no meu aniversário de treze anos — digo. — Quando eu for mais velho, talvez desista da ideia de ir.

— Não foi o que planejamos. Isso vai acontecer em menos de dois anos. É uma viagem muito cara.

Pergunto a meus botões se noventa libras seriam suficientes para a passagem. Sei que é este o salário de pelo menos duas semanas de um homem que trabalha em uma fábrica.

— Quanto custaria?

— Muito mais do que temos.

— E se vovó ajudasse a pagar?

— Isso é pedir demais.

Há um carro atrás de nós, esperando que avancemos.

— Mas e se ela ajudasse? E se nos desse o dinheiro agora, antes que acabe tudo?

— Acho que não...

O motorista atrás de nós toca a buzina.

— Você nem pediu a ela. E se você prometesse pedir a ela?

— Eu poderia pedir — responde ela —, mas você não deve ficar me aborrecendo, nem aborrecendo sua avó. O que quer que ela diga vai ser definitivo; vou te dizer se é sim ou não, e isso vai ser o fim da questão. Tudo bem?

Minha mãe acena para que o motorista passe e, ao passar, ele balança a cabeça.

— Você consegue imaginar? — pergunto. — Consegue imaginar as cachoeiras, as diversões, os parques de atrações, o Museu Ripley e viajar em um 747?

— Tente não ficar muito entusiasmado — diz ela, mas parece ser a mais feliz e agitada; suas faces estão coradas e as mãos, inquietas ao volante.

Ela vira à esquerda no cruzamento e torna a acelerar. Ao

nos aproximarmos da casa grande — uma mansão —, perto da estrada que conduz à cidade de Gorey, ela reduz a velocidade e entra no acesso de veículos.

— Por que você está parando? — pergunto.

— Tive uma ideia — responde ela. — Eu sempre quis dar uma espiada nesses jardins. Por que não tentamos?

Todos os moradores de Gorey conhecem bem a casa grande, e vêm turistas para dar uma olhada nela, nos escuros bosques que a circundam, no roseiral e no lago atrás.

Os proprietários da mansão vivem em Dublin e aparecem apenas uma ou duas vezes por ano; pagam jardineiros, horticultores, faxineiros, empregadas e zeladores para mantê-la em bom estado.

— Eu quero entrar — digo. — Quero entrar e ver todos os cômodos.

Ela olha para o relógio.

— Vamos ver — diz.

O "Vamos ver" de minha mãe é minha deixa para pensar em alguma coisa absurda para dizer em resposta. É uma brincadeira nossa; uma brincadeira que apenas eu e minha mãe fazemos.

— E não quero mais ser uma pessoa — digo. — Quero ser uma lontra dorminhoca que pode sobrevoar as montanhas e tomar sorvete o dia inteiro.

— Vamos ver — diz ela e nós sorrimos.

Estacionamos o carro nos portões e percorremos o caminho de acesso. O jardineiro acha-se próximo à entrada principal, vestindo um longo casaco verde e botas de cano alto. Caminhamos em sua direção; ele nos vê chegar e nada diz até estarmos a poucos centímetros de distância.

— Esses jardins são propriedade particular — diz ele.

— Eu sei, mas meu filho gostaria de dar uma olhada lá dentro — diz minha mãe. — Ele pode dar uma espiada rápida?

O jardineiro seca o rosto com o dorso da mão. No mais, permanece imóvel. Por sua expressão vazia, mais parece estar dormindo do que acordado.

— Isso é uma propriedade particular — diz ele novamente.

Minha mãe não perde tempo.

— Meu filho está muito doente — anuncia. — É só uma espiada rápida lá dentro.

Ela mentiu, mas não tenho nenhuma reação. É o tipo de mentira que muita gente chamaria de mentira inocente. Ainda assim é uma mentira, e contada para beneficiar um e ludibriar o outro. Talvez mentiras inocentes não funcionem da mesma maneira porque a pessoa que as conta não se sente tão ansiosa ou perturbada. E, no entanto, uma mentira inocente pode ter consequências tão terríveis quanto uma mentira grave.

— E não estamos com lama nos sapatos — digo. O jardineiro olha por sobre o ombro na direção da casa, seca o rosto com o dorso da outra mão, que exibe a tatuagem de uma rosa, então enfia a mão no bolso à procura das chaves.

— De qualquer maneira, a casa precisa ser arejada — diz ele.

A caminho de entrar, tusso algumas vezes, fingindo estar doente, e minha mãe cora. Nunca vi seu rosto mais vermelho. Desvio o olhar até que ela empalideça novamente, então seguro sua mão enquanto percorremos os cômodos da mansão. O interior é escuro, frio e cheira a produto de limpeza.

O jardineiro menciona a idade da mobília e minha mãe, que normalmente não é uma pessoa desinteressante, faz perguntas enfadonhas com voz tensa.

— Os candelabros são Waterford? — pergunta.

Quando estamos na cozinha, nos fundos da mansão, e sei que nossa visita está quase no fim, decido me afastar. Dou meia-volta e volto ao hall de entrada. Olho ao redor uma vez, então subo correndo as escadas amplas e nuas.

Quando minha mãe grita por mim, encosto-me à parede do patamar do primeiro andar.

— John! — grita ela. — John!

Em seguida, ouço-a conversando com o jardineiro e espero que ele suba atrás de mim. Talvez eu não tenha muito tempo. Subo correndo mais três lances de escada e quando alcanço o último andar estou sem fôlego e nervoso, mas sigo adiante. Abro portas e espio, até que chego a um quarto repleto de brinquedos. Entro e fecho a porta atrás de mim.

Há um cavalo de pau, caixas repletas de jogos, duas camas de solteiro cobertas de ursinhos de pelúcia e bonecas e, diante da lareira, uma fileira de garrafas de leite cheias de areia.

Em cima da mesa sob a janela aberta há a maquete de um vilarejo com uma estação de trem, uma agência de correio e uma mercearia. Enquanto estou ali observando, uma pequena rajada de ar sai pela janela da mercearia, um minúsculo sopro, exatamente igual à respiração de Crito no dorso de minha mão.

Estou preocupado que alguém lá fora me veja pelas altas janelas. Retiro a maquete do vilarejo de cima da mesa e levo-a para um canto atrás de uma das camas, perto da parede dos fundos. Ao baixar a maquete para o chão, ela entorna no meio e duas arvorezinhas se soltam. Pouso a cidadezinha no chão com mais cuidado e devolvo as árvores ao local em que acho que estavam, então sento de pernas cruzadas sobre o tapete.

Há trens, lojas, gente de plástico, arbustos e cães. Retiro dos trilhos os vagões do trem e os enfileiro do lado de fora.

Não é a maquete de uma cidadezinha irlandesa, e sim francesa; há um trem cujo destino é Pigalle. Brinco um pouco com o trem. Ele tem uma sacada atrás para que os passageiros admirem a paisagem, e me pergunto por que nossos trens não têm sacadas.

Eu gostaria de pegar um dos trenzinhos para mim, mas não tenho onde esconder um vagão. Em vez disso, pego o chefe de estação e o enfio no bolso do casaco. Ele tem bigode, usa um quepe vermelho com viseira e está de pé sobre uma placa horizontal de plástico verde, igual às placas de plástico horizontais sobre as quais se acham meus soldados.

Minha mãe está subindo as escadas, chamando meu nome. Torno a colocar a maquete do vilarejo sobre a mesa e desço as escadas para encontrá-la.

Ela está sozinha.

— Por que você fugiu?

Dou de ombros.

— Vamos — diz ela. — Não quero causar problemas para o jardineiro.

Enquanto descemos as escadas, seguro sua mão.

— Obrigado — digo.

— Tudo bem — diz ela.

O jardineiro nos acompanha até o portão.

— Você não devia ter desaparecido daquele jeito — diz ele. — Podia ter me causado muitos problemas.

— Desculpe — digo. — Eu só queria subir e descer as escadas correndo. Só por diversão.

— Certo, então — diz ele. — Mas é falta de educação correr na casa dos outros.

— Desculpe — digo.

No carro, minha mãe se vira na minha direção.

— Bem, o que você achou?

— Foi ótimo — respondo. — Vou morar em uma mansão algum dia. Talvez nessa.

— Talvez — diz ela, mas acho que ela não acredita em mim.

Estou falando sério. Assim que pronuncio tais palavras, sei que ajudarão a tornar realidade o que estou dizendo, de modo que torno a pronunciá-las.

— Vou morar em uma mansão — digo. — Sei disso. Vou ser famoso e rico. Não vou ser uma pessoa qualquer. Vou fazer alguma coisa importante. Sei disso.

Entramos no estacionamento do mercado do Keating e minha mãe desliga o motor. Olho para fora através do para-brisa.

— Amo você — digo.

Ela segura minha mão e o que diz a seguir me surpreende.

— Palavras não são ações, filho. Às vezes sua mãe precisa de um abraço.

Abraçamo-nos por mais tempo que de costume e, quando paramos, ela está chorando.

— Isso é ótimo — diz com uma voz que soa mais terna por entre as lágrimas.

Ela demora um longo tempo para falar novamente, mas então ri e aponta para um carro que está entrando no estacionamento e tenho para mim que ela deve estar chorando de felicidade.

— Veja, aquele homem está dirigindo um Cadilaco — diz. Sei, por sua risada, que ela cometeu o erro de propósito, e é tarefa minha esclarecê-lo. Esta é outra de nossas brincadeiras.

— Um Cadillac — digo. — Não Cadilaco!

— Você tem razão — concorda ela.

Quando chegamos em casa, há um bolo de chocolate que vovó preparou, recém-saído do forno. Pego uma fatia grande e vou comer em meu quarto. Quando termino, decido localizar minha avó e levar-lhe um pedaço de bolo com uma xícara de chá. Bato na porta de seu quarto, mas ela não responde. Entro assim mesmo.

Ela está dormindo na cama, deitada de costas, apenas de calcinha. Tem um aquecedor apontado para os pés, e suas roupas formam uma pilha no chão. Esta é a primeira vez que vejo um corpo nu e não parece, de jeito nenhum, que estou contemplando uma pessoa.

Sua mão está apoiada no estômago, que é maior e mais redondo do que pensei que fosse. Os seios pendem sob as axilas, como duas bolsas de água, com veias azuis e vermelhas, e torneiras marrom-escuras fincadas no meio.

Na mesinha de cabeceira, há uma xícara cheia de chá com leite e um prato branco pequeno com duas grossas fatias de pão integral untadas de geleia.

Contemplo seu corpo durante algum tempo, então fecho a porta e volto à cozinha. Meu pai está preparando um bule de chá.

— Fui à mansão hoje — digo.

— Foi? — pergunta ele. — Foi bom?

— Mais do que bom — respondo. — Ela tem centenas de quartos.

Quero mostrar-lhe o chefe de estação, mas não sei como ele irá reagir ao furto.

— Vi a maquete de uma cidadezinha — digo.

— Viu? — pergunta ele.

Ele passa por mim para ir à geladeira e pousa a mão em minhas costas. Não sei ao certo se está sendo carinhoso ou está tentando me tirar do caminho.

— O jardineiro deixou a gente entrar — digo.

— Melhor para ele — diz meu pai enquanto pega uma garrafa de leite na geladeira.

— É — digo às suas costas. — Melhor para ele.

— Você tem mais alguma coisa para contar?

— Vi a maquete de uma cidadezinha francesa, com um trem que tinha sacada e ia para Pigalle.

— Garoto bobo. Não existem trens de superfície para Pigalle. Os trens subterrâneos do metrô, sim. Trens de superfície, não.

Meus punhos estão cerrados e minhas pernas tremem, e tudo por causa do ódio que sinto por ele neste instante; e, embora ele esteja segurando a garrafa de leite e eu nada tenha nas mãos, é como se eu estivesse segurando a garrafa. Abro as mãos e posso senti-la: a frieza do vidro, seu peso, então sinto minha mão afrouxando em torno da garrafa e a garrafa escorregando por entre meus dedos.

Ouço a garrafa se despedaçar no chão e vejo o leite se espalhar sobre a ardósia e nas fendas entre elas, mas quando olho para meu pai ele continua segurando firme a garrafa.

Ele despeja o leite em uma jarra branca.

Observo-o enquanto permanece ao lado do fogão. Fito-lhe as costas e faço gestos com as mãos, como se o esmurrasse na cabeça. Ele não se mexe. Deve saber o que estou fazendo, mas não se vira para olhar para mim. Reprimo os gestos agressivos.

Suas mãos estão firmes, as minhas tremem.

Vou para meu quarto e passo a noite tentando encontrar todos os meus soldadinhos de plástico. Sei que tenho quase duzentos e eles estão sempre aparecendo dentro de meias ou embaixo do sofá. Já não brinco com eles, mas quero saber onde estão.

Acho que meu pai os espalha, pisoteia, quebra seu suporte plástico. Quando lhe pergunto se os viu, diz que desapareceram em combate ou que desertaram. Eu pensava que desertar significava que meus soldados haviam ido para o deserto.

Quando estão perdidos, desaparecidos na guerra, imagino-os

enterrados vivos nas trincheiras e às vezes fico acordado à noite e me preocupo com eles.

Não quero que meus soldados sejam esmagados sob o sofá ou caiam pela janela, do mesmo jeito que quero que a boneca na árvore se sinta confortável sentada entre os galhos; o rosto voltado para a frente, as pernas naturais, os braços relaxados.

Eu deveria conservar os soldados na caixa, onde estariam mais aquecidos e felizes: as caixas como dormitórios.

7.

Está chovendo forte esta manhã e corro com minhas botas de cano longo nos pés e o capuz de meu casaco puxado sobre a cabeça. Vovó se ofereceu para me levar de carro, mas quero ir sozinho; não quero que me vejam lhe dar um beijo de despedida no portão da escola. Atravesso quatro campos e duas estradas e encontro Brendan na esquina perto do colégio; juntos atravessamos a rua para começar nosso primeiro dia de volta à quinta série.

— Ei, você aí — diz Brendan, com um falso sotaque americano.

— Olá — cumprimento, com a fala arrastada do sul.

— Este vai ser um dia horrível e chato.

— Eu queria saber o que a senhorita Collins ganhou de Natal — digo.

— Uma bengala feita de espuma ou borracha, espero — diz Brendan.

— Mas você percebeu que ela já não usa a bengala tanto quanto antes?

— Em você, talvez. Ela tem medo de você porque você tem o dobro da altura dela.

A campainha toca e entramos. Abro a mochila e coloco a última edição do *Guinness* em minha carteira, junto com meu dicionário.

Nossa escola é pequena, dirigida por freiras; um colégio religioso, com quatro salas com não mais que doze alunos em cada. A primeira e a segunda séries e a terceira e a quarta compartilham o espaço. Mas os alunos na quinta e na sexta séries têm suas salas.

Sento no fundo da sala e minha carteira fica perto de uma das duas pequenas janelas ao longo da parede à esquerda. Consigo ver o campo de esportes, a rua e as freiras quando passam a caminho da missa. Irmã Ursula, que leciona na primeira e segunda séries, sempre olha para nós a caminho da missa e agita a Bíblia em nossa direção. Nenhuma das outras olha para dentro da sala.

Durante a primeira aula, Brendan retira da mochila seus óculos bifocais de aros grossos, coloca-os e alega que está ficando cego. A srta. Collins o retira do meio da sala e o faz sentar na primeira fileira. Tenho certeza de que os óculos são de plástico e que Brendan quer se sentar na frente porque fica perto do único aquecedor em nossa fria sala de aula, com chão de concreto. Não sei por que ele não disse nada a respeito dessa brincadeira de estar cego. Vou lhe dar oportunidade e tempo para me contar; se ele não o fizer... bem, vou descobrir de qualquer jeito.

É hora do intervalo e ainda está chovendo forte. Brendan e eu sentamos no banco ao longo do corredor, sob o rack dos casacos diante da sala, e os casacos pendurados nos ganchos sobre nossas cabeças gotejam chuva da caminhada matinal até o colégio.

Brendan retira a casca de uma ferida em seu joelho e a enfia no bolso.

— Para que você está guardando isso? — pergunto.

— Para comer mais tarde.

— Você come casca de ferida?

— Se você não comer as cascas das suas feridas — diz Brendan —, vai sangrar até morrer da próxima vez que se cortar.

Estendo a mão e Brendan me estende a casca da ferida. Quero mencionar as feridas que tenho na cabeça, pequenos orifícios por coçar o couro cabeludo, mas se lhe contar ele vai querer ver.

— Sua visao está ruim de verdade? — pergunto.

— Por que você acha que estou usando estes óculos?

À medida que Brendan fala, migalhas molhadas de biscoito caem sobre as pernas de sua calça e ele as recupera com o dedo umedecido. Pergunto-me o que aconteceria se eu bancasse o detetive com Brendan. O que vai acontecer se eu o interrogar? Talvez os truques de detecção funcionem, embora tenha para mim que sei a verdade sem precisar inspecionar os óculos. Talvez eu consiga provas da mentira a partir de suas mãos, de seu rosto, de sua voz e de meus sintomas físicos.

— O que há exatamente de errado com seus olhos, então?

— Estou quase cego! — responde ele. — Se não usar óculos, posso ter um tumor cerebral.

— Você não estava cego quando te vi na semana passada.

— Tudo aconteceu no dia seguinte. Minha mãe disse que peguei algum vírus que causa cegueira ou coisa parecida.

Ele está mentindo, e sei disso com o auxílio de um único sintoma físico: minhas orelhas quentes. E sei que Brendan está mentindo porque ele desvia os olhos de mim para contemplar o alto da parede. Um dos livros explica que as pessoas geralmente olham para o alto ou para a direita para pensar, raramente olham para a esquerda. Além disso, Brendan contrai os ombros e fala mais devagar do que de costume.

A campainha toca e voltamos para a sala.

Em geral vou com ele até sua carteira, então me despeço ou conto uma piada, alguma coisa que nos faça prosseguir até a hora do almoço, mas estou nervoso e com falta de ar. Nunca fiquei nervoso com Brendan antes e é a mesma espécie de nervosismo que tenho sentido perto de meu pai desde que o peguei mentindo. Não é náusea: conheço a diferença.

8.

As aulas foram suspensas como consequência da forte nevasca. Estou deitado no sofá, sob um cobertor. Minha mãe se acha em sua poltrona ao lado do sofá, lendo um livro. Passei o dia inteiro querendo saber onde está meu pai.

— Onde está o papai? — pergunto afinal. — Ele está doente, de cama?

— Não — responde ela. — Ele saiu com um amigo, ficou fora até muito tarde ontem à noite e decidiu dormir no hotel.

— Por quê?

— Por causa da situação das estradas.

Meu pai não é de beber. Meus tios, Jack e Tony, dizem que seu desprezo pela bebida não é natural. Meu pai explica que quando prometeu ser abstêmio estava falando sério, e não vê motivo para fazer uma coisa da qual não gosta.

Ele vai ao pub uma ou duas vezes por ano. Sempre que bebe demais, passa a maior parte do dia seguinte sentado à mesa da cozinha, encarando um copo de molho inglês e ovo cru que não consegue se forçar a beber.

— Mãe? — chamo. Desloco-me com meu cobertor para me sentar a seus pés.

— O quê é? — pergunta ela. — Saia do meu pé.

Volto ao sofá.

— Podemos assar marshmallows no fogo?

— Não temos marshmallow.

— E torrada, então? — pergunto.

— Se você quiser — responde ela.

Levanta-se sem nada dizer, sobe a escada rumo ao seu quarto e não torna a descer. Espero um bom tempo, assistindo à televisão sem me concentrar.

Subo e bato na porta do quarto dela.

— Mãe?

Nenhuma resposta.

Bato novamente.

— Mãe?

— Entre — diz ela.

Ela está debaixo do edredom, com um braço envolvendo um travesseiro.

— O que você está fazendo? — pergunto.

— Estou descansando — responde ela.

— Por quê?

— Por que estou precisando. — Ela fecha os olhos. — Feche a porta — pede. — Está entrando uma corrente.

Vou até a cama, deito sobre o edredom e a envolvo por trás, com o braço sobre seu estômago.

— Era que tipo de corrente? — pergunto. — Uma corrente de ferro ou uma corrente elétrica?

— Não estou a fim de brincar — anuncia ela.

Talvez esteja doente.

— Posso entrar aí embaixo? — pergunto.

— Pode.

Quando entro debaixo do edredom, ela gira e põe o braço ao meu redor, então fecha os olhos e pega rapidamente no sono.

A princípio seu hálito cheira a ovo, e é um hálito ardido, quente; quando me acostumo, ele não me incomoda muito. Mas após cerca de dez minutos seu hálito começa a cheirar a água estragada em cano entupido.

Seu corpo está muito quente. Sinto calor, afasto meu braço e desloco-me para o outro lado da cama. Observo-a um pouco mais dessa posição, até que, por fim, pego no sono.

Ela me acorda. Está escuro agora e, por um momento, não sei onde estou.

— Que horas são? — pergunto.

— Hora de tomar um pouco de chá — responde ela enquanto acende o abajur de cabeceira. — E o seu pai está em casa. É melhor se levantar.

Não quero descer.

— Gorilas me mordam — digo.

— Macacos me mordam — diz ela, sem sorrir.

— Tem certeza? Não é gorila?

— Não estou a fim de brincar, John — diz ela. — Não podemos ficar brincando o tempo todo.

Saio do quarto correndo e a ignoro quando grita por mim.

Encontro meu pai subindo a escada estreita. Ele me vê, mas nada diz. Um de nós precisa sair do caminho. Ele sobe pelo meio e sou forçado a virar de lado para deixá-lo passar. Pressiono as costas contra o corrimão. Seu braço me comprime e seu corpo parece odiar o meu. Ele passa sem dizer um oi, sem olhar para mim, como se fosse cego. Fico quieto e espero. Quando atinge o patamar, ele para e baixa os olhos na minha direção.

— Ela está lá em cima? — pergunta.

Ele não deveria chamar minha mãe de "ela" e deveria saber que ela está lá em cima, pois gritou meu nome há um instante.

— Está — respondo, mas ele não parece interessado em minha resposta. Perguntou apenas para dizer alguma coisa.

— Você está zangado comigo? — pergunto.

— Será que um homem não pode simplesmente subir a porcaria da própria escada?

Ele não olha para mim. Percebo sua raiva antes mesmo de ouvir o que tem a dizer. Respiro fundo.

— Mamãe estava dormindo — informo.

— Se eu disser agora o que realmente estou com vontade de dizer, acho que posso me arrepender para o resto da vida.

— O que você está com vontade de dizer? — pergunto.

— Simplesmente fique fora do meu caminho — diz ele.

A sensação em meu estômago é a mesma que sinto antes de cair de um muro ou de uma árvore: uma onda de calor que vai até o ossinho do nariz. Quando ele vira de costas, digo baixinho:

— Não preciso de você. — Mas ele não ouve.

Assisto um pouco de tevê e então faço novas anotações no Oiraid de Saritnem. Descrevo as mentiras que as pessoas contam na televisão (especialmente nos noticiários). Tenho mais dificuldade para detectar tais mentiras — porque os indícios são mais fracos —, mas mesmo assim consigo saber. Percebi que quando as pessoas estão pouco à vontade, como em geral se sentem quando estão enganando alguém, muitas vezes estendem a mão para pegar ou tocar alguma coisa nas proximidades: uma xícara, um livro ou a gola da camisa. No Oiraid de Saritnem, chamo isso de busca por conforto ou busca por distração.

9.

A neve parou e as estradas não representam mais perigo para os automóveis. Voltamos à escola. Espero que hoje seja o dia de revelar a Brendan meu talento para detectar mentiras. Estou planejando contar a caminho de casa, mas pouco antes de o sinal tocar o sr. Donnelly, o diretor, entra na sala de aula e me chama.

— John Egan, venha cá para a frente.

A sala se enche de risinhos abafados e sussurros. Se ao menos eles estivessem rindo do jeito estúpido e grosseiro de falar do sr. Donnelly e não de mim...

— Endireite o corpo.

— Sim, senhor.

— Por favor, agora venha comigo até meu gabinete.

A caminho do gabinete, o sr. Donnelly permanece em silêncio, mas, uma vez lá dentro, logo começa a falar com uma pressa estridente. Ele se senta atrás de sua escrivaninha e me acomodo na cadeira mais próxima à janela, para poder olhar para fora. Não quero olhar para seu rosto grande e vermelho, seus dedos tão compridos e gordos que mal se encaixam no disco do telefone para discar um número.

— Tempo triste e horrível — declara ele.

— É — concordo, enquanto olho pela janela.

Não quero conversar com ele. Só quero saber por que me chamou até aqui. Ele aproxima a cadeira da mesa.

— Como estão as coisas?

— Ótimas. Sem aborrecimentos, senhor.

— Com quantos anos você está agora, John?

— Faço doze em julho.

— Você está precisando de alguma coisa?

Ele abre a gaveta da escrivaninha e inspeciona seu suprimento de artigos de papelaria.

— Você tem canetas e lápis suficientes?

— Tenho bastante, senhor.

Ele suspira.

— Sente direito.

Olho para o relógio em seu pulso.

— Não sente na beirada da cadeira desse jeito. Chegue para trás e sente com as costas retas. Agora está bem melhor. Isso mesmo.

Sei a respeito do que ele na verdade deseja conversar. Deseja conversar a respeito de meu corpo. Fez a mesma coisa no ano passado. Era apenas uma questão de tempo. Eu gostaria de ter forças para impedi-lo. Afinal de contas, ele não vale nada, é um sujeito com cabelo e barba vermelhos. Mas me ajeito na cadeira exatamente do jeito que ele me pede que faça.

— Agora, ouça, rapaz. Você teve dificuldades com seu irlandês no último semestre. Por que isso? Você é brilhante demais para ficar para trás.

Olho para o cabelo vermelho do sr. Donnelly e não conto a verdade — que aproveito as aulas de irlandês para ler o *Guinness*. Explico que não gosto de irlandês porque é difícil se sair bem naquilo de que você não gosta. Sinto-me um pouco tonto e me agarro ao assento para parar de me mexer.

— Então — diz o sr. Donnelly. — Parece um pouco com o ovo e a galinha. E nunca vamos ficar sabendo qual dos dois veio primeiro. Portanto, isso na verdade não ajuda a explicar a natureza do problema, mas também podemos seguir em frente e você pode me dizer de que matérias *realmente* gosta.

— Gosto de história — digo, perguntando-me o que origina o cabelo vermelho ou se é por causa do sr. Donnelly que fico irritado perto de gente ruiva.

— *Por que* você gosta de história? — ele pergunta, os braços cruzados sobre o peito.

Sento-me o mais recuado e ereto possível na cadeira de madeira e lembro do dia, no verão passado, em que estava assistindo a um filme no cinema em Wexford. Havia um menino ruivo sentado sozinho na minha frente e tirei os sapatos e pus os pés em cima da poltrona, perto do rosto dele.

Quando o menino se virou e me pediu para baixar os pés, não respondi nem olhei para ele, e deixei um dos pés onde estava, nas costas do assento, perto do rosto do garoto. Quando ele se virou novamente e disse que meus pés estavam fedendo e me pediu para retirá-los, não respondi e deixei meus pés onde estavam.

— Eu gosto de história — digo ao sr. Donnelly, inventando a resposta à medida que prossigo — porque tem a ver com o conhecimento de fatos e narrativas. Como aquela em que o rei Carlos I foi decapitado.

O sr. Donnelly me encara e balança a cabeça.

— É como ouvir uma voz chamando do fundo de um poço — diz.

— É — digo —, é mesmo.

Mas percebo que me enganei: o sr. Donnelly está se referindo a mim. Está querendo dizer que o som de minha voz é grave para um menino e que parece alguém chamando de um buraco fundo.

— Você é muito alto, John — continua o sr. Donnelly. — Tem a altura dos garotos do último ano. Se seu desempenho fosse igual ao seu crescimento, poderíamos pensar na possibilidade de adiantá-lo uma série, para que não sobressaísse como um polegar inchado. Você está se saindo bem na maioria das aulas, muito bem em algumas, mas muito mal em irlandês. Então, na verdade não está preparado para avançar, exceto em altura, se é que me entende.

Não quero conversar sobre minha altura.

— Eu já estou adaptado, senhor, e Brendan está na turma comigo. Não quero me adiantar.

— Bem, isso não é uma opção, como acabei de dizer. Não, a menos que você tome jeito em irlandês.

— Tudo bem, senhor.

Levanto da cadeira.

— Sente, John. Preciso fazer mais algumas perguntas. Sente aí como um bom menino e se concentre em nosso objetivo hoje.

Torno a sentar e ele me observa com tanta atenção que é como se tivesse direitos sobre mim e pudesse fazer comigo o que quisesse.

— Agora — continua ele, examinando todo o meu corpo uma vez mais, tornando a me olhar de cima a baixo, da cabeça aos pés. — Você se sente bem? Como o seu corpo está suportando?

Abro a boca, mas tudo que consigo sentir é uma viscosidade na garganta.

— Não seja tímido agora.

Dou de ombros, sinto-me derrotado. Não sou nada. Até mesmo um animal pode se mover quando quer sair do caminho de alguma coisa.

— Aconteceu alguma coisa esquisita ou indesejada com você da cintura para baixo?

Balanço a cabeça rápido demais. Devo estar parecendo um idiota. Mas eu não deveria me importar com a impressão que lhe causo.

— Você tem alguma pergunta a respeito do que seu corpo tem feito?

— Não! — respondo. Minha voz está trêmula.

— Você foi ao médico recentemente?

— Fui.

— Com que altura o médico disse que você vai ficar?

Estou zonzo de constrangimento.

— Preciso ir ao banheiro, senhor. Posso voltar depois de ir ao banheiro?

— Quando voltar, vou lhe dar uma borracha novinha em folha e cadernos novos. Nada como material novo para um recomeço nas aulas. Você gostaria disso?

Não respondo. Abro a porta, disparo pelo corredor rumo ao banheiro dos meninos e me pergunto o que há de errado com um sujeito como o sr. Donnelly. Ele gosta de me ofender com seus insultos, mas não consegue suportar que eu o odeie. E então, ao final das sessões de pancadaria com suas opiniões, ele quase sempre me oferece um presente de despedida ou uma palavra gentil, alguma coisa grátis e atraente; mas sempre faltando um pedido de desculpas por seu comportamento desagradável.

Não volto ao seu gabinete.

Em casa, dirijo-me à cozinha e encontro minha mãe com um livro no colo e Crito aos seus pés.

— Mamãe, o sr. Donnelly me fez ir até o gabinete dele e conversou sobre minha altura e tudo mais.

Ela concorda com um movimento de cabeça e afasta a cadeira da mesa.

— Desculpe, John. Eu pretendia contar.

— Pretendia contar o quê?

Permaneço ao seu lado e cruzo os braços sobre o peito.

— Pedi a ele que desse uma palavra com você. Ele telefonou para perguntar como você estava indo e uma coisa levou à outra.

— Por que você fez isso? Eu não preciso de ajuda e não é problema dele!

Sem pretender, sem saber, sem planejar, desloco-me para a frente; minhas pernas pressionam com força a cadeira de minha mãe e me debruço sobre ela. Ela ergue os olhos na direção de meu rosto e enxergo neles meu reflexo.

— Não precisa me sufocar — diz ela, a voz fraca e baixa.

Afasto-me, permaneço ao lado de minha cadeira habitual e sinto seu espaldar de madeira sob as mãos. Estou tremendo e meus dentes rangem.

— Desculpe — digo. — Mas não sei por que você me fez falar com ele. Ele me ofendeu, me tratou como uma aberração de circo e me olhou de cima a baixo.

Ela sorri.

— Ele faz a mesma coisa comigo e às vezes até lambe os beiços. Eu estava enganada. Não devia ter sugerido isso. Sinto muito.

— Mas por que você achou que ele devia conversar comigo? Você acha que há alguma coisa errada comigo?

— Na ocasião me pareceu uma ideia inofensiva. Me perguntei se você não gostaria de ter uma conversa franca com um homem adulto a respeito das coisas pelas quais está passando. O começo da adolescência pode ser uma época difícil.

— Não é para isso que serve meu pai?

— É, ele também está aqui para isso. Mas temo que você não vá conversar com seu pai, mesmo que precise.

— Se eu quiser, converso.

Vou para meu quarto; meia hora depois, ela entra e pergunta se estou com disposição para assistir a um show de marionetes antes do jantar, pega os fantoches de dedo e encena um pequeno espetáculo. Depois, dança, canta e desloca-se pelo quarto como se estivesse sozinha, sem ninguém assistindo. Mas estou prestando atenção e o jeito com que ela se move me faz lembrar de uma coisa que vi uma vez em um filme: uma linda mulher sozinha à noite em uma piscina, com luzes azuis na água.

Uma semana depois, a caminho de casa voltando da escola, paro em minha trilha, a cerca de sessenta metros da boneca na árvore. Há uma vaca, dormindo ou morrendo, atravessada no caminho. Ajoelho-me e examino-a. Ainda está respirando e seus olhos estão fechados.

Ouço cascos pisando forte mais adiante e há uma vaca, sozinha, correndo. Ela corre o mais rápido que já vi uma vaca correr para perto da cerca. Baixo os olhos na direção da vaca moribunda e então torno a ouvir os cascos; a mesma vaca está voltando correndo ao lugar de onde partiu e, quando para, olha para mim.

Não sei o que fazer com a vaca doente, cuja respiração é superficial e penosa. Circundo-a para ter uma visão melhor de seu corpo inteiro, para ver se há algum ferimento ou se ela está prenha. Toco seu estômago com minha bota. A vaca que estava correndo já não me observa e sinto-me mais livre; posso fazer o que achar melhor. Mas não sei o que isso seria.

Torno a me ajoelhar e olho para ela. Se estiver morrendo ou sentindo dor, o veterinário provavelmente irá sacrificá-la. Não quero deixá-la aqui, em minha trilha, para morrer. Tiro o casaco e pouso-o sobre seu focinho. Ela não reage. Vou precisar sentar em cima dela para sacrificá-la. Mas não consigo fazer isso. Movo o casaco sobre seu focinho para me certificar de que o forro, feito de lã, não encoste em seus olhos, caso fique grudado nela.

Sento voltado para a vaca que estava correndo, mas ela decidiu comer grama em vez de olhar para mim. Permaneço sentado durante algum tempo e a vaca moribunda nada faz. Digo:

— Logo vai estar tudo bem. Logo você vai estar dormindo. — Não sei o que dizer, mas não conversar com ela me parece grosseiro.

Agora vou embora. Estou com muito frio e o vento gelado está atravessando meu pulôver. Também estou com fome. Mais tarde o fazendeiro a encontrará, e poderá removê-la de minha trilha e enterrá-la caso morra. Retiro o casaco de seu focinho e digo:

— Adeus.

Saio cedo para a escola na manhã seguinte e ando rápido, para o caso de a vaca estar atravessada em minha trilha, mas quando chego lá ela desapareceu e não há sinal dela. Eu devia ter contado o rebanho na noite passada para saber se há alguma cabeça faltando. Olho em direção à cerca para as vacas reunidas, mas nenhuma delas me devolve o olhar. É como se absolutamente nada houvesse acontecido. Mas alguma coisa aconteceu. Sinto dor de estômago, bem baixa, e a sensação é quase uma emoção, mas não sei de que tipo, qual delas.

Durante a aula, sento na beirada da carteira e me inclino sobre a mesa, o queixo na mão. Minha bexiga está cheia; estou segurando desde antes do café da manhã e agora é quase meio-dia. Quero ver quanto tempo consigo aguentar, em que medida consigo fazer meu corpo seguir minhas ordens. Gosto da sensação, da pontada e da pressão. Aguento até cinco minutos antes do sinal, então percebo que esperei demais. Movimento a perna para cima e para baixo o mais rápido possível, mas o mijo está prestes a sair, embora eu tenha lhe dito que não, embora tenha tentado fazê-lo esperar.

Ergo a mão, mas alguma coisa dá errado. Minha bexiga se abre sem que eu tenha ordenado. Por um breve momento, a sensação de relaxamento é boa, e digo a mim mesmo que liberar esse filete de urina é intencional, que consigo deter o restante.

Mas não consigo obstruir o fluxo. A urina quente encharca minhas calças e se espalha ao redor de minhas nádegas. A parte posterior das pernas também está ensopada, e estou sentado em uma poça quente.

Quero erguer a mão e pedir para ser dispensado para ir ao banheiro, mas é obrigatório pedir em irlandês. Espero até ter claras as palavras.

— *An bhfuil cead agam dul amach, más é do thoil é?*

— Você não pode esperar? — pergunta a srta. Collins, que está de frente para o quadro-negro, as costas voltadas para a turma e não sabe sequer quem está perguntando.

— Não, senhorita — respondo. — Preciso ir ao banheiro agora. — Ela finge não ouvir porque dessa vez empreguei o inglês em lugar do irlandês.

Preciso manter a urina em segredo, mas não sei como, uma vez que ela escorre por minhas pernas e para dentro de minhas meias e sapatos.

— Por favor, senhorita — digo. — Posso ser dispensado?

A srta. Collins vira-se do quadro-negro.

— John, você não pode esperar até o almoço?

Fico de pé e a urina escorre para baixo de meus pés e o cheiro se ergue ao meu encontro.

— Não, senhorita. Preciso ir agora.

A inclinação do chão conduz um pequeno filete de urina em direção à frente da sala.

A srta. Collins não repara no mijo encaminhando-se para o quadro-negro, nem no mau cheiro, mas Jimmy, o garoto ruivo cuja carteira fica na frente da minha, repara.

— Ah, senhorita! — grita ele. — John se molhou.

Todos se viram para ver o que fiz.

Mantenho a mão erguida, como se fizesse sinal para um ônibus que passou correndo. A srta. Collins caminha em minha direção com a boca aberta, mostrando seu prognatismo e os dentes manchados e tortos de cachorro velho.

— Ah, Meu Deus — diz. — Você precisa procurar a irmã Bernadette e pegar alguma coisa para se limpar.

A irmã Bernadette vai me levar para a enfermaria, que fica no convento vizinho. Não quero ir para lá.

Saio correndo da sala, desço o corredor, passando pelo rack de casacos, pelas outras salas de aula, pela porta da frente e continuo correndo até alcançar a viela, a escuridão, a privacidade e a quietude dos abetos, então minha pele começa a pinicar por causa da calça molhada roçando e causando assaduras em minhas pernas.

Quero vestir meu pijama, ir para cama e extinguir o tempo. Quero dormir, então acordar com o aroma de chá e salsichas, e descobrir que o que aconteceu foi apagado.

Acho que nunca mais vou conseguir voltar à escola.

Esgueiro-me pela porta dos fundos e vou para meu quarto na ponta dos pés. Troco a calça molhada por outra, limpa e seca. Dirijo-me ao banheiro, encho a pia de água quente e esfrego a calça até ficar limpa.

Minha mãe está descendo as escadas.

— Oi? — chama ela.

— Oi — respondo.

Ela entra no banheiro.

— O que você está fazendo em casa?

Explico-lhe que me senti mal e a srta. Collins me mandou para casa.

Ela me pergunta por que a escola não telefonou.

— Eu teria ido buscar você.

Quando minto, sinto-me mais pesado, e quando tento me mover, é como se minhas pernas estivessem cheias de água quente. A mentira percorre todas as partes de meu corpo, como uma doença.

Eles ligaram duas vezes, digo, mas ninguém atendeu. Uso poucas palavras, para o caso de ficarem presas na garganta, além do mais minha voz soa tensa, quase estridente. Ela me pergunta por que estou lavando minha roupa, e respondo que vomitei.

— De novo? — pergunta ela. — Mais mentiras?

— Eu não estava mentindo.

— Eu não disse que você estava. Você chegou a essa conclusão por conta própria.

Agora ela está sorrindo, e pergunto-me se fui pego em contradição.

— Ah — digo.

Ela ergue minha mão e toca a palma. Não estou suando, se é isso que ela está querendo checar. A maioria das pessoas sua quando mente. Não eu.

— Sorrir impede a ânsia de vômito — diz ela. — Sabia disso?

— Papai já tinha me dito.

— Bem, ele está certo. E é melhor você ir direto para a cama se estiver doente.

Sento na cama e espero que ela venha me ver para bater papo, mas ela não faz isso. Fico na expectativa de que vá até a cozinha e me prepare um sanduíche quente de presunto ou me traga alguns biscoitos e uma xícara de chocolate, mas ela não faz isso.

Ouço-a subir a escada rumo ao seu quarto, então ouço meu pai.

Eles estão conversando em voz alta. Alguma coisa cai no chão, e depois os dois ficam em silêncio.

Permaneço deitado sob as cobertas por algum tempo e penso em uma coisa engraçada para contar a minha mãe. Eu gostaria que ela viesse até mim.

Por favor, venha, por favor, venha, por favor, venha.

Ela não vem.

Fico deitado na cama, mas não consigo ler nem dormir.

Converso comigo mesmo durante uma hora mais ou menos. Converso comigo usando duas vozes, como se duas pessoas estivessem tendo uma conversa.

Converso sobre o que aconteceu. Me faço perguntas com uma voz e as respondo com voz diferente. Converso sobre o que vou fazer amanhã.

Prefiro morrer a deixar que meu pai descubra. Prefiro morrer a voltar à escola.

Entro no banheiro, esfrego as pernas com uma escovinha de unhas, então penduro minha calça no cabide na sala, diante da lareira, e desejo que alguém apareça e converse comigo.

São duas e meia e ninguém foi me ver. Paro de dizer por favor, venha.

10.

Pela manhã, digo a minha mãe que estou doente demais para ir à escola, mas o telefone toca durante o café e sei que fui descoberto. Ela vem ao meu quarto para informar que era a srta. Collins.

— Ela disse que tenho que ir à escola hoje. A enfermeira está no colégio e tanto a senhorita Collins quanto o senhor Donnelly gostariam que você fosse vê-la.

— Por quê?

— Fui informada do que aconteceu ontem.

— Ah.

— Vá para a escola agora e me encontro com você na frente da enfermaria às onze horas.

— Por quê?

— Foi para lá que ela me pediu que levasse você.

— Eu não vou à escola.

— Você tem que ir.

— Por favor, não conte ao papai.

— Não, não conto. Mas não posso prometer que ele não descubra sozinho.

Visto-me e vou até a cozinha tomar café, mas, quando olho para meu ovo cozido parcialmente comido, galado e denteado no oveiro, não me dou o trabalho de enfiar outro pedaço de torrada na gema.

Levanto da mesa e vou para a escola, mas não me dirijo à sala de aula. Espero perto dos fundos do galpão, andando para cima e para baixo para tentar me manter aquecido.

Às cinco para as onze, vou até a porta da frente do convento e toco a campainha. A irmã Ursula me deixa entrar, então retorna a sua posição atrás do vidro e das grades. Está escuro e quente do lado de dentro e pedem a duas velhas que sentem a um canto para esperar pelo padre. Fico de pé perto da porta da frente e elas me olham como se eu houvesse roubado seu lugar na fila.

Minha mãe chega e rumamos para a enfermaria.

— Não se preocupe — diz minha mãe. — Em um minuto isso vai ter acabado.

A irmã Bernadette está esperando diante da enfermaria. Quando nos vê, corre as mãos pelas contas do rosário, como se quisesse retirar delas a poeira, então bate à porta e enfia a cabeça pela abertura.

— Enfermeira, John Egan e a mãe estão aqui para vê-la.

— Peça que entrem — diz a enfermeira, e a irmã Bernadette nos deixa.

Na sala pequena e quadrada, que cheira a sabão em pó, há uma escrivaninha, um fichário e uma maca coberta com lençol branco. Examino a maca enquanto minha mãe conversa com a enfermeira. Tento calcular como subir se me pedirem para fazê-lo.

Gosto da ideia de me deitar sobre o lençol branco e de que meçam minha temperatura. As pernas retráteis da maca parecem as lâminas de meu canivete suíço, que deslizam fácil e lindamente para dentro e para fora do lugar. Penso em simular uma doença; apertar com força o estômago e gemer, para que a enfermeira me peça para deitar e me cubra com o leve cobertor azul que está dobrado na extremidade da maca.

— Estou bastante surpresa — diz minha mãe. — Ele nunca fez nada parecido.

A enfermeira olha para mim como se eu tivesse molhado a calça de propósito. Quero explicar que estava fazendo uma experiência; que molhar a calça não foi o acidente de um bebê.

— Seu filho é enurético? — pergunta a enfermeira. — Ele molha a cama, senhora Egan?

— Não responde minha mãe.

Estive na enfermaria apenas uma vez. Quando entrei para a escola, poucos dias depois de nos mudarmos de Wexford, tive sangramentos nasais todos os dias durante uma semana. Eu tinha oito anos, e a enfermeira me fez sentar e me pediu que inclinasse a cabeça para trás enquanto comprimia a ponte de meu nariz para estancar o sangramento.

Por ter engolido um pouco de sangue, fiquei enjoado, e quando lhe contei ela me entregou uma vasilha marrom em formato de rim para vomitar. Tentei, mas não saiu nada. Após minhas tentativas fracassadas, ela declarou:

— Cuidado para não dar alarmes falsos com muita frequência, mocinho.

Neste instante, como na ocasião, ela sorri debilmente e balança a cabeça para um lado e outro, como se houvesse acabado de sair do banho e estivesse tentando remover a água dos ouvidos.

Quero ir embora. Quero ir para casa.

— Minha bexiga estourou — explico. — Não vai acontecer de novo.

— Eu não entendo — diz minha mãe.

A enfermeira sugere possíveis causas — nervosismo, ansiedade, problemas em casa — e minha mãe nega cada um deles. Começo a me sentir envergonhado.

A enfermeira culpa o fato de eu ser filho único. Pergunta a minha mãe se, quem sabe, não estou me sentindo solitário.

— Ele não é solitário — diz minha mãe. — Tem a companhia de seus pais e de sua avó, que o ama muito.

— E do meu gato — acrescento.

A enfermeira me ignora e estende a minha mãe uma folha de papel. Minha mãe olha para o papel, mas não o pega.

— A senhora deveria ler isso — diz a enfermeira. — E talvez John deva tirar o dia de folga hoje. Ele pode voltar às aulas na segunda-feira.

Mas então me ocorre o seguinte: tirar o dia de folga é uma péssima ideia. Daria a meus colegas de turma mais tempo para inventar torturas. Eu devia voltar e me comportar como se nada houvesse acontecido, como se eu não me preocupasse. Melhor ainda, vou fazer que o fato não exista. Vou agir. Não terá acontecido.

— Quero ir à aula hoje — digo.

A enfermeira enfia o queixo nas dobras de gordura em seu pescoço. Olho para além dela, pela janela. Joseph, o funileiro, está atravessando o campo com seu cavalo malhado. Quero acenar, mas ele provavelmente não me veria.

— A decisão é sua, senhora Egan. Ele é seu filho.

O sinal do intervalo toca e minha mãe estende a mão para pegar a minha, mas não permito.

— Você tem certeza de que quer voltar hoje?

— Tenho. Tenho certeza.

Levantamo-nos para sair e a enfermeira nos acompanha até o lado de fora.

— Senhora Egan — diz a enfermeira, segurando a mesma folha de papel —, a senhora esqueceu isso.

Minha mãe balança a cabeça.

— Não vamos precisar disso — declara —, irmã... desculpe, esqueci o seu nome.

Minha mãe conhece a enfermeira, mas esquece nomes de propósito. É seu jeito de fazer gente desagradável se sintir inferior.

A enfermeira olha para mim como se fosse culpa minha.

— Meu nome é irmã Carmel — anuncia.

Minha mãe segura minha mão e percorremos o corredor rumo à sala 5G.

Ergo os olhos na direção dela quando estamos diante da porta. Meus colegas de classe estão de pé atrás das carteiras: deve ser uma competição de soletração e eu gostaria de vencê-la.

— Por que eu sou filho único? — pergunto.

— Você me pergunta isso sempre que alguém toca no assunto.

— Quero saber outra vez.

— Você é filho único porque eu queria que fosse o único. Tudo bem para você?

Fico à espera que ela diga mais alguma coisa, mas ela se vira e desce o corredor sem se despedir, sem me beijar.

Assim que sento em minha carteira, os sussurros e risadas começam. Mandy, a garota a minha direita, canta "pipi, pipi, pipi, por todo o caminho até em casa", e o menino a minha esquerda junta-se a ela. Olho para Mandy até que ela pare, e o menino para pouco depois. Jimmy, o ruivo, coloca uma régua diante da braguilha e produz os sons de quem está fazendo xixi. Desvio o olhar. A srta. Collins não me faz perguntas durante as aulas e Brendan não se vira na carteira para fazer caretas ou sinais.

Quando meus colegas me provocam e cochicham a meu respeito, uso um novo truque. Quando a srta. Collins fala, repito mentalmente três vezes o que ela disse. Quando diz "Tuskar Rock é uma perigosa rocha pouco acima do nível do mar, seis milhas náuticas a nordeste de Carnsore Point, no sudeste da Irlanda, e o farol foi aceso pela primeira vez em 4 de junho de 1815", repito mentalmente a mesma coisa três vezes e prometo que jamais a esquecerei.

Sei que não tenho o cérebro de um estudioso e que, se tivesse, a boa memória surgiria naturalmente. Mas posso me tornar mais inteligente. Não há motivo nenhum para que isso não aconteça. Portanto, eu treino. Quando leio uma frase em um livro, leio a frase três vezes, fecho os olhos depois de cada uma delas, e repito mentalmente a frase. Esse truque é bom não apenas para o cérebro, como também me ajuda a ignorar os cochichos e provocações, e me ajuda a não ter maus pensamentos. Quanto mais o executo, mais começo a perceber que vai me ajudar em outras coisas também. Se vou fazer coisas importantes e me tornar uma pessoa prestigiada, então ter boa memória certamente vai ser útil.

Confiro no *Guinness* e vejo que, no dia 14 de outubro de 1967, um homem recitou, de cor, seis mil seiscentos e sessenta e seis versos do Corão em seis horas. Este homem, Mehmed Ali Halici, tem memória fotográfica e consegue lembrar tudo que leu.

Quando toca o sinal do almoço, passei várias horas sem ficar nervoso e descobri uma nova maneira de pensar. Pego meu almoço e reúno-me a Brendan em sua carteira.

— Vamos — digo.

— Quero ficar aqui dentro — anuncia ele.

— Tudo bem — digo. — Vamos ficar aqui dentro.

Ele olha para sua mesa.

— Estou querendo dizer que quero ficar aqui dentro sozinho.

— Vamos. Vamos para o galpão — digo.

Nos dias frios — e este é um dia bem frio —, Brendan e eu normalmente nos sentamos perto do fogão no galpão do zelador e lemos todos os anuários e minhas histórias em quadrinhos favoritas do *Beano*. O zelador gosta de Brendan e de mim; conversamos com ele e ele fica feliz por estarmos no galpão; entra e sai e trabalha a nossa volta.

— Está frio demais para o galpão — diz Brendan.

— E daí? — retruco. — Podemos sentar perto do fogão, assim não vamos sentir frio.

— Estou de saco cheio de ficar no galpão do zelador — diz Brendan. — Aquele lugar fede.

— Não fede — digo.

— Fede, sim.

— E daí?

— E daí que eu simplesmente não quero ir para lá hoje — diz ele. — Quero ficar dentro da sala hoje.

— Ótimo. — Minha raiva me deixa nervoso e não sei o que vou fazer, então me afasto sem olhar para Brendan.

Durante a aula, espero que ele se vire e olhe para mim, mas ele não o faz. Às vezes, cravo os olhos em sua nuca, mas na maior parte do tempo leio e memorizo coisas, ou olho pela janela para impedir que a raiva me estrague os dentes.

A caminho de casa, recito as coisas que memorizei durante o dia e, quando não consigo lembrar, paro de andar e fecho os olhos até conseguir. Quando alcanço a árvore com a boneca presa, paro e ergo os olhos na direção dela.

Seu cabelo desapareceu. Pensei que ela tivesse cabelo louro. Era a única coisa nela que não havia mudado ou se deteriorado. Mas ela não tem cabelos. Há apenas o couro cabeludo enegrecido. Talvez a pessoa que a colocou na árvore tenha vindo para arrancar o cabelo. Talvez ele tenha caído aos poucos e não percebi. Sinto-me irritado com as pessoas e corro para casa.

Quando alcanço o último campo antes do chalé, paro e vejo do outro lado a janela iluminada na cozinha. Consigo distinguir as silhuetas escuras de minha mãe, meu pai e minha avó. Eles estão de pé ao lado da mesa, meu pai mais perto do fogão, as formas escuras movendo-se ligeiramente; a mão de meu pai se ergue, então desce, em seguida a mão de minha mãe apodera-se de seus longos cabelos e ergue-os do ombro. Quero saber o que estão dizendo, quero saber o que está acontecendo, mas, mesmo que dispare para o outro lado da estrada e portão adentro, percorra o caminho de cascalho e cruze a porta da frente o mais rápido possível, nunca saberei o que disseram. Essa parte do que aconteceu sempre estará faltando. E eles vão parar de falar e mudar de assunto assim que me virem.

Mas estou feliz por ver a luz acesa, por saber que eles estão lá, que está quente e que há um lugar para mim à mesa.

— Você está atrasado — diz meu pai. — Já passa das cinco.

— Eu vim pelo caminho mais longo — explico.

Ele vai até o forno e retira um prato.

— Aqui. Coma esses — diz. — São croquetes de peixe gigantes.

Sento-me à mesa e minha mãe se senta também. Minha avó permanece ao lado do fogão, mexendo uma panela de creme inglês.

— Como foi a escola? — pergunta minha mãe, e percebo

que seus olhos estão injetados de sangue e seu cabelo, despenteado.

— Bem — respondo.

— Você quer que eu frite um ovo para acompanhar os croquetes de peixe? — pergunta ela.

— Não — respondo. — Por que seu cabelo está todo despenteado?

Meu pai levanta da mesa tão repentinamente que sua cadeira tomba para trás. Ninguém fala. Esperamos para ver o que ele vai fazer. Ele deixa a cozinha e, quando volta, fica parado atrás de minha mãe e penteia seu cabelo.

— Vai cair cabelo no feijão. — Ela ri.

Observo meu pai escovar o cabelo de minha mãe e percebo que os nós estão agarrando e que ela deve estar sentindo dor.

— Com cabelo no feijão, podemos perguntar "De quem é o feijão nesse cabelo?" — brinco.

Ela estende a mão por baixo da mesa e acaricia meu joelho.

— Quer comer mais?

— Não — respondo, empurrando o feijão para perto dos croquetes de peixe.

— Coma os croquetes — diz meu pai.

Depois do jantar, meu pai apresenta uma imensa caixa de rosas de chocolate; sentamos juntos no sofá, diante da televisão, e retiramos o papel-alumínio e o papel de embrulho de uma por uma e as comemos. Ele concordou em me deixar ficar acordado até tarde para assistir a um filme de Alfred Hitchcock, *Pacto sinistro*.

— Se conseguir reconhecer Alfred, te dou uma libra — diz ele.

— Tudo bem — digo. — Considere-se uma libra mais pobre.

— Quer saber um dos motivos pelos quais o chocolate vicia? — pergunta ele.

— Quero.

— Porque ele derrete à temperatura do corpo.

— Talvez antes do filme você e mamãe possam me ensinar a fazer palavras cruzadas enigmáticas.

— Nós precisamos de uma tarde inteira para isso. Me lembre no sábado.

— Você lembrou do meu presente? — pergunto.

— Que presente?

— O que você prometeu.

— Os chocolates são o seu presente e depois vou te dar um ainda maior.

O livro da biblioteca de Wexford, *A verdade sobre a detecção de mentiras*, é o melhor livro até agora e copiei trinta e cinco páginas dele no Oiraid de Saritnem.

Vou memorizar o máximo que puder desse livro. Já consigo citar várias passagens, como esta, que digo em voz alta a caminho da escola:

> Muitas pessoas acreditam, erroneamente, que, quando uma pessoa mente, evita o contato visual ou coça a parte de baixo do nariz. Nem a ausência de contato visual nem o ato de coçar o nariz são sinais confiáveis de que a pessoa esteja mentindo. É fundamental procurar por um grupo de sinais. Também é importante comparar o modo como uma pessoa está se comportando com o modo como normalmente se comporta.
>
> Quando uma pessoa está mentindo, precisa concentrar-se em manter íntegra sua narrativa e com frequência irá desacelerar a fala ou se tornar mais hesitante. Algumas pessoas tentam contro-

lar suas expressões faciais, mas a maioria não consegue evitar demonstrar seus sentimentos porque alguns dos músculos da face envolvidos nas expressões faciais não se acham sob controle consciente, sobretudo quando as pessoas sentem fortes emoções.

O autor de *A verdade sobre a detecção de mentiras* também afirma que essas fortes emoções são chamadas de emoções primárias e revelam-se, apenas por uma fração de segundo, como microexpressões.

Também sei, a partir da leitura desse livro, que apenas um pequeno grupo de pessoas são excepcionais em detectar mentiras e que essas pessoas por vezes são chamadas de bruxas. Tais pessoas conseguem detectar sinais comportamentais que, na maior parte do tempo, a maioria das outras não percebem.

Copio mais quatro páginas de *A verdade sobre a detecção de mentiras* em meu diário, então escrevo uma carta ao *Livro Guinness de recordes*:

Prezado *Livro Guinness de recordes*,

Meu nome é John Egan e tenho um dom raro. Acho que vocês vão se interessar pelo meu dom e deveriam me permitir demonstrá-lo.

Consigo perceber quando alguém está mentindo com quase cem por cento de precisão.

Espero que vocês me enviem uma resposta em breve e me permitam fazer uma demonstração.

Atenciosamente,
John Egan.

Quando termino a carta, fantasio sobre estar na televisão.

Estou sendo entrevistado por Gay Byrne, que apresenta o *The Late, Late Show*. No devaneio, já sou famoso e estou viajando pelo mundo para falar a respeito de meu dom. Menciono o trabalho que venho realizando para o FBI, ajudando a capturar espiões na Rússia. Gay Byrne balança a cabeça e diz:

— Impressionante. Realmente impressionante. Podemos testar seu dom em alguns membros da plateia? Podemos realizar um teste ao vivo? Um experimento?

Sento na beirada de minha cadeira giratória de couro e respondo:

— Podemos, claro.

Gay Byrne chama quatro voluntários e pede a cada um deles que me diga alguma coisa. A primeira diz:

— Meu nome é Bernadette, tenho três filhas e um filho e moro em Galway.

Coço a lateral do rosto antes de responder:

— É mentira — anuncio. — Mas não tudo. Você estava falando a verdade até dizer que mora em Galway.

No devaneio, não fico enjoado, nem sequer com o estômago um pouco embrulhado ao detectar a mentira.

Gay Byrne e a voluntária se entreolham, satisfeitos e impressionados.

— Isso mesmo — diz a mulher. — Eu realmente tenho três filhas e um filho, mas não moro em Galway. Moro em Doolin.

Quando paro de fantasiar, leio a respeito do Grande Assalto ao Trem Pagador. Em 8 de agosto de 1963, entre 3h10 e 3h45 da manhã, um trem do Escritório Geral dos Correios de Glasgow foi emboscado por uma gangue de ladrões, que escapou com cento e vinte malas postais contendo mais de quarenta e dois milhões de libras. Um dos ladrões ainda não foi capturado e seu nome é Ronald Biggs.

Pergunto-me qual terá sido a sensação de roubar tanto dinheiro. Se me senti como se meu coração estivesse tentando sair pelas orelhas quando roubei noventa libras da bolsa de minha avó, Ronald Biggs deve ter tido a impressão de que seus braços e pernas iam cair com todas as pulsações de seu sangue amedrontado. Mesmo quando olho embaixo do colchão, para ver se o dinheiro que roubei ainda está lá, minhas mãos ficam tremendo até uma hora depois. E como Ronald Biggs soube o que fazer com o dinheiro quando não consigo sequer decidir o que fazer com meu mirrado montinho de notas?

Então meu pai grita meu nome e sei que está na hora do filme de Hitchcock.

11.

Durante dois dias meus colegas de classe me provocaram. Alguns fizeram a incrível tentativa de me atacar de emboscada a caminho da sala. Ontem, o ruivo jogou água nos meus pés quando me sentei na carteira, e sempre que a srta. Collins dá as costas à turma a menina ao meu lado diz: "Pipi, pipi, pipi, por todo o caminho até em casa". E, com uma única exceção, Brendan não falou comigo desde o ocorrido.

São três e meia. Permaneço sentado em minha carteira e espero que todos partam antes de sair para o corredor. Brendan está passeando perto do rack dos casacos. Não preciso lhe perguntar por que está andando para cima e para baixo pelo corredor desse jeito. Sei que ele não consegue encontrar seu casaco. Não consegue encontrá-lo porque, na hora do almoço, tirei o casaco do gancho e o enfiei no fundo de minha mochila.

Pergunto-lhe por que ele ainda está aqui.

— Não estou conseguindo encontrar meu casaco.

— Vou ajudar a procurar — digo.

Tento parecer calmo, mas minhas mãos estão suando dentro dos bolsos. Procuramos seu casaco e, quando não conseguimos encontrá-lo, sugiro que voltemos para casa juntos. Entrego-lhe meu casaco para vestir, e ele não pergunta por que não preciso do meu, ou por que vesti dois pulôveres hoje.

Por fim estamos sozinhos e posso contar a história de por que molhei as calças. Minto para conservá-lo como amigo e não me sinto enjoado. Explico que foi uma tentativa de quebrar um recorde.

— É um recorde bastante estúpido — diz ele.

— Eu quase quebrei. Aguentei vinte e seis horas.

— Você aguentou vinte e seis horas!

— Vinte e cinco horas e cinquenta minutos.

— Você devia contar isso a todo mundo.

— Talvez — digo —, mas eles provavelmente não vão acreditar em mim. O recorde é de trinta horas. Então, quase bati o recorde.

Ele desvia o olhar.

— Você quer que eu venha no domingo para a gente jogar futebol ou fazer alguma outra coisa? — pergunto.

Brendan tosse, como meu pai quando não sabe ao certo o que fazer.

— Ainda não sei. Talvez eu tenha que ir a um batizado.

— Tudo bem — digo.

É manhã de sexta-feira e, depois do café, espero até que não haja ninguém na cozinha para poder telefonar para Brendan e contar que quero realizar uma experiência fora do comum.

— Como a experiência do xixi?

— Completamente diferente. Você pode dormir na minha casa hoje?

— Acho que não vão me deixar ir — declara ele.

— É importante.

— Talvez. Agora tenho que desligar. Meu mingau está esfriando.

— Te dou cinco pratas — digo.

— Mentiroso.

— Vou levar o dinheiro hoje para te mostrar.

— Como você conseguiu cinco pratas?

— Eu economizei.

— Mentiroso. Isso levaria centenas de anos.

— Minha avó ganhou algum nas corridas e me deu um pouco. Mas você não pode contar para ninguém, e se contar tomo o dinheiro de volta.

— OK.

— E traga o seu saco de dormir.

— Por quê?

— Porque sim.

Eu disse a minha mãe que vou dormir na casa de Brendan esta noite e que vou direto da escola para lá. Ela não vai conferir; não tem motivo para isso.

São três e meia. Peço a Brendan para ir ao galpão.

— Por quê? Nós não vamos para sua casa?

— Só me siga. Você vai ver.

Rumamos para o galpão. O zelador está limpando uma mesa com palha de aço.

— Oi — cumprimenta ele. — Alguma dessas pichações é de vocês?

— Não — respondo. — Nós precisamos ficar com a chave do galpão por uma noite.

O zelador olha para o chão, então torna a erguer os olhos devagar na minha direção.

— E se vocês forem pegos vão dizer que roubaram a chave do escritório?

— Com certeza — respondo.

— E vão usar meu galpão para aprontar o que não presta?

Olho para o chão, então ergo os olhos devagar, do jeito que fez o zelador. Pessoas confiantes parecem capazes de lidar com o silêncio e são boas nas pausas.

Andei pensando a respeito de como me comportar e acho que deveria exibir atitudes confiantes no momento de meu primeiro encontro com o pessoal do *Guinness*. Primeiro vou trabalhar minhas mãos, depois minha voz e, por último, meu jeito de andar.

— Coisa do gênero — respondo. — É uma longa história.

— Limpem os banheiros. Quando vocês voltarem, o galpão vai estar pronto.

O zelador me entrega as chaves. Observo como ele não precisa usar muitas palavras para dizer o que quer.

Enquanto nos dirigimos aos banheiros, Brendan agarra meu braço.

— O que está acontecendo? Pensei que fôssemos para sua casa.

— Precisamos do galpão por uma noite para a minha experiência. Mas ainda não posso contar o que é.

— Você tem que me contar. Não vou ficar, a não ser que você conte.

Abro a porta que conduz aos banheiros.

— Tudo bem. É um teste de detecção de mentiras. Vou provar que sou um detector de mentiras humano.

— Isso é uma idiotice.

— Como você sabe que é uma idiotice? Eu ainda não te

mostrei. É como se eu fosse um polígrafo, só que não preciso de uma máquina.

— O que é um polígrafo?

— É uma máquina que é conectada aos criminosos para ver se eles estão mentindo, mas eu provavelmente sou um detector de mentiras melhor do que qualquer máquina.

— Do que você está falando?

— O polígrafo mede a respiração, a pressão sanguínea e a quantidade de suor do suspeito. Mas algumas pessoas não sentem culpa quando mentem e a agulha do polígrafo não se move. Essas pessoas são as supermentirosas. E alguns suspeitos inocentes ficam tão nervosos que o polígrafo acha que eles são culpados. Mas quando eu detecto mentiras, percebo, em uma fração de segundo, o que a máquina não consegue perceber, e detecto montes de sinais e coisas chamadas de microexpressões. E fico enjoado e minhas orelhas queimam, mas não tanto quanto no começo.

Seus olhos estão arregalados e sua boca, escancarada.

— Do que você está falando?

— Eu tenho o dom da detecção de mentiras.

— Você está inventando isso.

— Não estou.

— Está, sim.

— Não estou.

— Então como aprendeu a fazer isso? Quem te ensinou?

— Eu não aprendi. Descobri que simplesmente conseguia fazer isso. É só uma coisa que eu consigo fazer. Mas agora li todos os livros e eles me ajudam a entender o que está acontecendo. Os livros explicam o que o meu cérebro está fazendo quando identifico uma mentira.

— Nós não podemos fazer a experiência na sua casa?

Digo a mim mesmo para empregar poucas palavras.

— Lá não tem privacidade — respondo.

Dou-lhe as costas e uso o esfregão e o balde para jogar a água já suja no chão. Brendan encosta na parede, fica me observando limpar e não oferece ajuda. Tem a vantagem agora, mas logo vou recuperá-la.

— Como você sabe que alguém está mentindo, então? — pergunta ele.

— No começo, eu ficava enjoado e vomitava, mas agora minhas orelhas ficam quentes e consigo perceber só pelo que acontece com o rosto e as mãos da pessoa.

— Isso é idiota.

— Não, não é. Espere para ver.

— Me dê o dinheiro que eu espero.

Dou-lhe as cinco pratas e ele segura a nota contra a luz, como se quisesse conferir se é falsificada.

Rio então, porque ele ri, embora eu esteja precisando pagar para que ele faça uma coisa que deveria querer fazer porque é meu amigo.

No caminho de volta ao galpão, paramos perto da sala de aula e pegamos nosso saco de dormir e a comida que tirei esta manhã da despensa de casa: duas fatias de bolo de chocolate, um pedaço de presunto e pão. Eu trouxe um cobertor de reserva e travesseiros também.

É uma noite nevoenta e, enquanto nos encaminhamos ao galpão, a neblina cobre nossos casacos e os deixa molhados. Entramos no galpão e estendemos os sacos de dormir no chão. Estou com frio e não faço ideia de como acender o fogão.

— Nós vamos morrer congelados — digo, apenas para dizer alguma coisa.

— Não seja maricas — diz Brendan. — Vou pegar um pouco de lenha e acender o fogo.

— Ótimo — digo.

O fogão está aceso e com lenha empilhada até o alto. O lugar está um pouco mais quente agora, e sentimo-nos confortáveis enquanto comemos bolo dentro de nossos sacos de dormir. Mas me preocupa o fato de que, se não começarmos logo a experiência, talvez não a comecemos nunca.

— O zelador deixou um bilhete para nós — diz Brendan.

Caros meninos,

Espero que vocês tenham uma boa noite. Tenho alguns gibis novos na estante!

Zelador

Brendan procura os gibis novos e meu estômago se contrai; ele está mais interessado nas revistas do que em minha experiência.

— Mas nós não precisamos de revistas — digo. — Nós ainda nem começamos.

— Só estou dando uma olhada — diz ele.

Folheamos os livros do zelador e, entre as revistas em quadrinhos, Brendan encontra uma revista pornográfica. Não é possível que Brendan soubesse que ela estava lá, mas ele diz:

— Eu estava com o pressentimento de que ele ia pôr alguma coisa estranha aqui para a gente. Eu sabia.

Brendan torna a entrar em seu saco de dormir e vira as páginas da revista. Não para de dizer "Ah, meu Deus" e "Uau!" e "Olha o tamanho deles!", e soa idiota e falso.

— Venha ver isso! — grita.

Aproximo meu saco de dormir do dele e sento ao seu lado para ver as fotos. Algumas têm três ou quatro pessoas. Elas não têm lógica. Sinto-me mareado. Minhas entranhas se comprimem e reviram. Espero que Brendan não olhe para mim, mas ele está ocupado demais xingando e produzindo ruídos com a garganta. Não vou fazer barulho nenhum. Tudo que sinto é uma forte pressão nos intestinos, a sensação de estar precisando cagar.

Sem qualquer aviso, Brendan empurra meu braço com força e grita:

— Você não precisa sentar tão perto! Está me deixando de cabelo em pé.

Antes que eu tenha tempo de responder, ele saiu do saco de dormir e está recolocando a revista na prateleira. Permanece ali por algum tempo, me olhando de cima, deslocando o peso de um pé para o outro.

— Vou sair para mijar e depois vou para casa — diz.

Ele não olha para mim, e não olho para ele. Ele sai e espero dez minutos até que volte. Quando volta, diz:

— Agora estou indo.

— E a experiência? — pergunto.

Ele dá de ombros.

— Vamos simplesmente dizer a nossas mães que decidimos não dormir na casa um do outro — diz ele.

Levanto-me e arrumamos nossas coisas em silêncio. Quero conversar. Quero saber o que Brendan pensa das fotos.

— Mas e a experiência? — pergunto.

— O que tem ela? — pergunta Brendan.

— Muito bem — digo. — Faça o que quiser.

Quero que mais coisas aconteçam esta noite, mas não sei o quê. A ideia de sua partida me deixa irritado. Quero que mais alguma coisa aconteça esta noite no galpão do zelador entre mim e Brendan. Quero alguma coisa entre nós, no escuro, durante a noite. Não quero que a gente se separe, não agora, e não tão de repente.

— Vamos ficar e fazer a experiência — peço.

— Simplesmente esqueça — diz Brendan. — Foi uma ideia estúpida de qualquer maneira.

— Bem, você deve ser estúpido, porque quis fazer a experiência também.

— E daí?

E nos levantamos e gritamos "E daí?" um para o outro. Brendan está fingindo estar zangado, mas sei que se sente só e estranho, da mesma forma que eu.

— Vamos apagar as luzes e dormir, e não vamos nem conversar — digo baixinho, com o que resta de minha voz. — Vamos para casa assim que amanhecer.

Brendan não responde.

— Por favor — peço. — Só para dormir.

Brendan apaga a luz e entramos em nossos sacos de dormir. Quando Brendan se acomoda, quando para de se mexer, aproximo meu saco de dormir do dele, a fim de que nossos sacos de dormir encostem um no outro.

— B'a noite — diz ele.

— B'a noite, Brendan — respondo.

Giro para minha posição habitual de dormir, a têmpora pousada sobre a mão, mas não consigo pegar no sono. Reviro no chão duro e sinto o frio do concreto sob os braços e pernas. Não consigo parar de pensar no quanto desejo tocar Brendan, ou ser tocado por ele, e desejo ver seu corpo. Nunca tive tais pensamentos, nunca senti nada parecido. Não tem nada a ver com gostar de Brendan; não nesse sentido. Olho para ele em seu saco de dormir e quero acordá-lo. Não. Vou apenas pensar a respeito disso.

Vou apenas imaginar que estou acordando Brendan. E imagino o seguinte: eu o acordo e peço que durma ao meu lado; ele concorda e nos deitamos nus, juntos, e vejo seu corpo e ele vê o meu. Mas isso é errado; é pecado. Sento e balanço a cabeça.

Abro os olhos e as imagens desaparecem. Fico acordado por longo tempo, confuso. Quanto mais o tempo passa, mais me sinto um prisioneiro, preso na vigília. Viro e reviro novamente e o tempo passa mais e mais, tempo vagaroso.

Minha cabeça, como que repleta de hélio, não contém nada que me arraste para baixo, rumo ao descanso, à escuridão, ao sono. Está escuro como breu, mas não há escuridão em minha mente. Há um dia claro ofuscante, quando deveria haver noite. Pensamentos que sei que são muito maus não param de surgir. São pecados muito graves. É por isso que minha mãe não quer que eu me deite com ela.

Quero que os pensamentos parem, mesmo assim quero ver o que acontece com os pensamentos, com as histórias a respeito de meu corpo e do corpo de Brendan, e todas as outras histórias que estou inventando em minha imaginação.

Bato com a mão na cabeça até doer. Soco meu peito e meu braço, então bato em meu rosto.

Nunca mais vou ter esses pensamentos de novo.

Levanto, acendo a luminária e sento em uma cadeira sob a janela, enrolado no saco de dormir. Olho para Brendan, que está dormindo de lado, a boca aberta e a língua pousada sobre os dentes inferiores. Gosto de poder olhar para ele assim, sem que ele nada possa fazer para impedir. Observo suas narinas se movendo e, por um instante, espero que acorde e converse comigo, me faça companhia, mas, se acordar, talvez queira ir para casa e, se for, não vou poder olhar para ele.

Paro de olhar quando fico entediado e leio uma revista em quadrinhos, mas nada me diverte. Chuto meu saco de dormir. *Você não é um saco de dormir. Você é um saco de acordar.*

Depois de uma hora ou mais sentado ao lado da luminária

embaixo da janela escura e fria, decido tentar dormir novamente. Torno a me enfiar em meu saco de dormir, ao pé da cadeira.

Está mais frio agora, muito mais frio do que antes, e sinto o concreto como gelo sob o saco de dormir. Meus braços e pernas parecem machucados.

E é assim até que os pássaros comecem a cantar, e quando eles começam a cantar me sinto por fim sonolento e durmo por curto tempo, então acordo.

O zelador está de pé no vão da porta.

— Levantem — diz ele como se fôssemos dois estranhos —, preciso usar o galpão.

12.

É manhã de sábado, o primeiro dia do feriado escolar de Páscoa, e meu pai entra na cozinha enquanto estou tomando café.

— Oi — digo.

— Bom dia — diz ele.

Ele está vestindo camisa branca e jaqueta azul e fede a loção pós-barba. Sua barba desapareceu novamente e espero que ele não torne a deixá-la crescer. Ele pega meu prato sobre a mesa, vem até onde estou, perto do fogão, e o estende sob meu nariz.

— Você não come mais as cascas agora? — pergunta em um sussurro, como se não desejasse que curiosos ouvissem.

— Não gosto delas — respondo.

— Não seja idiota — diz ele. — As cascas são pão, exatamente como o resto do pão.

Ele fala com uma precipitação exasperada e o prato se inclina em sua mão. As crostas estão na beirada, prestes a cair.

— Não, não são — retruco. — As cascas são mais difíceis de mastigar e mais duras.

Ele me entrega o prato e fala em tom normal, com voz mais lenta.

— Coma as suas cascas — diz. — Pão não cresce em árvores, e desperdiçar comida é pecado.

— Elas machucam meus dentes — digo. Pego o prato e o deposito sobre a mesa, mas ele o empurra para dentro de minhas mãos.

— Coma, seu grande idiota, ou vou enfiar essas cascas pela sua goela.

Como as cascas enquanto ele fica vigiando. Ele está de pé perto do fogão, os braços cruzados. Ergo os olhos na direção dele quando termino. Ele sorri sem mostrar os dentes, um sorriso cansado, frio.

— Está vendo? — diz ele. — Elas não vão te matar.

Minha mãe entra para pegar a bolsa: está se aprontando para ir ao mercado na cidade de Gorey, onde agora trabalha três manhãs por semana. Ela está com seu casaco rosa por cima de um avental amarelo.

— Por que você não vem comigo? — pergunta. — Pode passar a manhã na loja e depois pegar um pacote de doces para trazer para casa.

— Prefiro ficar aqui — digo. Quero ler meu novo livro sobre mentiras.

— Vá com ela — diz meu pai. — Você mal tem saído de casa ultimamente.

Quando estamos perto do cruzamento e deveríamos pegar a entrada à direita, minha mãe vira à esquerda e anuncia:

— Nós precisamos ir ver o doutor Ryan. Só por um instante.

— Por quê?

— Você precisa fazer um check-up.

— Para quê?

— Você está ficando muito grande.

— É por isso que você não me toca mais?

— Eu toco em você, sim.

— Não tanto.

Ela leva as mãos ao rosto e coça a testa com a ponta dos dedos.

— Você não é mais um menininho.

— E daí? Você é alta e o papai é alto. Eu sou exatamente igual a vocês.

— Você tem só onze anos, tem quase um metro e oitenta e três de altura e sua voz está ficando mais grave.

— Vou fazer doze anos em julho — digo.

— Por que nós simplesmente não fazemos uma visita ao doutor Ryan e vemos o que ele tem a dizer?

— A menos que você esteja me levando para fazer uma operação para parar de crescer, não vou a médico nenhum.

— Não há nenhuma necessidade de operação.

— Então não preciso ir ao médico. Eu não estou doente.

— Eu não disse que você estava doente.

Bato no painel com a mão espalmada. Não entendo por que não detectei a mentira quando ela a contou em casa. Por que não percebi que ela estava mentindo quando disse que ia me levar para passar o dia na loja com ela?

— Se alguém está doente, esse alguém é você — digo.

Ela olha para mim, para ver o que vou fazer. Enfio as mãos sob as pernas e ela torna a olhar para a estrada. Mas percebo que ela está nervosa: toca o rosto e engole em seco várias vezes.

— O que isso quer dizer? — pergunta ela por fim.

— Você disse que eu estava indo para a loja com você. Você mentiu. Você me enganou para que viesse com você.

— Nós ainda vamos para a loja, então eu não estava mentindo. Só que vamos ver o doutor Ryan antes.

— Se você me obrigar a ver o doutor Ryan agora, nunca mais vou confiar em você novamente.

Digo isso com uma voz que nunca usei antes, uma voz que é quase um soco ou um chute. Minhas mãos estão cerradas quando digo isso, e sinto-me forte. Estou falando sério.

— Não entendo por que você está tão aborrecido com isso — diz ela, prestes a chorar.

— É muito importante ser honesto — digo, quase sussurrando agora e com falta de ar. — Você é mãe. Mães não deveriam mentir. Não quero que você minta nunca.

Ela nada diz.

— Outras pessoas podem mentir, se quiserem — digo. — Mas não você.

Ela franze as sobrancelhas quando olha para mim, mas agora não parece à beira das lágrimas. Pergunto-me por que prendeu o choro e se eu ainda conseguiria fazê-la chorar se quisesse.

— Além do mais — declaro —, mentir é pecado.

Ela olha para mim, calma, como se eu não houvesse dito absolutamente nada, e faz meia-volta com o carro. Regressamos ao cruzamento e ela pega a entrada que conduz à cidade de Gorey. Estamos indo para a loja no final das contas.

— Terminou? — pergunta ela, com a voz que emprega com meus tios.

— Terminei.

Sento em uma cadeira atrás do balcão, ao lado de minha mãe, ouvindo-a conversar com os clientes sobre colheitas, doenças e bebês.

Uma mulher surge e diz:

— Helen, todas nós achamos que você fosse se juntar à Legião de Maria este ano!

E minha mãe retruca:

— Ah, como eu gostaria se tivesse tempo!

Quando a mulher vai embora, minha mãe explica que a Legião de Maria é um desperdício de tempo inútil: um bando de donas de casa sem nada melhor para fazer do que reclamar, fofocar e difamar seus maridos.

Logo irei comer e as prateleiras estão repletas de latas e caixas de comida e há dezenas de doces diferentes sob o balcão de vidro.

E então acontece uma coisa que melhora ainda mais meu humor.

Pouco antes da hora de fechar, entra um vendedor de terno preto. Minha mãe lhe diz que não precisa de mais biscoitos.

— A senhora tem certeza? Não quer conversar sobre isso com o gerente? — pergunta ele.

— Eu sou a gerente — anuncia minha mãe. — E tenho certeza.

Ele olha para as prateleiras, faz algumas anotações em sua prancheta e anuncia:

— Acho que seu estoque de biscoitos aqui é limitado. Temos novos produtos ótimos no mercado.

Minha mãe ergue o tampo e sai de trás do balcão. Para perto do vendedor.

— Estimo o tempo que o senhor gastou — diz—, mas não necessito de mais biscoitos.

— Tudo bem, então — diz o vendedor.

Minha mãe põe a mão nas costas dele. Sua mão está coberta de farinha e, no terno escuro, deixa a marca de uma perfeita mão branca, menor do que a dela, igual à mão de uma criança.

Ela observa o vendedor deixar a loja, então abre a porta e fica de pé na calçada para vê-lo desaparecer na rua apinhada.

— Tchau! — diz.

A porta se fecha e o pequeno sino toca. Fico de pé de um salto.

— Você deixou a marca da sua mão nas costas dele — digo.

— Eu sei — diz minha mãe. — E nunca vou me esquecer do prazer que isso me causou.

Dou-lhe um abraço, como se estivéssemos comemorando boas notícias. Ela ri e me aperta com força. Quando me solta, me beija no rosto e sorri.

Ela canta enquanto voltamos para casa e, quando viramos no cruzamento, me pergunta se eu gostaria de dar uma caminhada na praia em Courtown e respondo que sim. Isso representa mais meia hora no carro com ela a caminho de lá e outra hora a caminho de casa.

Como meus doces enquanto caminhamos pela praia. No verão a areia é amarela e a água é azul. Hoje a areia não está tão amarela, mas ainda brilha, e a água não está tão azul, mas as ondas ainda rebentam e formam uma espuma branca. Há cheiro de sal e algas, e atrás de nós as dunas estão cobertas de arbustos verdes que parecem lã.

Então chove, chove forte, mas ela continua a caminhar como se não percebesse.

— Mãe! A chuva! — digo, agitado pela mudança no ar, por sua escassez e pelo estranho odor de metal.

— Não se preocupe com a chuva — diz ela.

Ergue o rosto na direção da chuva e colhe os pingos na boca. Faço o mesmo e rimos quando ela segura minha mão e caminhamos na chuva de cabeça erguida, enquanto as outras pessoas correm para o abrigo de seus carros. Não está frio, e assim estou completamente molhado, a chuva parece quente como um cobertor.

Chegamos em casa encharcados e meus sapatos e meias chapinham enquanto percorro a entrada de veículos. Meu pai está sentado à mesa da cozinha tomando sopa e minha mãe vai até a beirada da mesa e fica de pé ao lado dele.

— Olhe para sua mulher — diz ela. — Encharcada da cabeça aos pés.

Meu pai sorri sem mostrar os dentes.

— Como um rato afogado — comenta.

— Quantos ratos que catam conchas você conhece? — pergunta minha mãe enquanto retira as conchas do bolso do casaco e as deposita sobre a mesa da cozinha.

Meu pai torna a sorrir e segura uma das conchas contra o ouvido.

— Alô — diz. — Aqui é Michael Egan falando. Não, a morcega velha não está aqui. Está no bingo.

Minha mãe ri e parece feliz. Conta a meu pai a história do vendedor de terno escuro com a marca da mão de farinha nas costas.

Os dois riem tanto que minha mãe precisa se apoiar na pia e enxugar as lágrimas dos olhos vermelhos.

Eles riem tanto e por tanto tempo que a piada deve ter ultrapassado meu entendimento, e eu gostaria de saber o que foi. Se eu perguntasse o que os fez rir tanto, meu pai provavelmente mentiria, para evitar que eu ficasse sabendo demais a seu respeito, ficasse sabendo demais a respeito de como é ser ele. Minha mãe provavelmente me contaria a maior parte dos motivos do riso, e deixaria de fora as partes complicadas. Acho que ela mentiria para tornar a conversa mais fácil e agradável, para impedir que a conversa se tornasse séria demais.

— Não é tão engraçado assim — digo. — Por que vocês estão rindo tanto?

Por fim minha mãe para de rir o bastante para falar.

— Estamos rindo tanto assim porque há muito tempo, antes de você nascer, fiz uma coisa muito parecida com seu tio Tony antes de sairmos todos para um casamento.

Meu pai balança a cabeça, os olhos ainda cheios de água de tanto rir.

— E ele mereceu.

— Por quê? — pergunto.

Eles se entreolham antes que minha mãe responda.

— Porque ele foi rude comigo e fiquei ofendida. Você pode ficar roxo de tanto perguntar o que foi que ele me disse, mas não vou contar.

Não preciso saber. O que importa é o fato de eles terem sido honestos; os dois, honestos.

— Agora vou ver televisão — digo e deixo a cozinha com dois biscoitos recheados de geleia.

Uma hora mais tarde, volto à cozinha. Está escurecendo e acabamos de acender todas as luzes quando minha avó chega em casa.

Ela tira o casaco e o pendura nas costas da cadeira mais próxima ao fogão. É um casaco de pele novo, marrom com punhos pretos. Meu pai olha para ela, balança a cabeça e sai. Ela se senta e toma sua sopa mergulhando nela pedaços de pão, e mantém a cabeça tão perto da tigela que seu cabelo fica respingado de sopa.

Não suporto olhar.

— Estou com dor de dente — anuncio e saio. Esta mentira não provoca reação nenhuma, talvez porque a tenha contado enquanto estou caminhando. Vou tomar nota disso no Oiraid de Saritnem.

13.

É domingo de Páscoa e, depois da missa, vamos todos para a sala. Sento aos pés de minha avó e rio quando ela pega no sono e começa a roncar. Minha mãe segura minha mão e sorri à medida que abro meus presentes e meus ovos de Páscoa. Estou ansioso, como sempre fico nos feriados, porque meu pai tem o hábito de prometer presentes e esquecê-los. Não importa o que ele me dê, nunca compensa os presentes prometidos e nunca dados. Deixo por último o cartão de Páscoa de meu pai; há uma libra presa com fita adesiva no interior.

— Obrigado, pai — digo.

Sorrio para minha mãe.

— Agora podemos comer um pouco daquele bolo de chocolate? — pergunto.

— É claro, vou terminar de colocar o glacê.

Ela sai e, já que vovó está dormindo, fico praticamente sozinho na sala com meu pai.

Pego o cartão e o viro ao contrário algumas vezes. Certifico-me de que meu pai esteja observando. O cartão, como todos os outros de que consigo lembrar, está gasto e desbotado, e tem a mesma imagem de um menino brincando com seu cachorrinho e a inscrição: PARA UM FILHO MARAVILHOSO, NESTA PÁSCOA SAGRADA. Meus cartões de aniversário e de Natal são quase idênticos: PARA UM FILHO MARAVILHOSO, NESTE ANIVERSÁRIO, ou NESTA SANTA COMUNHÃO, ou NESTE NATAL. Há sujeira em torno do quadrado limpo onde deveria estar a etiqueta com o preço.

Ocorre-me que todos os meus cartões são do mesmo lote; talvez provenientes de uma caixa com uma centena ou mais, comprados no atacado quando nasci. Ele bem pode também me dar o mesmo cartão todos os anos, pedir de volta e reutilizá-lo.

Olho para ele, sentado em sua poltrona, as pernas cruzadas, o roupão curto frouxamente amarrado com o cordão, que balança entre seus joelhos sem pelo. Fico de pé bem na sua frente, de forma a que ele precise erguer os olhos para olhar para mim.

— Quando eu tinha seis anos — digo, com minha voz mais firme —, você deve ter comprado uma caixa com um milhão de cartões idênticos, com o mesmo desenho idiota!

Ele me encara com ar inexpressivo, com uma completa falta de interesse. Mas me mantenho firme e nada digo para preencher o silêncio.

— Me mostre esse cartão — pede ele.

Ele agarra o cartão, então torna a enfiá-lo em minha mão.

— Não há nada de errado com esse cartão — declara. — É novinho em folha.

Atiro o cartão no fogo.

Ele observa o cartão se queimar nas chamas rosa e laranja, mas nada diz. Tem as mãos e rosto rígidos: está nervoso. Pergunto-me se minha mãe lhe contou sobre meu dom. Logo vou descobrir.

— Você é frio e egoísta — digo. — E eu tenho onze anos agora. Não dois.

Ele levanta-se e ficamos quase cara a cara, mas não vou me mover.

— Como você se atreve? — diz ele, sem se deslocar para o lado. — Comprei esse cartão ontem à tarde. O cartão é novinho em folha.

— Comprou? Você comprou esse cartão ontem?

— O que você quer dizer com *comprou*?

— Ele parece com todos os outros que você me deu, e está desbotado e com aspecto de velho. E então, pai?

Ele caminha em direção à porta, estende a mão à procura da maçaneta e erra.

— Não vou ficar aqui perdendo tempo com essa besteira.

— Mas você comprou, pai? Você realmente comprou o cartão ontem?

Sua mão localiza a maçaneta da porta.

— É claro que comprei.

— Quando você saiu de casa? A que loja foi?

— Quantas vezes você quer que eu repita? Comprei o cartão ontem em Gorey.

O problema é o seguinte: ele não pode ter ido a Gorey ontem, a menos que tenha pegado o carro de minha avó. Mas não preciso interrogá-lo a esse respeito. Ele está mentindo. Minhas orelhas estão quentes e meu estômago revira.

— Mas qual loja? — pergunto. — E como você chegou lá? De tapete mágico?

— Seu filhinho da puta desconfiado — diz ele. — Vá para o seu quarto!

Minha avó acorda e parece perceber que houve problemas. Encaro meu pai e recuso-me a ir. Sei que ele me bateria se eu não fosse tão grande. Mas não sei como terminar o que comecei.

Vou para meu quarto.

Deixo a porta aberta, para ficar ouvindo. Espero ouvir meu pai contar a minha mãe o que aconteceu, mas em vez disso há um curto silêncio, seguido de cantoria: minha mãe, meu pai e minha avó estão cantando junto com um dos discos preferidos de meu pai e provavelmente comendo meu pedaço de bolo. Ninguém vem me buscar e converso comigo mesmo e leio o Oiraid de Saritnem a fim de parar de me sentir só. Permaneço mais algum tempo deitado na cama, mas sei que preciso voltar ou vou perder de vez o domingo de Páscoa.

Volto para a sala e me sento sobre o tapete diante da lareira. Olho para meu pai. Ele está sentado de pernas cruzadas em sua poltrona, com uma xícara de chá em uma das mãos e uma fatia de bolo na outra.

— Os tutsis africanos conseguem pular muito alto — digo. — Por que eles não competem no salto em altura na Limpíada?

Ele não olha para mim.

— É Olimpíada — ele diz a minha mãe, com um amplo sorriso. — O-limpíada. Não Limpíada. Limpíada é para quem tem paralisia cerebral.

Meu erro foi proposital, mas ele ri e usa a piada contra mim.

Ele bate o pé e todos riem, e rio com eles porque uma das piores coisas é estar em uma sala cheia de gente e não rir quando está todo mundo rindo.

14.

— Bom dia, turma — diz a srta. Collins. — Eu gostaria que todos vocês conhecessem uma nova aluna.

A menina nova se endireita, os pés unidos e as mãos ao lado do corpo.

— Olá para todos. Meu nome é Kate Breslin. Sou filha única e acabei de me mudar de Dublin para cá.

Ela tem longos cabelos castanhos — que descem até a cintura —, olhos verdes e uma postura direta.

— Meu pai assumiu o controle de uma propriedade extinta em Gorey — explica ela. — Estamos a seis quilômetros e meio da escola.

Ela dá a impressão de estar lendo. Pergunto-me o que é uma propriedade extinta e quero levantar a mão e perguntar, mas perco a coragem e abro a tampa de minha carteira para me esconder.

— Nós morávamos perto do Hotel Shelbourne — diz ela. — Onde se hospedam todos os famosos.

A srta. Collins cede a Kate a carteira livre na primeira fileira, perto de Brendan, e o nomeia e a Mandy como acompanhantes de Kate. Observo-os com atenção. Durante a primeira aula, Kate se inclina para o lado e diz alguma coisa a Brendan. Ele sorri quando responde e joga o cabelo para trás com a mão.

Na segunda e terceira aulas, Kate torna a se inclinar e falar com Brendan. Eu gostaria de poder ouvir. No início do intervalo, vou até a carteira de Brendan e ambos olham para mim, e então um para o outro. Brendan dá a impressão de conhecer Kate há muito tempo.

Saio da sala e dou a volta até a janela, de onde vejo Brendan passar a mão pelo cabelo e entregar um de seus cadernos a Kate.

— Ah, obrigada — diz ela, e toca-o no braço. Quero ser tocado no braço desse jeito. Gosto disso. E, embora seja Brendan a ser tocado e não eu, posso sentir o toque em meu estômago. Continuo a prestar atenção.

Voltando da escola para casa, jogo uma pedra na boneca da árvore, mas erro e em troca acerto o galho. Enterro a pedra no chão perto do tronco. Quando chego em casa, minha mãe e meu pai estão sentados à mesa da cozinha, com uma pilha de cartas e contas a sua frente.

Meu pai as recolhe quando me sento.

— O dia na escola foi bom? — pergunta.

— Tudo bem — respondo. — Uma garota nova entrou hoje.

Menciono Kate Breslin. Surpreende-o o fato de que uma menina nova tenha entrado no meio do ano letivo.

— Foi por causa de uma propriedade distinta — informo. — Eles se mudaram para lá.

Meu pai ri do jeito alto e horrível que por vezes faz quando está na presença de meus tios ou quando alguém faz papel de bobo na televisão. Minha mãe baixa os olhos na direção da mesa.

— Propriedade extinta — diz ele, ainda rindo de mim. — Não propriedade distinta.

— Eu sei — declaro. — Foi o que eu disse.

— Não, não foi — ele contrapõe. — Você disse propriedade distinta.

— Não, não disse — retruco.

Crito pula sobre a mesa da cozinha e, em vez de empurrá-la, meu pai lhe dá tapinhas na cabeça.

— Crito? Você ouviu. John não disse propriedade distinta?

— Michael — diz minha mãe —, foi só um lapso de linguagem. Deixe isso para lá! Deixe John em paz.

Nós três permanecemos sentados em silêncio. Não há chá no fogão, não há comida sobre a mesa e não há nada a fazer. Minha mãe pega os papéis da pilha e os examina. Meu pai empurra Crito para fora da mesa com tanta força que ela choraminga.

Vigio minha mãe, esperando que ela me diga o que são aquelas cartas, contas e papéis. Quero que meu pai saia para podermos conversar. Então me ocorre o seguinte: estão ambos esperando que eu saia. Eles querem que eu saia.

Não vou sair.

Observo minha mãe e continuo a observar enquanto ela folheia os papéis.

— Pare de me encarar — diz ela.

— Só estou olhando — digo. — Não tem nada de errado em olhar.

— Você está encarando. Quero que pare.

— Você nunca me diz para não olhar quando estamos sozinhos.

Meu pai abaixa seu livro, subitamente interessado.

— Vá para seu quarto e nos deixe em paz — diz. — Temos coisas para conversar.

Minha mãe está alternando entre calorosa e fria, exatamente como ele. Exatamente como meu pai, ela se tornou duas pessoas diferentes. Agora eles são quatro. Quatro pessoas diferentes em vez de duas.

Vou direto para meu quarto e entro debaixo das cobertas. Ouço-os comer, conversar e rir. Deito de lado, com todo o meu peso em cima do braço. Viro para o outro lado. Quero dormir a fim de parar de pensar. Meu sangue pulsa tão rápido e tão forte que faz meu corpo inteiro tremer. Meu sangue me espanca, pulsando ao longo de meu braço; há muito sangue, como uma represa que quer rebentar, e ele não vai me deixar dormir.

Às oito e meia minha mãe vem até mim.

— John — diz. — Venha comer alguma coisa. Você não pode dormir sem comer.

— Posso, sim — respondo. — Que diferença faz?

— Você já está crescido demais para fazer birra. Vá até a cozinha e faça um sanduíche.

Ela fecha a porta e um minuto mais tarde meu pai entra. Sem bater.

— Preparei um sanduíche de geleia de cassis para você. Aqui.

Ele põe o sanduíche em cima da cama, perto de meus pés. Quero chutar o prato para o chão, mas vejo que há uma grossa camada de manteiga no pão fresco e estou com muita fome.

— Obrigado — digo. Quero falar mais, mas prefiro que ele comece. Quero que ele diga alguma coisa primeiro, para que seja ideia dele conversar comigo. Olho para o sanduíche e espero.

— John? Tem alguma coisa errada?

— Não, na verdade, não. Mas tem alguma coisa errada com você e com a mamãe. Vocês estão diferentes.

— Diferentes do quê?

— Diferentes de vocês mesmos.

— Em que sentido?

— Não sei. Vocês ficam estranhos perto de mim.

— Talvez seja você que esteja estranho. — Ele ri, mas como não o acompanho puxa a franja do cabelo e continua a puxá-la até cobrir o lado direito da testa e o olho direito.

— Desculpe, filho. Só que não sei o que você está querendo dizer. A única coisa em que consigo pensar é que estamos preocupados com você. Queremos que esteja tudo bem com você.

— Tem certeza? Tem certeza de que não está acontecendo nada de errado?

— Tenho, a única coisa errada conosco é a preocupação com você. Estamos um pouco preocupados com o seu desenvolvimento.

— Eu estou me desenvolvendo bem. Estou melhor do que dá para perceber.

— É bom saber. Devemos parar de nos preocupar tanto?

— Claro. Parem de se preocupar.

— Você vai comer o sanduíche que fiz especialmente para você?

— Provavelmente, não.

— Então posso dar para Crito?

— Não. Deixe aí. Eu mesmo dou a ela. Mais tarde.

— Devo mandar Crito entrar? Dizer a ela que está sendo esperada nos aposentos do mestre?

Ele está sorrindo agora, e não consigo evitar. Sorrio em resposta e, assim que começo, percebo que estou feliz. A felicidade deixa meu corpo aquecido, do estômago até embaixo. Ele ri e também rio.

— Espere aqui. Vou buscar o aparelho devorador de geleia.

Quero extravasar minha felicidade, ficar de pé, pular para cima e para baixo no mesmo lugar e bater palmas. Quero sair da cama, correr, ir atrás dele sem sentir vergonha e conservá-lo comigo mais um pouco, neste exato momento, exatamente do jeito que ele está agora, só nós, com ele sorrindo para mim da forma que sorriu.

Espero por ele. Mas ele não volta de imediato. Não vou até o corredor, tampouco vou até a sala. Tiro o relógio, aguardo que o ponteiro dos segundos chegue ao 12, então inicio a contagem de sessenta segundos. Se ele não chegar em um minuto, nunca mais volto a esperar por ele. O ponteiro dos segundos alcança o 9 e ele volta, com Crito envolta em um cobertor, o focinho preto e branco de fora.

— Entrega especial para o Mestre Egan — diz ele. — Uma amiga de quatro patas necessitando de geleia.

A única coisa errada conosco é a preocupação com você, meu cérebro me diz.

— Obrigado, pai. — Ele se vai e mantenho Crito em seu cobertor enquanto como o sanduíche de cassis.

Na escola no dia seguinte, permaneço só durante o intervalo, sentado na sala de aula vazia, lendo um livro a respeito de Harry Houdini e comendo bolo de chocolate, biscoitos e um sanduíche de presunto. Gosto de ler sobre as fugas submersas de contêineres trancados, com Houdini algemado e acorrentado. Mas fico desapontado ao descobrir que suas fugas eram "prolongadas e dolorosas", e que sua fuga mais rápida de uma camisa de força durou cento e trinta e oito segundos. Sei, a partir do *Guinness*, que isso está longe do recorde mundial quebrado no ano passado por Jack Gently. Em 26 de julho de 1971, diante de uma plateia de seiscentos espectadores, Gently escapou de uma camisa de força padrão em quarenta e cinco segundos.

Poucos minutos antes de tocar o sinal do final do intervalo, entra o garoto mongoloide. Seu nome é Osmond e ele passa um dia por semana aqui e os outros dias na escola especial em Enniscorthy. Toda terça-feira, passa o intervalo e a hora do almoço sozinho, dando voltas no campo de esportes, falando e cantando desafinado. Nunca vi de perto seu rosto flácido e nunca falei com ele.

Ele está de boca aberta no vão da porta e desloca o peso do corpo de um pé para o outro, sorrindo na minha direção, sussurrando, esperando que eu fale. Desvio o olhar, mas ele se aproxima e, quando ergo os olhos, ele está de pé ao lado de minha carteira, a poucos centímetros de meu braço. Ele nada diz, mas sorri para mim, balançando de um pé para o outro. Não o quero perto de mim.

— Livro legal — diz ele.

Ele cheira a vômito. Não quero conversar com ele. Se me virem conversando com ele, vai parecer que sou seu amigo, que sou igual a ele: os dois solitários.

— Livro legal — diz ele. — Fotos legais.

O cuspe cai quando ele fala e há uma gota brilhando na manga de meu pulôver. Fecho o livro para impedi-lo de ver Harry Houdini. Mas ele está olhando para minha comida.

— Biscoitos legais. Bolo legal. Sanduíche legal.

Será que ele está com fome? Confiro em meu relógio: faltam só cinco minutos para o sinal que determina o fim do intervalo.

— Você está com fome? Quer um pouco de bolo? Você pode levar bolo para a aula? Levar o bolo para a sala 3G? Isso não seria bom?

Ele estende a mão gorda e deposito o que resta de meu bolo de chocolate na palma de sua mão. Ele enfia o bolo na boca, como um trator arrastando terra, então fecha a boca, move os lábios fechados de um lado para o outro e, por fim, engole. Ele dissolveu o bolo na boca sem mastigar. Gosto de poder encará-lo; ele me permite encará-lo e não se preocupa.

— Bolo marrom legal — diz.

Sua voz não é muito desconexa, mas é alta demais e parece estrangulada, como se houvesse alguém sentado sobre seu pescoço.

— Sssssh — digo. — Por favor, fique quieto. — Minha perna está pulando para cima e para baixo e ponho a mão no joelho para deter o movimento.

— Biscoito legal.

— Tome — digo.

Ele come o biscoito usando o mesmo método — sem mastigar — e então diz:

— Livro legal.

— Você não pode comer o livro — declaro.

Eu o fiz rir e ele salta para cima e para baixo.

— Come-come! Come-come!

Ele não é tão estúpido. Consegue dizer o que quer e quer apenas alguém com quem falar. Só isso. Mas ponho o dedo diante de meus lábios e peço-lhe que fique quieto. Ele parece magoado e se afasta. Olho para o relógio: falta só mais um minuto para o sinal.

— Veja — digo. Abro o livro na página que contém a fotografia de Harry Houdini em uma gaiola de vidro, o corpo coberto por grossas correntes. — Harry Houdini — digo baixinho. — Ele fazia mágica.

— Mágica! A mágica faz coelhos.

— Você consegue sussurrar?

— Consigo — sussurra ele. — A mágica faz coelhos.

— Faz — concordo.

— A mágica faz chapéus e ás de ouros, e faz os coelhos sumirem e os coelhos aparecerem.

— Faz — digo. Eu não sabia que ele conhecia tantas palavras. Se tivesse um rosto normal, eu provavelmente iria querer conversar com ele. Continuo a sussurrar e espero que ele faça o mesmo. — Você sabe o que é uma fuga?

— Fuga.

— Isso. Escapar das dificuldades. Escapar de caixas e gaiolas de vidro.

Ele aponta para Houdini.

— Ele está escapando de um jarro de vidro.

Sua voz está alta novamente, mas não me preocupo. Ele está certo. Está entendendo. Sorrio para ele. Apesar da flacidez de seu rosto, ele tem melhor aspecto do que achei que teria, e sua aparência melhora quando se está perto dele, prestando atenção. Eu achava que todos eles parecessem gêmeos idênticos, mas agora vejo que isso não é verdade. Osmond tem seu próprio nariz, seus próprios lábios, seus próprios olhos e suas próprias expressões.

O sinal toca e, quando para e ouvimos os sons das pessoas descendo no corredor, ele diz:

— Livro legal. — Sua voz está ainda mais alta do que quando chegou, como se ele achasse que o sinal ainda está tocando e precisasse gritar para se fazer ouvir.

— Ssssssh — faço.

— Livro legal, bolo legal, biscoito legal, menino grande legal. John legal. — Ele estende a mão para tocar meus olhos.

— Não! — digo — Não encoste em mim! Vá embora.

Não quero que ele saiba meu nome. Não, não é isso. Quero, sim. Mas não quero que ele diga meu nome. Ele para de sorrir e se afasta, de costas. Há lágrimas em seus olhos.

— Eu vou — anuncia ele.

— Tchau, então — digo.

— Eu vou. Vou fugir de costas. Eu saio do caminho de John.

— Certo — digo, e então, mesmo que não tenha planejado e mesmo que ache que não deveria, sorrio outra vez e digo: — Até a semana que vem.

Ele sorri em resposta.

— O biscoito gigante foge de costas do pote de biscoitos.

Rio, e quando Brendan encaminha-se para sua carteira com Kate eles olham para mim, percebem que estou sorrindo e parecem se perguntar o que perderam. Encaro-os até que desviem o olhar e, quando lançam um sorriso afetado um para o outro, acho que não me importo.

15.

Quando vou tomar meu café da manhã, não vejo ninguém. Minha mãe deixou um bilhete.

Querido John,

Fui ao auditório da igreja hoje para ajudar a construir um cenário para a representação da escola e seu pai foi para a cidade no primeiro ônibus. Nós dois o veremos hoje à noite na hora do jantar. Seu almoço está no aparador. Tenha um bom dia na escola.

Com amor, mamãe

Decido não ir à escola. Quando eles chegarem em casa, digo que não estava me sentindo bem. Como um pouco de mingau e ovos fritos com torrada na sala, diante da lareira, enquanto assisto à tevê, depois como chocolate e duas bananas. Crito senta em meu colo e juntos assistimos parte de uma comédia que se passa à beira-mar e então, às onze e meia, vou até o quarto de minha avó.

— Oi — digo.

Ela está sentada em uma cadeira reclinável ao lado da lareira, virada para a porta, e tem os pés pousados sobre uma poltrona vazia a sua frente. Não está lendo, nem costurando, nem tricotando; está simplesmente sentada. Há um cancioneiro aos seus pés, portanto ela talvez tenha aprendido músicas novas para cantar para nós do banheiro.

— Oi, John. Por que você não está na escola?

— Estou doente — respondo.

— Você não parece doente.

— Mas estou.

— Então devia estar na cama.

— Me sinto menos doente quando estou de pé ou sentado.

Mentir dessa forma faz meu coração se sentir apertado, como se eu tivesse um cinto amarrado em torno do peito.

— Mesmo assim, se você está realmente doente, devia estar na cama.

— Eu vou — digo. — Só queria conversar com você.

— Por que você não pega o termômetro no armário do banheiro e nós vemos se você está com febre?

— Em um minuto. Primeiro quero ter uma conversa importante.

— Bem, então entre e feche a porta.

Está frio, mas ela não acendeu o fogo.

— Me deixe tirar os óculos — diz ela —, para poder ouvir melhor.

Quero sentar na poltrona onde ela pôs os pés porque prefiro não sentar em seu colchão arqueado, que é estofado com crina de cavalo e fede a animal molhado. Fico de pé ao lado da poltrona até que ela afaste os pés. Sento.

— Quais são as novidades emocionantes? — pergunta ela.

— Na verdade, nenhuma — respondo.

— Bem, você não era uma companhia agradável? Pensei que quisesse conversar.

Pigarreio.

— Alguém disse alguma coisa relacionada comigo e com mentiras?

— Você foi pego contando mentiras?

— Não. Mas alguém andou falando sobre detecção de mentiras?

— Não. Deveriam ter falado?

— Não. É que tenho lido um monte de livros sobre detecção de mentiras e eu só queria saber se alguém tinha mencionado isso.

— Não.

— Posso perguntar outra coisa?

— Pode.

— A mamãe conversou com você sobre conseguir dinheiro para nossa viagem ao Niágara?

— Não.

— Você sabe quanto custaria ir para o Canadá?

— O que você está querendo? — pergunta ela.

— Bem, ela sempre disse que vai me levar ao Niágara de pois que eu tiver terminado meu Leaving, mas quero ir antes. Ela diz que não pode bancar a viagem agora e eu queria saber se você pode ajudar.

Minha avó ri.

— Ah, ela.

— Desculpe. Eu quis dizer a mamãe. Eu só queria saber se você pode nos ajudar com dinheiro.

— Isso é indelicado.

— Talvez você também possa vir junto.

— De onde você acha que vem o meu dinheiro? — pergunta ela.

Ela ri novamente e baixo os olhos para os arabescos vermelhos no tapete, mas eles me deixam tonto. Torno a erguer os olhos.

— Você ganhou muito dinheiro quando vovô morreu, não foi? Das joias todas que você vendeu, da loja e esse tipo de coisa.

— E quanto tempo você acha que esse dinheiro vai durar? — Ela desloca-se para a frente na cadeira reclinável.

— Muito tempo — respondo.

— Talvez seja melhor esperar até que você termine a escola e...

De repente ela para de falar. Olha para além de mim, por sobre meu ombro, em direção à porta atrás de mim, como se eu não estivesse ali.

— Vovó?

— Diga.

— Eu realmente tinha esperança...

— Eu realmente tinha esperança que você não fosse acabar como seu pai. Você sabia que ele acha que tem direito ao meu dinheiro? É. Ele acha que, se eu não gastasse nada comigo, ele teria uma ótima pensão em vida.

Sua voz está alta agora e ela não olha para mim, olha para meu cotovelo.

— Mas criar filhos não transforma as mulheres em mártires. E aquelas que se sacrificam demais pelos filhos muitas vezes se arrependem.

É como se eu não estivesse no quarto.

— No ano que vem acho que vou fazer um cruzeiro pelo mundo. Talvez faça dois. Até minha cabeça girar!

— Mas por que o papai tem que trabalhar enquanto está estudando para a prova do Trinity?

Ela olha para mim como se eu a houvesse golpeado.

— Ele teve três anos de estudo. Se fosse responsável, a essa altura já teria feito a prova. Se eu acreditasse que seu pai fosse estudar para conseguir o diploma, não ficaria atazanando para que ele trabalhasse, mas não acredito nele.

A essa altura ela está quase gritando.

— E agora eu tenho exatamente nove dias de paciência sobrando. É, só isso. Nove dias de paciência sobrando e depois a fonte seca!

— Isso não é justo — digo.

Ela aponta para trás de mim e ri.

— Você nem sempre é tão rápido quanto gosta de pensar que é, jovem John Egan.

Olho para trás, na direção da porta, e vejo o que ela estava observando. No vão de cinco centímetros sob a porta, há um par de sapatos pretos. Há alguém do lado de fora; alguém permaneceu lá fora o tempo todo.

Pensei que meu pai tivesse ido para a cidade no ônibus, e não o ouvi voltar. Saio da poltrona e corro em direção à porta, mas minha avó se levanta e agarra minha camisa.

— Deixe para lá, John. Não tem sentido correr atrás de bisbilhoteiros. Não compensa ir atrás dele.

Mas não consigo evitar. Abro a porta e olho. Ele se foi.

— Sente aí — diz ela. — Preciso dizer mais uma coisa. — Eu me sento e ela estende a mão para pegar a minha. O espaço entre nós é grande, mas não me inclino para a frente para facilitar.

— Agora nós vamos ter que ir embora? — pergunto. — Você vai expulsar a gente?

— É claro que não. Eu jamais te pediria para sair daqui.

— Jura?

— Eu podia jurar sobre a Bíblia, só que ela está ali, em cima da penteadeira — diz ela. — Quem sabe, se eu gritar, a Bíblia me ouça.

Ela está brincando, mas não há nada de engraçado no que está dizendo e não vou rir. Além do mais, ela está mentindo. Sua voz está esganiçada, ela não está piscando nem agitando as mãos da maneira que normalmente faz. Suas mãos estão imóveis sobre o colo.

— Tudo bem — digo. — Isso é bom.

— E quanto ao Niágara — diz ela —, se sua mãe prometeu que vai levar você lá quando você tiver terminado o Leaving, tenho certeza de que ela vai fazer isso. Sua mãe não quebra promessas.

Talvez mamãe tenha esquecido, mas agora sei que ela não perguntou a vovó sobre o Niágara como disse que faria.

— Vou ver televisão — anuncio.

Mas não assisto à televisão. Procuro meu pai por toda parte. Saio e espero por ele no portão da frente. Está muito frio e há vapor saindo das narinas das vacas no pasto cercado no outro lado da estrada. Esfrego as mãos e me movimento para cima e para baixo no lugar. Algumas vacas olham para mim. Normalmente aceno, digo oi ou devolvo seu olhar. É bom observar os animais e eles não se importam com isso.

Depois de esperar quase uma hora do lado de fora, perto do portão, entro na cozinha. Como um sanduíche de geleia, então vou para a sala e vejo televisão perto do fogo até cinco e meia. Às seis e meia ouço minha mãe chegar na porta da frente. Saio para o corredor para recebê-la. Observo-a atentamente enquanto retira o casaco. Ela para um instante e relanceia os olhos a sua volta.

— Vamos tomar uma xícara de chá — diz.

Vou com ela até a cozinha e observo-a enquanto põe a chaleira no fogão e lava duas xícaras. Quando o chá está pronto, ela fecha a porta. Abre um pacote de biscoitos e deposita seis em um prato. Não quero lhe contar que não fui à escola.

— É só isso que vamos comer?

— Fiz uma refeição pesada ao meio-dia no auditório da igreja. Mas preparo um pouco de sopa se você quiser.

— Onde está papai? — pergunto. — Você o viu a caminho de casa?

— Ele provavelmente foi visitar seu tio Jack enquanto ele está em Gorey.

— Por que tio Jack está em Gorey? Onde está hospedado? Em um hotel? Sobre o que ele está conversando com papai?

— Seu tio veio de Dublin a negócios.

— Que tipo de negócios?

— Negócios chatos.

— De que tipo?

— Negócios do tipo não-é-da-sua-conta.

Não rio. Levanto-me e contorno a mesa. Contorno-a duas vezes. Sequer percebo que estou fazendo isso até que ela diz:

— Sente!

Sento-me e coço a cabeça.

— Você parece um fantasma enlouquecido — diz ela. — Qual é o problema?

Eu estava esperando que ela perguntasse, mas, agora que o fez, não foi da maneira que eu gostaria.

— Por que estou parecendo um fantasma? — pergunto.

Ela pousa a mão sobre a minha. Parece cansada. Há bolsas sob seus olhos, quase negras, e ela tem cabelos grisalhos. Não sei há quanto tempo estão ali, mas hoje seu cabelo está despenteado e os fios grisalhos se destacam.

— Desculpe, John. Eu só quis dizer que você fica se insinuando por aí. Fica aparecendo nos lugares.

— Que lugares?

— Você vem ao meu quarto e não respeita minha privacidade, ou a do seu pai.

— Isso não é verdade.

Ela despenteia meu cabelo e finge rir. Eu me afasto. Ela não tem escolha a não ser falar comigo de forma diferente.

— Ah, mas você faz isso, sim, John. Quando me deito para tirar um cochilo, de repente você aparece. Estou pensando em conseguir uma daquelas placas de Não Perturbe em um hotel.

Ela está tentando me fazer rir, para encobrir as coisas ruins que disse.

— Tudo bem — digo. — Vou te deixar em paz. — Fico de pé.

— John, querido. Por favor, sente. Não quero que você me deixe em paz, só quero que me conte o que há de errado. Você vai me contar? — Ela puxa meu braço até que eu torne a sentar.

— Está tudo diferente — explico. — Você está diferente, papai está diferente, vovó está diferente e até mesmo Brendan está diferente.

— Bem, não sei quanto a Brendan, mas pessoas que se amam às vezes têm desavenças.

— Não é isso — digo. — Todo mundo está estranho comigo. Ninguém me trata do jeito que tratava antes.

Ela afasta a mão da minha e põe ambas as mãos em torno da xícara.

— Você está crescendo, John. Às vezes as coisas mudam quando a gente cresce e leva um tempo para nos acostumarmos com elas.

— Como o quê?

— Como as pessoas não te tratarem mais como bebê. Elas não te mimam mais. Fique lisonjeado com isso. Quando as pessoas percebem que você pode se sustentar sobre os próprios pés, então não te deixam se apoiar nelas. Se você consegue ficar de pé, erguido e aprumado, é isso o que as pessoas vão esperar de você. Quanto mais duro e forte você for, menos elas vão cuidar de você.

Suas palavras são estranhas e sua cabeça se arremessa para cima e para baixo, como se ela estivesse tentando afastar uma mosca do rosto. Não é o tipo de mentira que meu pai conta; é uma mentira inocente, uma mentira a respeito de como ela se sente; uma mentira para fazer que eu me sinta melhor. Mas é uma mentira.

Agora estou de pé e minha voz está alta e repleta de saliva.

— Você me acha estranho. Se eu fosse mais baixo, tudo ia ser diferente. Do jeito que era.

Ela engole em seco e desvia o olhar, com medo de mim.

— Não, John. Não é nada disso.

Caminho em direção à porta.

— John, querido. Fique um instante. Vamos terminar nosso chá com biscoitos e depois você pode me ajudar a lavar os cabelos.

Permaneço de pé perto da porta.

— Você me é muito querido, John. Muito querido.

Ignoro-a e vou para meu quarto. Minutos depois, ela vem ter comigo. Tem uma toalha na mão.

— Venha. Me ajude a lavar o cabelo. Ele está terrível. Você não adora me ajudar a lavar o cabelo?

Ela lança os longos cabelos castanhos por sobre o topo da cabeça, de forma a cobrir o rosto, estende os braços para a frente, como um fantasma, e caminha pelo quarto chocando-se com os objetos.

Levanto-me e vamos para o banheiro. Ajudo-a a lavar os longos cabelos castanhos na pia. Gosto de como, quando ela mergulha a cabeça, seu cabelo enche a pia, flutua até o topo e se expande como algas marinhas.

Conto-lhe a respeito de Brendan e Kate.

Ela se ergue, enrola a toalha em torno da cabeça e põe as mãos em meus ombros.

— Se o seu amigo não está te puxando pelo braço ou te pedindo que volte, então não é amigo. Um amigo tanto tem de precisar de você como gostar de você. Espere para ver se ele vem até você e te puxa pelo braço.

— Como você fez antes — digo.

— Fiz? — pergunta ela.

— Fez. Duas vezes.

— Bem, então eu pratico o que prego.

Vou escrever sobre isso no Oiraid de Saritnem. Vou escrever que uma pessoa pode mudar durante uma conversa, falar a verdade, então contar mentiras; pode mudar da ruindade para a bondade, de repente, absolutamente sem aviso nenhum.

16.

No final das aulas no dia seguinte, Kate tromba comigo quando estou retirando o casaco do rack no corredor, fora da sala.

— Uupss — diz ela. — Desculpe.

— Tudo bem — digo.

— Fiquei sabendo tudo sobre você — anuncia ela. — Brendan me contou.

Tento vestir o casaco, mas ele cai de meus dedos dormentes.

— O cheiro de urina me deixa com engulhos — diz ela. — Não consigo tomar meu leite. Leite normalmente já me dá gastura, e o teu cheiro faz com que pra mim seja ainda mais difícil tomar leite.

Estou magoado e curioso. Nunca tinha ouvido a palavra gastura e ela fica flutuando em minha cabeça.

— Você sabe o que significa sub-reptício? — pergunto.

— Não, mas aposto que você também não sabe — responde ela.

— Eu sei — digo. — Quer dizer "em segredo". No dia em

que molhei as calças, eu estava quebrando um recorde mundial de não ir ao banheiro. Eu estava fazendo isso sub-repticiamente.

Sinto coceira no fundo da garganta, o tipo de coceira que ameaça se tornar uma tosse incontrolável. Isso provavelmente se deve ao fato de eu ter mentido. Vai ser bom aprender a mentir sem que meu corpo me cause algum mal.

— Você? — Ela ri. — Que hilário.

— Não se preocupe com isso — digo.

Afasto-me.

Mas mal consigo fazer isso. Minhas pernas, assim como meus dedos, estão dormentes. O som de meus sapatos no chão é estranho, um pé produzindo um ruído mais alto que o outro. Meus passos estão fora de ritmo; a passada no lado direito está mais comprida que a passada esquerda.

Prendo a respiração e me pergunto se vou cair. Quero me apoiar em alguma coisa. Perdi a capacidade de andar. Prendo a respiração até estar fora das dependências da escola, até alcançar a primeira árvore no começo da estrada. Meu coração está doendo. Ando rápido, então paro.

O dia está resplandecente e claro, e os pássaros parecem saber disso. Olho em volta e presto atenção às árvores. Presto atenção às nuvens entre as árvores. Dou três giros completos, como um lançador de discos, e atiro uma pedra para o céu com toda força.

É um arremesso bom, forte.

Espero pelo som da pedra, mas ela não torna a descer — ao menos, não a ouço cair — e permaneço na estrada, intrigado a respeito de para onde ela pode ter ido. A pedra não caiu até agora, e sorrio em direção ao céu.

Quando chego em casa, não me sinto tão triste quanto esperava me sentir. Vou até a sala; não há ninguém lá. Vou para a cozinha; também não há ninguém lá. Vovó não está em seu quarto, mas há uma grossa vela branca acesa em sua penteadeira. Ela deve estar fazendo uma novena. Foi isso o que quis dizer com ter mais nove dias de paciência sobrando. A novena vai durar nove dias. Mas ela está rezando para quê? Por meu pai, rezando para que ele consiga emprego? Vou contar a ele quando ele chegar em casa. Sento à mesa da cozinha e espero.

Quando minha mãe volta para casa, vai direto lá para cima, para seu quarto. É noite e, quando vejo meu pai de pé no vão da porta da cozinha, percebo que estava sentado na mais completa escuridão.

Ele se aproxima de mim e pousa a mão em minha cabeça.

— Vou preparar umas salsichas para o jantar — anuncia.

— Onde você estava? — pergunto.

— Trabalhando — responde ele enquanto acende as luzes.

— Onde? Que trabalho?

— Me deixe preparar essas salsichas e então podemos assistir juntos à caixa idiota e conversar. Certo?

— A vovó está fazendo uma novena para você conseguir emprego. Já deve ter funcionado.

Ele lança a cabeça para trás, abre a boca e a mantém aberta, a cabeça jogada para trás. Esse é seu jeito de rir sem fazer barulho.

— Por que você está rindo assim? — pergunto.

— Rir é agora crime?

— Não.

— Melhor assim, porque estou a fim de rir.

Ele despenteia meu cabelo e sorri.

— Onde está a mamãe? — pergunto.

— Lá em cima. No quarto. Deixe-a em paz.

— Eu quero conversar com ela — digo. — Preciso contar a ela uma coisa importante.

— É algum problema?

— Não é nenhum problema comigo. Mas não tem alguma coisa errada com você e a vovó?

Ele puxa a franja com força, estica os cabelos espessos, usando os dedos para puxá-los para baixo, retos e lisos sobre seu olho direito.

— Nós tivemos algumas discussões e discordamos sobre algumas coisas, mas fizemos as pazes. De qualquer maneira, não é nada com que você deva se preocupar.

— Vou lá para cima — digo.

— Eu disse para deixar sua mãe em paz.

— Preciso conversar com ela sobre uma coisa.

— John, você não pode simplesmente deixar sua mãe em paz? Você vai estar com ela daqui a pouco.

Permanecemos em silêncio enquanto ele prepara as salsichas, então ele sai da cozinha com seu prato e vai para a sala. Sigo-o. Ele senta no sofá e sento com ele. Cada um de nós tem um prato de salsichas; quatro para cada um.

— Se você tem alguma coisa para desabafar, pode me contar — diz ele.

Ergo uma salsicha e torno a baixá-la.

— Brendan não está falando comigo — digo.

— Por que não?

— Não sei.

Ele come uma salsicha inteira sem mastigar, engole-a em três bocadas. Os pedaços de salsicha são tão grandes que posso vê-los descer por sua garganta.

— Você perguntou a ele por quê?

— Não — respondo, olhando para meu prato.

— Bem, se não perguntar, você não vai descobrir, vai?

Não quero conversar sobre o dia em que molhei as calças.

— Ele fez amizade com a menina nova.

— Ah. Bem, então acho que você devia fazer amizade com ela.

— Mas acho que ele não quer mais que eu seja amigo dele.

Meu pai já terminou suas salsichas.

— Você vai comer as suas? — pergunta.

— Vou — respondo.

— Acho que você devia conversar com Brendan. — Ele coça o queixo. — Acho que você devia conversar com seu amigo e não sair correndo para sua mãe.

Ponho uma das salsichas na vertical e utilizo-a para empurrar outra para o lado.

— Você concorda?

— Concordo — respondo.

Não sei do que ele está falando. Estou cheio da forma como ele muda no meio da conversa. Ele pode fazer o que quiser de agora em diante. Sei o que quero fazer.

— Está na hora do jornal — anuncia ele. — Vamos assistir juntos?

Assistimos ao noticiário juntos e em silêncio. Um policial no telejornal declara: "O suspeito supostamente rasgou o traje noturno da vítima e pediu que ela se despisse, mas a mulher não acatou o suposto pedido e as intenções do malfeitor ficaram bastante claras".

Sem olhar para mim, meu pai diz:

— Adoro o jeito de falar dos guardas. Eles estão sempre tentando parecer inteligentes e acabam parecendo que sofreram dano cerebral.

— Atcho que sim — digo.

— Acho, não atcho.

Crito pula no colo de meu pai e meu pai a empurra.

— Já cansei da caspa desse gato — diz ele.

— O que é caspa? — pergunto.

— É o negócio que entra pelo meu nariz. Odeio coisas que entram pelo meu nariz.

Então ele ri, como um louco, e levanta-se para pegar um cigarro na caixa que fica sobre o console da lareira. Ele suga o cigarro como se fosse um doce incandescente, como se precisasse chegar ao final o mais rápido possível para receber sua recompensa. Ele raramente fala enquanto fuma. Prefere apertar os olhos e olhar para o fogo. Deixe estar. Saio.

Minha mãe ainda não desceu e são quase nove horas. Vou para a cozinha, frito mais seis salsichas e levo-as para ela lá em cima, com pão e um frasco de molho de tomate.

Ela está sentada na cama, vestindo um casaco de lã sobre o casaco cor-de-rosa da loja.

— Serviço de quarto! — anuncio. Deposito o prato sobre a cama e ela ri.

— Seis salsichas! Seu bobo!

— Você quer?

— Não, coma você. Estou cansada demais para comer.

— Você vai dormir agora? — pergunto.

— Vou.

— Onde o papai foi?

— Quando?

— Ontem e hoje.

— Trabalhar. Ele conseguiu alguns biscates.

— Isso quer dizer que está tudo normal com vovó outra vez?

— Vai estar em breve — responde ela e fecha os olhos. — Você pode apagar a luz quando sair?

Eu não sabia que estava de saída.

Ela se vira e não olha para mim. O quarto cheira a peido.

Sinto vergonha por ela.

17.

Meu pai não desce para o café da manhã. Pergunto a minha mãe onde ele está e ela passa a mão pela lateral de meu rosto.

— Ele foi no primeiro ônibus para Wexford para falar com seu antigo patrão.

— De novo?

— Ele ainda está tentando resolver algumas coisas — explica ela.

— Mas faz três anos que ele parou de trabalhar — digo.

Minha avó enfia uma fatia de carne para dentro da boca, do mesmo jeito que um guarda de zoológico ao enfiar um pedaço de peixe na boca de um leão-marinho.

— Ele está fazendo o que um homem deve fazer — declara. — Está tirando o nariz dos livros e saindo de cima de seu traseiro ossudo.

Minha mãe se levanta e vai até a janela. Está contando até dez para manter a calma, da maneira que me ensinou; posso ver os dedos de sua mão esquerda batucando os números sobre sua coxa. Ela está usando batom rosa, uma longa saia rosa de lã, blusa branca e os cabelos estão soltos. Está linda e sabe que tenho os olhos cravados nela, mas nada faz para me impedir. Quando termina de contar, volta à mesa e sorri para mim.

— Outro dia lindo — diz. — Agradável, fresco e claro.

— Quem quer uma partida de gamão? — pergunta vovó. — John?

— Não dá tempo.

— Você tem dez minutos. Então que tal umas mãos rápidas de vinte-e-um?

— OK.

Minha mãe começa a assobiar e vovó pega o baralho no aparador e dá as cartas.

A caminho da escola, penso no sonho de ontem à noite, no qual Ripley descobriu meu talento para a detecção de mentiras. Eu estava morando com ele em sua imensa casa nos Estados Unidos e era como se fosse seu filho.

Eu via todos os seus dentes pequenos e tortos. Eu disse: "Embora tenha dentes pequenos, tortos e salientes, você continua sendo famoso"; ele sorriu, pôs o braço a minha volta e percorremos juntos o acesso à garagem em direção a seu carro esporte conversível.

Por eu não conseguir imitar muito bem o sotaque americano, nem mesmo em sonhos, Ripley tinha de murmurar quando falava comigo, e, por estar murmurando, eu não conseguia entender exatamente o que ele estava dizendo, mas tenho certeza de que estava me dizendo que algum dia, em breve, eu seria famoso.

Houve apenas uma parte ruim no sonho. O teto do carro de Ripley era feito de papelão e, enquanto percorríamos juntos a autoestrada, o papelão cedeu, entortou e parecia querer se partir.

Quando eu disse a Ripley que estava preocupado com o teto, ele se virou para olhar para mim e de repente seus dentes estavam alinhados e grandes. Ele já não se parecia mais consigo mesmo. Então acordei e atribuí a última parte, a parte ruim de meu sonho, aos ruídos no corredor, do lado de fora de meu quarto; os ruídos de meu pai e minha avó discutindo.

Às nove e vinte, o sr. Donnelly entra em nossa sala. Por alguns instantes, arruma a escrivaninha da srta. Collins, retira coisas da gaveta de artigos de papelaria no topo e torna a recolocá-las. Então fala.

— A senhorita Collins está doente e, enquanto se recupera, vocês vão ter um novo professor que começa hoje... assim que conseguir chegar aqui. O novo professor é um ótimo sujeito, de Dublin. Seu nome é senhor Roche e ele vai ser o substituto até que a senhorita Collins esteja melhor e de pé novamente.

Agora ele tem as mãos enfiadas nos bolsos.

Paro de ouvir e olho pela janela.

O sr. Donnelly nos diz para ir brincar lá fora.

— E rezem pela senhorita Collins até que o novo professor de vocês chegue.

Faz outro dia claro, e o sol saiu. Caminho pela beirada do campo de esportes e desloco um galho ao longo da cerca. Não olho para trás, para o prédio da escola, ou para ver o que Brendan e Kate estão fazendo.

Avisto Joseph com seu cavalo do outro lado da cerca, perto da estrada. Ele está na companhia de outro homem. Vou até o portão para cumprimentá-los.

O amigo de Joseph pergunta:

— Quer dar uma volta no meu cavalo? O nome dele é Zorro.

Não sei o nome do amigo de Joseph, mas ele é amistoso, mais baixo e mais gordo do que Joseph.

— Tudo bem — respondo. — Quero, por favor.

Atravesso a cerca e o amigo de Joseph me ajuda a montar. O cavalo está doente e coberto de chagas, mas é tarde demais para dizer que não quero cavalgar. Quando monto, sinto as costelas do animal contra minhas panturrilhas.

Estou cavalgando pela beira da estrada, enquanto Joseph e o amigo de Joseph conversam e brincam, e tenho a sensação de que o mundo me pertence. Não fico nervoso e não me importo que Brendan e Kate estejam brincando juntos sem mim. Não faço caso de ser como Osmond, que brinca sozinho. Ao menos quando converso comigo mesmo faço isso baixinho, sem gesticular, e ninguém vê meus lábios se moverem.

Pouco depois, sinto fome.

— É melhor eu voltar agora — digo. — É melhor eu comer meu lanche.

Desmonto e encaro Zorro. Quero olhá-lo nos olhos como faço com o cavalo de Joseph, Neddy. Mas Zorro não quer me encarar e desvia o focinho. De repente torno a ficar nervoso, e me pergunto se é por conseguir enxergar apenas um dos olhos de Zorro e não saber o que o outro está fazendo.

— Obrigado, Joseph — digo. — Tchau.

— Tchau, jovem John — diz o amigo de Joseph.

— Qual é o seu nome? — pergunto.

— Joseph. Que nem ele.

— Até logo — digo. — Vou cumprimentar vovó por você.

— Certo. Tchau.

— Comporte-se bem.

Sento no banco sob a janela do gabinete do sr. Donnelly

sentindo-me feliz e começo a comer meu sanduíche de geleia. Eu deveria ter oferecido alguns biscoitos aos Josephs e ergo os olhos para ver se eles ainda estão lá fora, perto do portão.

Avisto Kate. Ela vem na minha direção, puxando o casaco de Brendan.

— Vamos lá, Brendan — diz ela. — Vamos pegar o sanduíche dele.

Kate olha em volta depois de gritar para mim. Quer ser vista. Brendan fita os pés e inclina-se para perto de Kate, como se buscasse calor, ou para o caso de cair. E põe a mão sobre o nariz, como faz quando se sente constrangido.

Kate está de pé, acima de mim.

— Você molhou as calças hoje?

Meto na boca um pedaço da casca do pão e tento mastigá-lo, mas ele parece tão grande e seco quanto uma meia. Empurro-o por entre o lábio inferior e os dentes, mas o pedaço de casca fica grudado ali.

— Mijão! Estou falando com você! — diz ela.

Meu pênis lateja como se alguém o houvesse tocado. Comprimo as coxas uma contra a outra.

— Tire o sanduíche dele — diz ela enquanto agarra Brendan pelo casaco. — Chute o joelho dele. Chute os dois joelhos.

Brendan chuta meu joelho e eu aguento. Poderia revidar, mas não vou. Vou agir como se eles não existissem. Vou prestar atenção em Brendan como se ele fosse uma imagem na televisão.

Depois de me chutar, ele tropeça e precisa dar um passo atrás para recuperar o equilíbrio. E, como não reajo, ele parece confuso. Baixa os olhos na direção do sapato.

Eu o encaro, e ele chuta novamente, o outro joelho, com mais força dessa vez. Talvez para mostrar que não precisa de ordens da sua chefe. Ele é bastante forte, portanto o chute é violento. Olho para ele. Olho para ambos, como se não me importasse com o que fazem. Meu rosto é inexpressivo. Cubro os joelhos com as mãos e o calor de minhas palmas alivia a dor. Mas nada demonstro. Não vou dizer nada; como o zelador.

— Pegue agora! — diz Kate. — Pegue o sanduíche!

Brendan pega o restante de meu sanduíche de geleia e, sem querer, diz:

— Obrigado. — Ele parece confuso, como se desejasse reconsiderar.

Fico de pé e me afasto.

Volto para a sala, sento e leio meu livro de geografia. Mas depois de alguns minutos, quando viro a página, percebo que há sangue pegajoso na ponta de meu dedo. Andei coçando tanto o couro cabeludo que há um pequeno buraco no topo de minha cabeça. Coço à noite quando não consigo dormir e escavo o orifício, às vezes sem perceber, até que sangre. Não dói tanto quanto deveria. O buraco não me pertence exatamente.

Depois do almoço, o sr. Donnelly ordena que tornemos a entrar. Ele está de pé na frente da sala de aula, mas nada diz. Segura o apagador em uma das mãos, e este parece pequeno como uma bolacha. Ele larga o apagador e, quando tenta enfiar as mãos nos bolsos, cabem apenas as pontas dos dedos vermelhos, ficando o restante à mostra, espremido, cheio de sangue e reluzente. São dedos vermelhos, iguais aos de meu pai, porém mais gordos.

Kate ergue-se e berra:

— Já que o novo professor está tão atrasado, devia levar uma surra de vara!

A vara está apoiada no canto esquerdo do quadro-negro e o sr. Donnelly olha para ela um instante, antes de virar o rosto para a janela.

Também olho pela janela, para o campo de esportes, o portão da escola e para a estreita estrada rural flanqueada por árvores.

São quase duas da tarde quando um homem salta de um táxi diante do portão e atravessa o campo em nossa direção.

Ele é jovem — mais jovem que meu pai — e, embora não seja alto, parece forte, com cabelos negros até os ombros. Nunca vi um homem de cabelos compridos antes, ou um homem saltar de um táxi no portão da escola.

Ele parece feito de materiais resistentes, aço e ferro, que não quebram fácil. A maioria dos homens em nossa cidade parece feita de pão-de-ló ou sobras de nabo, como meus tios, Jack e Tony, que têm excesso de peso ao redor do estômago e do queixo. A pele manchada deles assemelha-se a recheio de peru.

A maioria dos homens em nossa cidade não só parece igual, também age de forma parecida; até mesmo meu pai se parece mais com meus tios quando está com eles. Mas meu pai, pelo menos, é mais bonito que eles.

O sujeito se aproxima e encho-me de esperança: eu sempre quis um homem inteligente como professor, um homem com entusiasmo e cérebro, e enquanto o observo sair de minhas vistas mal consigo me impedir de sorrir.

O sr. Donnelly parece confuso e esfrega o apagador para um lado e outro sobre a mesa do professor, como se apagasse um erro.

Um minuto de silêncio, e então o sujeito entra e encaminha-se à frente da sala. O sr. Donnelly larga o apagador e põe-se ao lado dele.

Eles conversam durante um ou dois minutos e então saem juntos da sala. O sr. Donnelly baixa a cabeça e os ombros no vão da porta e eles desaparecem.

A irmã Ursula entra para tomar conta. Permanece ao lado do quadro-negro e nos manda ler.

— Sem um pio — diz ela.

Trinta minutos mais tarde, o homem volta sozinho e a irmã Ursula sai sem nada dizer.

— Vocês vão me chamar de senhor Roche, não de mestre — anuncia ele.

Damos risinhos, movemo-nos inquietos e o fitamos.

Ele passeia ao longo do quadro-negro.

— Vocês vivem em uma bela cidade. Aposto que, se fizessem bastante silêncio conseguiriam ouvir os barcos raspando no píer, os peixes arrotando e as gaivotas ressonando.

Nós rimos porque a praia de Courtown e a baía de Courtown ficam a seis quilômetros e meio de Gorey, e não podemos ouvir nem as gaivotas nem os barcos. Isso é mentira, é história, contada para divertir, e gosto disso; gosto dele.

Presto atenção enquanto o sr. Roche desloca-se entre as carteiras e consigo sentir seu cheiro. Talvez ele tenha pisado em estrume em sua passagem pelo campo; é o mesmo cheiro dos fazendeiros que tomam café da manhã no Kylemore, na cidade. Ter esse cheiro nos sapatos não combina com as roupas elegantes e a voz sofisticada, e pergunto-me quando ele vai perceber e limpá-los.

— Agora vou ter uma conversa rápida e em voz baixa com cada um de vocês — diz ele e agacha-se diante de uma carteira por vez, sussurrando perguntas.

Espero ansiosamente minha vez, acreditando que ele logo vá me descobrir e saber que sou diferente. Vou revelar-lhe meu dom.

Diante da carteira de Brendan, o sr. Roche agacha-se e dessa vez não sussurra. Todos podemos ouvi-lo perguntar:

— Você é facilmente influenciável, Brendan?

Brendan dá de ombros, então o Sr. Roche encosta a boca na orelha dele.

— OK, vou fazer isso — diz Brendan e então baixa a cabeça e a mantém abaixada, como se procurasse por uma mensagem importante escrita em sua carteira.

O sr. Roche chega à carteira de Kate, mas não se ajoelha para sussurrar em seu ouvido. Em vez disso, senta-se na carteira vazia atrás dela, bate em seu ombro e pergunta:

— E quem é você?

Kate vira-se para olhar para ele.

— Eu sou Kate Breslin — responde. — Sou filha única, sou de Dublin, e minha família assumiu o comando de uma propriedade extinta.

— Bem, Kate, acredito que você seja a inteligente. Isso deve fazer você se sentir bastante especial, não é?

E então compreendo: o sr. Donnelly arrebatou o sr. Roche para conversar a respeito de cada um de nós. Agora tenho certeza de que o sr. Roche vai saber quem sou.

— Na verdade, não — diz Kate, a voz tremendo.

— Inteligente ou não — diz o sr. Roche —, espero que seu caixão esteja hermeticamente fechado.

Ele ri e a turma inteira ri junto com ele, pois o que disse não faz sentido. Até mesmo Brendan se vira para me mostrar seus dentes risonhos.

O sr. Roche encaminha-se à frente da sala, senta na beirada da mesa do professor e sorri diretamente para mim. Embora não tenha vindo até minha carteira, tenho certeza de que ele sabe. Tenho certeza de que vai me ajudar.

Assim que chego em casa, preparo um sanduíche quente de

presunto, então deito em minha cama e passo duas horas escrevendo outra carta ao *Livro Guinness de recordes*. Estou certo de que dessa vez vou receber resposta.

Caro *Livro Guinness de recordes*,

Meu nome é John Egan e já escrevi para vocês antes.

Sou o garoto que tem o dom para detecção de mentiras. Agora já li todos os livros disponíveis na costa Leste da Irlanda sobre o assunto e testei minha habilidade mais algumas vezes desde a primeira carta.

Estou ainda mais seguro de que meu dom é, no mínimo, raro e incomum.

Por favor, respondam desta vez e providenciarei demonstrações para vocês em Dublin ou Londres, ou onde quer que seja mais conveniente. Provarei que consigo detectar mentiras com cem por cento de precisão.

John Egan
11 anos
Gorey, Irlanda

Minha mãe entra em meu quarto sem bater na hora do jantar.

— Por que você não bate? — pergunto. — Eu não tenho nenhuma privacidade?

Ela ri e senta-se em minha cama.

— Como você é atrevido! Talvez eu tenha batido e seus ouvidos estejam cheios demais de cera para ouvir.

Ela esfrega minha perna à medida que fala.

— Odeio conversar sobre trabalhos domésticos, mas já está na hora de você cumprir algumas das suas obrigações. Será que você pode, por favor, cumprir suas obrigações sem precisar ser lembrado? Você não passa o aspirador de pó há uma semana e também não tirou o pó do console da lareira.

— Desculpe.

— Tudo bem. Pode ir comer, então. Vamos ter costeletas no jantar e preparei ruibarbos e flan para sobremesa — anuncia ela.

E de repente, embora não veja meu pai há dois dias, sinto-me feliz.

18.

É sexta-feira, saio apressado para a escola e chego cedo para ver o sr. Roche preparar suas aulas na mesa do professor. Observo-o a manhã inteira. Gosto muito dele e gosto principalmente de sua voz.

Mas então, durante a segunda aula, me dou conta de que estive prendendo por tempo demais e preciso ir ao banheiro. Não posso ter outro acidente. Levanto-me, ergo a mão e peço para ser liberado.

O sr. Roche vem direto até mim, pega minha mão e me leva para o corredor. Sinto vergonha ao ser conduzido dessa forma diante da turma, mas ele olha para mim enquanto caminhamos, e sorri, como se sair da sala desse jeito fosse normal, como se eu fosse seu amigo.

No corredor, ele me pede para sentar sob o rack dos casacos e me sento com a cabeça debaixo do grosso casaco de alguém, prendendo a urina.

— Continue segurando — diz ele. — Só mais um minuto.

Consigo segurar. Então ele me conduz ao banheiro.

Fica me esperando e espero que ele saia. Mas ele permanece à porta, olhando o tempo todo enquanto conservo a mão no zíper.

— Eu não mordo — diz ele. — Vá em frente.

Dou-lhe as costas e abro a braguilha. Urino. Sai tão pouco que receio que logo tenha de ir ao banheiro novamente.

Quando terminei, viro-me para olhar para ele.

— Bom rapaz — diz ele.

Caminho até ele e ele me dá um tapinha nas costas.

— Você é um bom rapaz — diz. — Tem um jeito muito legal.

Sorrio e ele sorri em resposta; sinto-me bem, mesmo quando volto para a classe e todos estão conversando e rindo. Mas eles não estão rindo de mim. Kate está de pé ao lado da mesa do professor, imitando o sr. Roche ao falar com voz afetada.

O sr. Roche ordena-lhe que volte a sua carteira e, enquanto ela se afasta, ele lhe dá um tapa na nuca.

— Você não pode vender sua fleuma e então tornar a pedir de volta — declara ele.

Ninguém entende, mas todo mundo ri porque Kate está aturdida e, pela primeira vez desde que chegou à escola, fica em silêncio. Durante o resto do dia, Kate não se move, a não ser que o sr. Roche ordene, e nem mesmo Brendan fala com ela.

Depois da aula, quando todos saíram da sala, vou até a mesa do sr. Roche. Ele ergue os olhos na minha direção e sorri. Seus dentes são alinhados e brancos e ele tem fundas linhas de expressão ao redor da boca.

— Senhor Roche? — digo. — Eu queria saber se o senhor pode me ajudar a encontrar alguns livros americanos sobre detecção de mentiras.

Espero que ele pergunte por que estou interessado no assunto, mas em vez disso ele agarra minha mão.

— Você me lembrou de uma coisa que anda me incomodando.

— O quê? — pergunto.

Ele levanta-se e caminha até a janela.

— Meu sangue ferve quando penso que esta escola não tem uma biblioteca. Todas as escolas deveriam ter biblioteca.

— É verdade, mestre — digo. — É verdade, senhor Roche.

— Se não há livros — declara ele —, não há leitura.

— É verdade, mestre — digo.

— E não ler significa ausência de imaginação. Todos nós começamos a vida com imaginação, é claro, mas sem histórias para alimentá-la, a imaginação, como um cão faminto, morre.

Ele contempla o campo de esportes.

— E quando a pessoa não lê, quando não tem imaginação, com certeza acaba sem criatividade mental e passa a vida sem nada a dizer, a não ser coisas triviais e gastas. Uma vida de slogans, jargões e clichês.

Concordo com um movimento de cabeça.

— Um homem fraco repete o que ouve e se torna burro.

— Eu concordo, mestre.

Ele se afasta da janela, vem direto até mim e diz:

— E a ciência e as invenções têm origem na imaginação.

Eu estava procurando alguma coisa para dizer e agora encontrei.

— Einstein também pensava assim — digo. Li isso no livro que meu pai deixou sobre a mesinha de centro na semana passada.

Ele ergue os olhos na minha direção, entusiasmado.

— Está certo, John Egan. Você não é nenhum bobo. Um a zero para você.

— Obrigado, senhor Roche.

Ele aproxima-se de mim e pousa a mão em meu braço.

— E a ausência de imaginação significa que a única vida que você pode viver é a que lhe foi dada. E Deus é testemunha, dando uma olhada por aqui, que alguns de vocês não receberam uma vida muito boa.

Pergunto-me se deveria dizer alguma coisa, mas ele se encaminha para o quadro-negro em silêncio.

Contemplo seus cabelos negros e a maneira como deslizam suavemente sobre os ombros de seu casaco. Ele deve, ao menos em parte, ser feito de seda.

— Vou mandar vocês para casa às duas e meia amanhã — anuncia. — E segunda-feira de manhã vai haver uma surpresa aguardando.

Ele está querendo dizer que haverá uma surpresa para mim ou para todos?

— Agora vá para casa — diz ele. — Sua mãe deve estar esperando.

Meu pai anda de um lado para o outro diante do fogo enquanto espera pelo chá. Seu jeito de andar não se parece em absoluto com o andar do sr. Roche. Ele dá passos pequenos e irregulares, enquanto o passo do sr. Roche é mais largo, mais tranquilo. A cabeça de meu pai se agita sobre o pescoço e os ombros.

— Por que você está andando de um lado para o outro? — pergunto.

— Estou com pernas inquietas — responde ele. — Quando fico muito tempo sentado, fico com formigas nas pernas.

— Por quê?

— Não sei por quê. Talvez sejam as formigas que caíram

da minha calça. Isso também acontece à noite, quando estou tentando dormir.

Ele deve estar de bom humor para falar desse jeito, brincalhão como mamãe, do jeito que às vezes fala quando está com ela.

— Isso te faz ficar acordado?

— Faz e tenho que sacudir as pernas para elas irem embora.

— É por isso que você dorme no chão? — pergunto.

Ele para de andar para cima e para baixo e fica de pé diante da televisão. Imagino que esteja zangado, mas ele sorri.

— Dormi no chão uma ou duas vezes, mas só para que as formigas não incomodassem a sua mãe.

— Foi por isso?

— Jesus, Maria, José e todos os malditos apóstolos! Lá vem o interrogatório de novo. É, filho. Eu dormi no chão para não incomodar sua pobre mãe, para que ela pudesse ter uma boa noite de sono e ir trabalhar no dia seguinte. Por nenhum outro motivo! Está satisfeito?

Eu estava preocupado que ele fosse ficar calado, que fosse parar de me contar as coisas por causa do meu dom. Mas ei-lo conversando e contando outra mentira. Demorou mais do que o normal, mas aí está. Tenho certeza novamente. Ele está mentindo.

Sua voz acha-se mais aguda e estrangulada, e suas mãos e braços, inertes. Minhas orelhas estão quentes, mas este é o único sintoma físico que apresento. Detectar mentiras está se tornando mais fácil.

— Talvez você devesse matar uma das formigas — digo —, e então o resto iria ao funeral dela.

Ele senta-se ao meu lado e olha para a televisão. *Doctor Who* terminou e o noticiário está começando.

— Boa ideia — diz ele. — Você está cheio de boas ideias.

— Não fui eu que inventei isso — explico. — Ouvi em uma piada uma vez.

Conto a piada a meu pai, embora ele esteja assistindo à televisão.

— Uma bruxa terrível captura um irlandês, um inglês e um escocês e faz com que eles durmam em uma cama de animais carnívoros. O irlandês tem que dormir em uma cama de formigas legionárias com presas. Pela manhã, a bruxa vai ao quarto onde os três homens dormiram, esperando que estejam mortos, mas o irlandês sobreviveu. "Por que você sobreviveu?", a bruxa pergunta. E o irlandês responde: "Porque matei uma das formigas carnívoras e o resto foi ao funeral dela".

Meu pai sorri, mas não ri.

Já não me importo. Já não me importo com o que ele faz ou deixa de fazer. Não preciso que goste de mim. Não preciso dele para nada.

Passo o fim de semana em meu quarto, lendo o *Guinness*, escrevendo no Oiraid de Saritnem e fazendo o dever de casa a fim de que, na segunda-feira, eu torne a impressionar o sr. Roche. Estou me acostumando a não brincar com Brendan.

19.

Tal como prometeu o sr. Roche, há uma surpresa na segunda-feira pela manhã. Nossas carteiras foram reunidas, de forma que mal haja espaço entre elas e, no fundo da sala, duas cortinas de veludo vermelho pendem de traves brancas. As cortinas estão abertas e amarradas com corda preta. Parecem as cortinas de veludo vermelho que se abrem e fecham diante da tela no cinema. E, cerca de quarenta e cinco centímetros atrás das cortinas, há uma pequena mesa de madeira, com uma caixa de livros em cima e, atrás da mesa, uma cadeira.

— Tudo bem — diz o sr. Roche. — Sentem-se e olhem para a frente. Quando todos estiverem silenciosos e tranquilos, vou explicar as cortinas e a mesa no fundo da sala.

Nós nos sentamos e esperamos.

O sr. Roche dirige-se ao fundo da sala.

— Agora, virem-se — pede.

Ele está sentado atrás da mesa, atrás das cortinas e retira uma dezena de livros da caixa. São livros do Reader's Digest, todos eles. O sr. Roche tira do bolso uma etiqueta e prende-a no bolso do casaco: BIBLIOTECÁRIO-CHEFE.

Ele sorri.

— Bem-vindos a minha biblioteca imaginária.

Então ele se levanta e remove as cordas das cortinas para que estas se fechem à sua frente. De trás da cortina, ele nos explica o que fazer. Grita como uma pessoa no palco. Todos olhamos em volta, uns para os outros.

— Vocês precisam fazer uma fila indiana em silêncio e, quando estiverem na frente da fila, tocar o sino amarrado ao lado direito da cortina. Então abram as cortinas e entrem na biblioteca imaginária.

— Não há onde entrar — diz Jimmy, irmão de Osmond.

— Vocês vão ter que fingir — diz o sr. Roche. — E, assim que as cortinas estiverem fechadas atrás de vocês e vocês estiverem sozinhos e de pé diante da mesa, vou perguntar que livro gostariam de pegar emprestado.

Embora os livros sejam do Reader's Digest, a ideia é fingir que a biblioteca é uma biblioteca de verdade e pedir os livros que mais gostaríamos de ler. O sr. Roche irá manter um registro de todos os livros que requisitarmos nas próximas semanas e, por fim, vai convencer a escola a implantar uma biblioteca apropriada e maior.

— Às duas e meia, todos os dias, vocês vão fazer fila aqui. E quando pedirem um livro vou dar a vocês um projeto baseado nesse livro. E, como o livro é imaginário, assim também vai ser o conteúdo do projeto.

Às duas e vinte, tenho uma premonição; o sr. Roche vai chamar meu nome, e é exatamente isso o que ele faz.

— John Egan — diz —, você gosta de ler. Por que não dá a partida? Por que não ser o primeiro garoto a visitar a biblioteca imaginária?

Fico de pé.

— Tudo bem, mestre.

— Bom. Vá até as cortinas e espere. Todos os outros façam fila atrás de John Egan.

O sr. Roche encaminha-se à mesa atrás das cortinas. Toco o sino, abro as cortinas e então permito que estas se fechem às minhas costas. É vermelho e agradável atrás das cortinas e é bom estar encoberto.

— Quero um livro sobre os vikings — anuncio.

Ele enfia a mão na caixa e extrai um Reader's Digest antigo.

— Ah — diz ele —, temos um volume da enciclopédia dedicado exatamente a esse assunto. Leve para casa, e vamos ouvir seu relatório pela manhã.

A caminho de casa, não consigo pensar em mais nada. Preparo um sanduíche e vou para meu quarto para pensar sobre o sr. Roche e sua ótima ideia. Ensaio o que irei lhe contar a respeito de meu dom e imagino o que ele vai dizer. Depois do chá, sento na cama — sem sequer parar para ver televisão — e escrevo uma descrição imaginária da vida dos vikings. Trapaceio apenas uma vez ao consultar um dos livros de história de meu pai.

Vou para a escola correndo e espero o dia inteiro por minha oportunidade de falar sobre os vikings.

À uma e meia, o sr. Roche me pede para ficar de pé na frente da sala. E dou início a minha versão do estilo de vida dos vikings. Mantenho as mãos ao lado do corpo e comprimo os dedos dos pés nos sapatos para me impedir de mudar de posição, em seguida começo.

— Os vikings gostavam de cantar enquanto remavam seus

grandes barcos vikings e toda semana davam prêmios ao viking que pensasse na música mais engraçada. Quando os vikings iam a um novo porto, sempre roubavam uma menina (ela tinha que ter cabelos compridos até a cintura), levavam a garota para o barco e faziam que ela se deitasse em uma maca enquanto cortavam suas tranças. Então jogavam a garota na água e ficavam vendo ela afundar. Depois disso, os vikings comiam bolo e bebiam uísque, então iam até a aldeia mais próxima e pegavam todo o ouro, as esmeraldas, os rubis e os diamantes. E às vezes pegavam gatos para manter a bordo como companhia.

Não estou nervoso. Eu nunca me senti calmo ao falar diante da turma. Normalmente fico nervoso. Às vezes chego a ficar nervoso quando outra pessoa está nervosa, como a ocasião em que eu estava assistindo a um concerto na escola e a menina que estava virando as páginas da partitura do pianista tremia tanto que as páginas caíram do cavalete.

Quando termino, o sr. Roche caminha em minha direção e pousa a mão em meu ombro. Há silêncio enquanto ele diz:

— Foi esplêndido, John. Excelente.

Sento-me, e ele dá uma longa aula de história a respeito dos vikings. Aprendemos os nomes de algumas de suas espadas, incluindo a "matadora de bebês", a "mordedora de cérebros" e a "cortadora de homens". Tomo nota e guardo o pedaço de papel dentro do bolso.

De agora em diante, vou chamar meu canivete suíço de "mordedor de pai".

No instante em que cruzo a soleira da porta de casa, sei que o clima mudou; é como se minha boa sorte na escola houvesse se disseminado. A casa está aquecida, há cheiro de frango assado e minha mãe, meu pai e minha avó estão juntos na cozinha, conversando. Minha mãe está fritando cebolas e fatias de carne na frigideira; o rádio está ligado e o fogão acha-se repleto de lenha. Meu pai se esgueira por trás de minha mãe na ponta dos pés e finge retirar um pedaço de carne da frigideira.

— Mmm — faz ao limpar a mão na calça.

— Não faça isso! — diz minha mãe, mas ela está rindo, não zangada.

A franja de meu pai é comprida e cai desordenada sobre o olho, e ele parece feliz. Seus lábios estão vermelhos, assim como suas bochechas. Ele pega uma fatia de carne da frigideira e a entrega a mim.

— Tome, filho. Essa é para você. — Adianto-me, pego o pedaço de carne e o enfio na boca.

— Nada melhor do que carne roubada, você não concorda?

— É, concordo — respondo e rio junto com ele.

Minha mãe investe contra ele e os dois correm ao redor da mesa.

— Pegue ele, mãe! — digo.

Minha avó termina de fritar as fatias de carne e ri quando vê meu pai rastejar para baixo da mesa. Minha mãe também rasteja para baixo da mesa, embora esteja usando seu vestido rosa bom e saltos altos.

Quero participar, então vou até a mesa e me agacho.

— Me peguem — peço. — Tentem me pegar.

— Outra hora — diz meu pai. — Acho que já corremos bastante por hoje.

Eles saem de baixo da mesa; meu pai empurra o traseiro de minha mãe e continua a empurrá-la até que ela esteja do outro lado da cozinha, quase na porta.

— Ah, seu patife — diz ela e eles tornam a correr em volta da mesa.

Quero juntar-me a eles.

— Por que você está toda arrumada? — pergunto a minha mãe quando ela finalmente se senta à mesa, ofegante e corada.

— Nós vamos dançar hoje à noite, e sua vovó vai ser nossa motorista.

Vovó sorri.

— Eu vou ficar aqui?

— Vai, mas não precisa se preocupar. Não vamos chegar muito tarde. E você pode comer todo o flan.

Deixo-os e vou para a sala. Eles vêm se despedir e mal os encaro. Vejo televisão até depois das dez, então sento em minha cama com Crito no colo e espero que eles voltem para casa. É tarde, já passa das onze. Quando um carro passa pelo chalé, Crito pula, vai até a janela de meu quarto e volta quando ninguém sobe o caminho de cascalho.

Seguro-a com força para que não torne a saltar, aperto-a, acaricio-lhe a barriga e converso com ela.

— O que quer que você faça, não tenha mais gatinhos — digo.

Ela tenta saltar quando passa outro carro e então a seguro com força.

— Não — digo. — Fique aqui.

Ela luta, prendo-a pela metade da cauda; enquanto ela peleja para escapar, sinto o estranho osso flexível sob sua pele e seu pelo, e puxo com bastante força. Ela traciona, mas não quero soltar.

Ela sibila para mim. Sinto-me mal. Largo-a, mas não vou atrás dela. Em vez disso, ergo os olhos para o teto e ponho-me a divagar sobre a ida às cataratas do Niágara. Encontro com dois sujeitos altos do *Guinness* no aeroporto em Nova York e eles se oferecem para carregar minha mala. Anunciam que vamos nos hospedar no décimo quarto andar de um grande hotel perto do Empire State Building e, pela manhã, vamos para o Niágara em um vagão de primeira classe em um trem que tem restaurante, varanda e sua própria banda. No Niágara, perto das cataratas Horseshoe, haverá uma equipe de tevê para filmar meu primeiro encontro com Robert Ripley. Pego no sono antes que meu devaneio termine, mas mesmo esse pequeno fragmento tem a função de me impedir de ficar me perguntando quando eles vão voltar para casa.

20.

São duas e meia e mais uma vez é hora de fazermos fila atrás da cortina da biblioteca imaginária.

Brendan é o primeiro. Ele toca o sino, fecha a cortina atrás de si e dirige-se ao sr. Roche:

— Eu gostaria de um livro sobre como fazer guarda-chuvas porque minha mãe não para de perder os nossos.

— Um livro sobre a fabricação de guarda-chuvas. Ah, aqui está — diz o sr. Roche e prepara uma etiqueta para a capa do Reader's Digest, como sempre faz, e nesta está escrito: *A confecção de guarda-chuvas.*

Quando Brendan pegou seu livro, Kate abre caminho até o começo da fila, toca o sino e vai para trás da cortina vermelha.

— Que tal um livro que impeça o irmão da gente de molhar a cama? — pergunta ela.

— Vou ter que consultar os arquivos para encontrar esse — diz o sr. Roche. Ele sai de trás da cortina, entra no armário de vassouras e surge com outro Reader's Digest. Faz uma encenação especial ao limpar o pó do livro, cantando baixinho.

Mas será que ele não percebe que Kate pediu esse livro para me provocar? Será que não está vendo o que ela vai fazer?

— Eis exatamente o que os médicos prescrevem: *Dez passos para parar de molhar a cama* — diz ele ao entregar o livro a Kate.

— Obrigada — diz ela. — Isso vai ser muito útil.

Talvez o sr. Roche desconfie dela e queira lhe dar um tempo para repensar. Talvez tenha esquecido que está aqui para me proteger. Quando está de volta ao seu lugar atrás da cortina, Kate pega o livro e o deposita sobre minha mesa.

— Aqui — diz ela enquanto fecha a tampa de minha carteira. — Leia isso e pare de mijar nas calças!

Kate senta-se em sua carteira com os braços cruzados sobre o peito e mal consigo respirar enquanto tento encontrar alguma coisa para dizer. Mas não preciso dizer nada: o sr. Roche sai de trás da cortina e, como se houvesse visto Kate através da cortina, encaminha-se direto à carteira dela.

— Onde você colocou aquele livro que acabei de lhe entregar? — pergunta.

— Na minha carteira.

O sr. Roche procura dentro da carteira de Kate e, quando percebe que o livro não está lá, verifica a minha. Vê o livro em minha carteira. Vai até Kate e a agarra pelos cabelos. Ela se debate e a fita rosa amarrada à ponta de sua longa trança castanha se desprende e cai no chão. Então, ele para.

— Ai — diz ela.

Ele está tão furioso que não se dá o trabalho de falar. Em vez disso, arranca-a da carteira. Kate se liberta e corre para a janela. O sr. Roche permanece de pé ao lado da carteira dela.

— Kate Breslin, volte aqui. Todos os outros sentados nas carteiras!

Agora, de raiva, ele está alerta e na expectativa; seu pescoço está inchado e latejante. Kate agarra a ponta da cortina e o sr. Roche vai até ela.

— Você mentiu para mim — ele grita. — Você mentiu para mim.

— Não, não menti.

— Mentiu, sim. Por que você fez isso? Por que você é tão cruel?

— O quê? — pergunta ela. — O que foi que eu fiz?

Assistimos, de nossas carteiras, o sr. Roche ir até o quadro-negro e cruzar os braços sobre o peito. Seus braços sobem e descem devido à respiração pesada.

— Vamos voltar à ortografia — anuncia ele.

Quando o sr. Roche despenca sobre sua cadeira, Kate vira-se para Brendan e sussurra alguma coisa que o faz rir. O sr. Roche levanta-se e deixa a sala sem nada dizer. Nós o ouvimos dar uma busca minuciosa no armário no corredor e, quando volta, está carregando um balde de carvão cheio de água. Ele abre um espaço no chão, na frente da sala, a alguns centímetros de sua mesa, e pousa o balde.

— Kate Breslin, fique de joelhos ali e beba como cachorro.

— O quê?

— Fique de joelhos aqui e beba desse balde.

— Não — responde ela. — Não vou fazer isso.

— Faça isso agora ou vou fazer por você.

— O senhor deve estar louco — diz ela. — Eu não vou fazer isso.

O sr. Roche precipita-se para a carteira dela, agarra-a pelos cabelos, arrasta-a pelo couro cabeludo, empurra-a para o chão e segura sua cabeça sobre o balde de água suja e fuliginosa.

— Sabe o que a sua maldade causa ao mundo? Você não

entende nada de causa e efeito? Você acha que o mal surge do nada?

Ela está em silêncio. Ele empurra-lhe o rosto para dentro da água.

— Beba — diz.

Ela bebe e, quando ele fica satisfeito, puxa-lhe a cabeça para fora do balde. A água escorre pelo pescoço de Kate e escurece sua camisa nas costas, como sangue.

Penso que acabou quando ela começa a chorar, mas ele se ajoelha e segura-lhe o traseiro com uma das mãos e, com a outra, pressiona sua nuca, empurrando-a para baixo novamente, o rosto dentro d'água.

Kate lamenta-se e, por fim, ele para.

— OK — diz ele. — Agora fique de pé no fundo da sala.

Ela se dirige à parede dos fundos e ele lhe estende o próprio pulôver para que se seque. Ela segura o pulôver para cobrir o rosto.

— É gente como você que gera homens que estupram — diz ele. — Em todas as escolas do país, os assassinos e loucos são gerados por valentões como você.

Kate chora.

— Por favor, não faça mais nada — pede ela. — Estou realmente arrependida. Eu preciso ir ao banheiro.

Mas o sr. Roche não terminou.

— Você não vai a lugar nenhum.

— Por favor, senhor, me deixe ir para casa. Desculpe.

Ele cruza os braços e a encara.

Todos permanecemos sentados e esperamos. São três horas e o sinal da saída soou. Nós deveríamos estar indo embora. Mas ninguém se move, e o silêncio é tão profundo que dá para ouvir estômagos roncando. Ninguém diz nada quando os professores e as outras crianças passam por nossa sala para pegar os casacos. O sr. Roche permanece ao lado da porta, sorri e acena para eles.

O sr. Donnelly passa às três e dez e o sr. Roche anuncia que estamos fazendo um teste e não vamos para casa até que o último aluno tenha terminado. O sr. Donnelly olha para dentro, vê que ninguém está escrevendo, abre a boca, mas nada diz. Olha para o relógio, então vai embora.

Ninguém consegue se mover. Estamos virados para o fundo da sala, prestando atenção em Kate, que presta atenção no sr. Roche. Então acontece: às três e quinze, Kate se molha.

É como se fosse eu que estivesse me molhando. A urina que escorre pelas pernas dela e forma uma poça no chão me pertence. Posso sentir a urina em minhas próprias pernas e o calor molhado do mijo em minhas próprias meias. Quando o sr. Roche vai até ela e pousa a mão em seu ombro, sou eu quem sente o conforto do toque.

— Vá se limpar — diz ele. — Os demais vão para casa.

Permaneço ao lado de minha carteira e espero até que todos tenham saído da sala. Ele vem a mim e segura minha mão.

— É melhor você também ir para casa agora — diz. — Até amanhã.

Abro um débil sorriso.

— Você não tem motivo para não ficar de cabeça erguida, John Egan — diz ele. — Mantenha a cabeça erguida para mim e me mostre como você é quando se sente orgulhoso.

E, embora Kate esteja chorando e prestando atenção, ergo o queixo.

— Não tão alto — diz ele. — Assim.

E ele pousa as mãos em meu rosto e o posiciona onde quer.

— Desse jeito. Você é forte e deveria parecer forte.

E, quando ele ergue meu queixo e me encara, sinto uma inesperada e agradável sensação no estômago.

— Obrigado — digo. — Obrigado, senhor Roche.

— Agora vá — diz ele. — Vou cuidar de Kate.

Quando chego em casa, o chalé está silencioso e não há nenhuma luz acesa. Penso, a princípio, que não há ninguém em casa, mas quando vou até a sala descubro que a porta não quer abrir. Alguém empurrou uma cadeira para baixo da maçaneta. Meu coração bate forte e machuca meu peito. Ouço vozes baixas atrás da porta. Empurro-a, mas ela não abre. Grito:

— Quem está aí?

Minha mãe responde:

— Nós estamos tendo uma pequena conversa, John. Vamos sair em um minuto.

— Eu não posso entrar? — pergunto.

— Espere um minuto — diz meu pai, e me afasto e vou para meu quarto.

Meu nariz lateja como quando tropeço e caio, o mesmo latejar que ocorre na descida para o chão. Preciso ir ao banheiro, mas quando chego lá não sai urina nenhuma. Vou para meu quarto, fecho a porta e meto a mão sob o colchão para me certificar de que o Oiraid de Saritnem ainda está lá. Está. E confiro o dinheiro que tirei da bolsa de minha avó. Ainda está lá.

Coloquei um fio de cabelo na primeira página do Oiraid de Saritnem para ficar sabendo caso alguém mexa nele, e enfiei cuidadosamente o dinheiro sob o colchão entre dois pedaços de papelão, com uma linha feita com esferográfica preta no papelão inferior, onde deveria estar a primeira nota. Nada foi tocado. Ainda assim, fico preocupado.

Às seis e meia, minha mãe entra.

— Desculpe pela porta trancada, John. Sua avó queria conversar sobre coisas muito pessoais.

— Tudo bem — digo.

— Não há nada com que se preocupar, John.

— Eu estou ótimo — anuncio. — Não estou preocupado.

— Vamos ter ensopado para o jantar. Você vem me dar uma ajuda com as cenouras?

— OK.

Não preciso saber sobre o que tratava a conversa.

21.

Kate não está na escola no dia seguinte, e o sr. Roche comporta-se como se nada tivesse acontecido. Ele nos faz rir com histórias sobre Dublin e explica como funcionam as frações.

Observo-o atenta e cuidadosamente o dia inteiro. Presto atenção em tudo que faz, na maneira como fala, nas palavras que emprega, o que faz com as mãos e como segura o giz e a caneta. Ele também me observa.

Não sorri nem pisca para mim, mas isso porque precisa ter cuidado: ninguém deve saber que o que ele fez ontem foi feito por mim. Seria errado deixar isso claro.

Sinto-me feliz a caminho de casa e percorro a trilha que fiz. Mas, algum tempo depois, caminhar não condiz com meu estado de espírito e finjo estar competindo a maratona pela Irlanda nos Jogos Olímpicos.

Quando alcanço a boneca presa na árvore, penso, pela primeira vez, que ela parece confortável, como se o galho fosse um braço sustentando-se erguido para que ela tenha uma visão melhor do mundo.

* * *

Mas a minha felicidade não dura.

Quando chego em casa, minha mãe e meu pai estão esperando ao lado do carro. O motor está ligado e há seis malas sobre o caminho de cascalho. Uma das malas — a pequena, azul, feita de papelão — é minha.

Pergunto-me se quem sabe não estamos tirando umas férias-surpresa em algum camping, o tipo de férias que meu pai promete com tanta frequência.

O carro de minha avó acha-se ao lado da casa, e não na entrada de veículos, e essa mudança na ordem natural das coisas me adverte de que alguma coisa aconteceu com ela, e que alguma coisa diferente de umas férias-surpresa está prestes a acontecer comigo.

— Nós vamos a Dublin para passar alguns dias — anuncia meu pai.

Preciso que ele fale um pouco mais antes de saber se está mentindo. Eu não estava prestando muita atenção. Talvez ele tenha passado em sua prova.

— Por quê? — pergunto.

Ele se adianta com os braços estendidos, com a intenção de pousar as mãos em meus ombros. Afasto-me e ele põe as mãos nos quadris, como se fosse aí que tivesse pretendido colocá-las o tempo todo.

— Por que estamos partindo tão de repente? — pergunto.

— Eu conto no carro.

Meu estômago se contrai. E meu dinheiro e o Oiraid de Saritnem?

Estou perto dele e o encaro.

— Mas pai, Crito vem com a gente? Posso ir pegar Crito? Ela provavelmente está na minha cama. Vou até lá buscar Crito.

Começo a andar, mas ele agarra meu braço.

— Pare de se preocupar com aquela gata idiota e entre no carro — diz.

— Você está me machucando. Me solta.

Ele me solta e eu me afasto. Retrocedo rumo à porta, rumo a Crito e meu dinheiro.

Minha mãe avança, os braços estendidos.

— Lamento, querido. Mas precisamos ir antes que escureça. E você não pode ficar.

— E meus livros *Guinness*?

— Nós empacotamos cinco. Isso é tudo que você vai precisar. Por favor, entre no carro.

— Quais cinco?

— Entre no carro — diz meu pai.

Percorremos alguns quilômetros em silêncio, então meu pai pede a minha mãe que lhe acenda um cigarro. Ela dá algumas tragadas antes de entregá-lo. Ele segura o cigarro entre o polegar e o indicador e suga o filtro até que esteja achatado e molhado.

— Mas nós vamos ficar com tia Evelyn e tio Gerald? — pergunto.

Minha mãe se vira no assento para olhar para mim e, ao virar, estende a mão e toca meu joelho.

— Vamos. Por alguns dias.

— Por quê? — pergunto.

Meu pai desacelera o carro e fala em voz baixa. Há um caminhão atrás de nós e mal consigo ouvi-lo.

— Vou dizer por quê, mas você tem que prometer não me importunar querendo mais informação.

— Prometo.

— Houve um pequeno problema com a sua avó e ela pediu que a gente saísse.

— Apenas por um tempo — acrescenta minha mãe.

— Que tipo de problema? — pergunto.

Meu pai desvia bruscamente o carro e quase nos leva para dentro de uma vala. O caminhão buzina ao ultrapassar e o motorista olha para nós.

— Vou dizer isso só uma vez — responde meu pai. — Certo?

Ele atira o cigarro pela janela sem apagá-lo.

— Certo — respondo.

— Tudo bem, então — diz ele. — Tive uma briga com minha mãe e, até que as coisas se acalmem, vamos morar em Dublin. Você não vai perguntar sobre o que foi a briga e eu não vou dizer.

— Foi por causa de dinheiro?

Meu pai para na beira da estrada e começa a gritar; uma espécie de grito, tão alto que é difícil entender o que está dizendo. Acho que ele está gritando comigo, mas está olhando para minha mãe. E então apoia a cabeça no volante e chora. Ao menos parece choro, mas não consigo ver seu rosto.

— Por que não posso simplesmente viver? — pergunta ele. — É tudo que eu quero. Por que não me deixam viver?

E repete isso, e palavras semelhantes, sem parar — por vezes alto, por vezes baixinho —, enquanto minha mãe tenta acalmá-lo pousando a mão em seu braço.

— Eu dirijo? — pergunta ela.

— Não — responde ele, a voz rouca e cansada. — Eu dirijo.

E prosseguimos, sem mais uma palavra.

Seguimos devagar, em meio à chuva, por escuras estradas rurais. Quando paramos nos sinais de trânsito nas cidades, olho para dentro dos outros carros e percebo que, mesmo quando a pessoa para quem estou olhando não me vê, muitas vezes sente que a estou encarando e olha ao redor. Toda vez que alguém olha para mim, viro o rosto, constrangido. Eu gostaria de conseguir continuar olhando e sorrir, mas é difícil. Pergunto-me o que faz que a outra pessoa saiba que está sendo observada. Talvez tenha alguma coisa a ver com meu dom.

Depois de uma hora de viagem, começo a sentir frio no banco de trás.

— Estou com frio — digo.

— OK — diz minha mãe. — Nós vamos parar e pegar a manta de piquenique no porta-malas.

— Ainda não — diz meu pai.

Está escuro como breu quando paramos para o jantar em um hotel pouco depois dos montes Wicklow. Meu pai escolhe uma mesa perto de um dos cantos ao fundo. Não consigo olhar para ele. Concentro-me em olhar em volta.

O hotel cheira a cerveja e fritura. As mesas acham-se cobertas com toalhas brancas e os talheres pesados estão impecavelmente alinhados. Os copos estão emborcados e os saleiros e pimenteiros, cheios. As lâmpadas causam a impressão de ser tarde da noite. Há um pacote de batata frita no chão, mas ninguém o recolhe. Por fim, um velho chuta o pacote e as batatas caem e transformam-se em migalhas crocantes sobre o tapete.

Há uma garotinha barulhenta brincando com a porta da frente. Ela entra e sai correndo, e, quando larga a porta aberta, as pessoas na extremidade do bar reclamam da corrente de ar. Sempre que ela deixa a porta aberta, seu irmão se levanta e a fecha. Ninguém lhe pede isso; ele simplesmente o faz, e deixa a refeição esfriar sobre a mesa.

Presto atenção a todos os detalhes: o que a menininha está vestindo e a cor de seu cabelo; o que as pessoas dizem quando gritam para que ela feche a porta e o que fazem com as mãos enquanto gritam. Decido que, durante o resto da viagem, vou me testar para ver quanto do hotel consigo lembrar.

Depois que terminamos de comer, meu pai conversa com o garçom a respeito de Dublin, e minha mãe aponta para um mapa na parede para me mostrar de onde saímos.

— Eu sei de onde viemos — digo —, e sei onde fica Dublin.

— É claro que sabe — diz ela. — Eu não tinha certeza se você ia se lembrar. Faz muito tempo desde que esteve lá.

Minha mãe pega a manta no porta-malas e, antes de partirmos, faço o melhor que posso para me enroscar no banco de trás, mas não caibo e meus joelhos pressionam o assento do meu pai. Então sento com as costas apoiadas na porta do passageiro.

Minha mãe me cobre com a manta e a enfia em volta de meus braços. Meu pai olha para mim pelo retrovisor, morde o lábio e dá partida no motor.

— Temos que ir — anuncia.

Minha mãe senta no banco do carona e não torna a falar com ele.

Não consigo dormir. Pergunto-me o que vai acontecer comigo agora, que escola vou frequentar e se tornarei a ver o sr. Roche, Brendan ou Crito. Quero saber se o dinheiro roubado será descoberto.

— E aí? — pergunto a minha mãe. — Vovó vai nos visitar?

— Sem perguntas, John. Ainda não.

— Mas o que vai acontecer? E a escola?

— Nós vamos ver — responde ela.

Paro de fazer perguntas e adormeço no banco traseiro do carro. Não torno a acordar até alcançarmos Dublin e os portões do Phoenix Park.

Meu pai anuncia:

— Tem um leão no zoológico desse parque.

— E tigres e um elefante — informa minha mãe.

Eu gostaria de ir ao zoológico. Quero ver um tigre. Li, certa vez, a respeito de um tigre siberiano que fugiu da jaula e saiu feito louco pela cidade, até ser atingido com tranquilizante na pata traseira. Quero examinar as jaulas do zoológico de Dublin e ver o que uma fuga envolveria. Acho que Houdini escapou uma vez da jaula de um macaco em um zoológico. Espero que eles tenham trazido a edição que contém essa história.

Tia Evelyn nos recebe na porta de sua casa de três andares, que fica acima da livraria que ela administra no porão. Está vestindo um grosso casaco preto sobre a camisola e tio Gerald acha-se atrás dela e nada diz. Ele raramente fala e é fácil esquecer que está presente. Ele foi nos visitar uma vez em Gorey com tia Evelyn e no dia seguinte perguntei a minha mãe:

— Por que o Tio Gerald nunca vem nos visitar?

Minha mãe riu.

— Ele esteve aqui ontem — disse. — Você contou a ele aquela piada horrível do toc-toc. Toc-toc. Quem é? Vera. Vera quem? Verá quem é se abrir essa porta!!

Eu ri.

— Ah, é. E ele disse: "Você é um safado".

— Foi.

— Mas não sou safado, sou?

— Não, é completamente inocente — disse ela.

Na rua comprida e estreita onde mora tia Evelyn não há luz acesa em nenhuma das casas, e três homens, saindo do hotel que fica duas portas depois da livraria, estão cantando.

Lembro da rua e da casa de tia Evelyn da época em que a visitamos quando eu tinha sete anos. Mas não me lembrava de a casa ser pintada de vermelho-escuro, como sangue seco.

Tia Evelyn segura minha mão.

— Anime-se. Você está com cara de quem acabou de ter a bicicleta novinha em folha roubada — diz.

— Talvez seja isso — digo.

Ela puxa minha mão.

— Venha, vou mostrar onde fica sua cama.

Ao subir as escadas, ela para de repente e olha para mim por sobre o ombro.

— Você vai dividir o quarto com seu primo Liam — anuncia. — No momento ele não está muito disposto a conversar, mas não morde.

Liam tem quinze anos e, embora seja meu primo em primeiro grau, não o conheço muito bem.

— Não tem importância.

Chegamos ao terceiro e último andar e entramos em um quarto pequeno e escuro à esquerda. Liam está deitado de costas na cama, com a mão enfiada na calça larga de ginástica. O quarto cheira a leite azedo e seu cabelo é amarelo fosco, como feno molhado.

— Oi — diz ele, sem se mexer.

Não retira a mão da calça e ela permanece ali, sem fazer nada; se aquecendo talvez. O aquecedor está desligado, e a casa está gelada.

— Certo, então — diz tia Evelyn. — Vou deixar os dois sozinhos agora. Mas não façam barulho demais. Vocês vão acordar as gêmeas.

Coloco minha mala perto da cama de Liam e, já que ele não olha para mim e não parece me querer em seu quarto, torno a descer as escadas até o banheiro no primeiro andar. Há manchas de urina no assento do vaso e no chão, e o banheiro cheira como a caixa de Crito quando seu cobertor não é trocado há muito tempo. Fico de pé diante do vaso e fito a água. Há um pêni no fundo e uma mancha de bronze ao seu redor. Retiro dois *pence* do bolso e, ao jogá-los lá dentro, peço:

— Me levem para casa em Gorey. Me levem de volta para lá em uma semana. Por favor.

Encontro minha mãe. Ela está no único quarto do primeiro andar, o mesmo andar do banheiro, da sala de estar e da cozinha.

Está desfazendo a mala no chão, perto da cama de solteiro, coberta por um edredom amarelo. A única outra coisa no quarto acanhado é uma pequena escrivaninha e uma máquina de escrever.

— Oi — digo. — Onde o papai vai dormir?

Ela ergue os olhos na minha direção e sorri.

— Eu estou ocupada agora, John. Volte lá para cima e desfaça a sua mala.

Dirijo-me ao quarto de Liam e desfaço a mala. Ele não conversa comigo. Está sentado na cama comendo um pacote de batatas fritas. Tenho as cinco edições mais recentes do *Guinness* e a maior parte de minhas roupas. Depois de arrumar meus livros e minhas roupas em cima da cômoda de Liam, sento na cama ao seu lado; ainda assim ele nada diz.

Meia hora mais tarde, meu pai entra.

— Desça até a cozinha para termos uma conversa.

— Não quero — digo.

— Você vai — diz ele.

Sigo-o escada abaixo até o primeiro andar.

Minha mãe está preparando um bule de chá e tia Evelyn,

limpando o jogo americano sobre a mesa da cozinha com um pano de prato fedorento. A mesa está suja e coberta de livros escolares, embalagens de peixe e batatas fritas, e garrafas de leite. Sento e abro espaço a minha frente, deixando cair um lápis no chão. Não o recolho.

— Você vai ter que ter paciência — diz minha mãe enquanto se vale das mãos para juntar as migalhas da mesa.

— Paciência com quê?

— Vai haver muitas mudanças, e algumas delas vão levar tempo — explica ela enquanto esvazia o restante do leite de uma garrafa.

— Que mudanças? — pergunto.

Meu pai se inclina para a frente e segura minhas mãos. As mãos dele estão suadas.

— Como, por exemplo, onde vamos morar — responde.

— Mas não podemos voltar? Você disse que só íamos ficar um tempo.

— Pode ser que nos tornemos dublinenses de agora em diante — anuncia minha mãe.

— Isso não vai ser bom? — pergunta tia Evelyn.

Estou furioso e não sei o que dizer ou como dizer. E o dinheiro e o Oiraid de Saritnem embaixo do colchão?

— E Crito?

— Tudo bem — diz meu pai. — Já chega por enquanto. Vá para cama e vamos ter mingau amanhã no café.

— O que tem de tão bom em comer mingau assim de repente? — pergunto.

Meu pai se levanta.

— Mingau sempre foi bom — responde.

Tio Gerald está sorrindo para mim, mas tudo que consigo enxergar é vovó batendo na cabeça de Crito com uma pá e dizendo: "Você tem muita caspa".

* * *

Subo para o terceiro andar e durmo, a cabeça voltada para os pés de Liam, em sua cama de solteiro. Ele ronca e gira no sono, como se estivesse tendo um ataque. Desloco-me para a beirada da cama, mas torno a cair na depressão no meio do velho colchão e me pego contra as pernas de Liam.

22.

Acordo cedo, antes que os postes de luz tenham se apagado, e acho que Liam também está acordado. Ouço-o dizer "Ao portador" e "Um milhão de libras".

— O quê? — pergunto.

— Ao portador. Um milhão de libras — repete ele, tão claro quanto se estivesse acordado.

Ele está dormindo de costas, com a boca escancarada. Quero colocar alguma coisa lá dentro, como, por exemplo, a lâmpada pendurada no bocal quebrado acima de minha cabeça.

Saio da cama às oito e meia e vou para a cozinha de pijama. Não há ninguém lá, mas as luzes estão acesas. Não quero ficar sozinho.

Desço a escada que conduz à livraria no porão. A escada está escura. Há ratos arranhando atrás das paredes e eles parecem com os que tínhamos atrás das paredes em nosso antigo apartamento em Wexford. Às vezes, quando estávamos sentados em silêncio na sala, um dos ratos surgia sobre o carpete no meio do aposento e olhava em torno, silencioso como uma almofada, como se estivesse fazendo um passeio turístico. Então via ou farejava um de nós e voltava correndo ao buraco de onde havia saído.

Os ratos sempre saíam sozinhos, nunca em família, e havia um rato marrom especialmente grande, com uma longa cauda preta. Cheguei à conclusão de que era o rato-chefe. Depois de vê-lo algumas vezes, esperava vê-lo sempre. Se entrasse na sala e visse, de rabo de olho, uma coisa marrom ou preta no chão, achava que era o rato e ficava nervoso. Eu muitas vezes pensava ter visto o rato. Meu pai dizia que eu tinha um caso raro de psicose de rato.

— Você viu um rato no meio do chão — disse ele —, e agora acha que qualquer coisa menor que um sapato é um rato.

Poucas semanas depois de meu pai ter dito isso, os ratos pararam de arranhar atrás das paredes de nossa sala.

Fico algum tempo ali parado ouvindo os arranhões, então chuto a parede uma vez antes de abrir a porta dos fundos que conduz à livraria.

— Bom dia — cumprimenta tia Evelyn, que se equilibra sobre uma escadinha baixa e tem as mãos erguidas na direção de algumas prateleiras de livros.

Minhas primas gêmeas, Celia e Kay, estão sentadas no chão e erguem os olhos para mim. Elas têm sete anos, mas são pequenas para a idade e, como o pai, raramente falam. Em vez de falar, as gêmeas observam as pessoas; imobilizam os olhos e encaram. Não importa para onde a pessoa se desloque, os olhos delas a seguem. Mas elas não parecem ver nada. Acho que na realidade não estão prestando atenção, não estão prestando atenção como se deve. Seus olhos se movem como que puxados por ímãs, como se não tivessem escolha.

— Bom dia — respondo enquanto sento atrás do balcão.

Tia Evelyn desce da escada e senta-se ao meu lado. Segura minhas mãos.

— Onde estão eles? — pergunto.

— Quem? Mamãe e papai?

— É.

— Eles vão voltar logo.

— Onde eles estão?

— Eles estavam na lanchonete algumas portas adiante a poucos instantes, mas tenho certeza de que foram para algum outro lugar a essa altura.

— Mas onde?

— Pergunte você mesmo quando eles voltarem. E saia do caminho. Você está ocupando muito espaço.

Kay e Celia, sentadas ombro a ombro no piso descoberto, erguem os olhos na minha direção.

— Quantos anos você acha que eu tenho? — pergunta tia Evelyn.

— Não sei — respondo. — Mais ou menos a idade da minha mãe.

— Não! Sou oito anos mais velha, mas não pareço tão velha quanto sou, pareço? Eu uso esse creme. Olha aqui! Funciona. Então, quantos anos você acha que eu pareço ter? Não tão velha quanto sou, certo?

— Acho que não.

Ela se levanta.

— Agora suba, John, e tome o café da manhã.

— Não estou com fome.

— Você está com fome — diz ela.

— Tia Evelyn?

— Sim.

— Você pode me contar mais uma história sobre as cataratas do Niágara antes que eu suba?

— Agora estou ocupada — diz ela.

São nove e dez.

Ela arruma os livros nas prateleiras e atende o único cliente que entra. Ele é velho, tem um olho de vidro, branco como mármore, e usa bengala. Compra um livro de palavras cruzadas por cinco *pence*. Quando sai, ela torna a sentar.

— Tudo bem — diz. — Deixe-me ver. OK, havia uma mulher em um dos museus. Era noite e o vestíbulo estava muito escuro... — Ela deposita uma pilha de livros sobre o balcão e limpa as mãos empoeiradas no avental.

— Por que estava escuro?

— Porque era um museu de demônios, de fantasmas e instrumentos medievais de tortura. Em todo caso, essa mulher tinha unhas compridas pintadas, muito compridas e pintadas de laranja, e as unhas estavam pintadas com esmalte fosforescente. Dá para imaginar?

Quero mais.

— Você pode me contar mais alguma coisa?

Ela pega o maior livro do balcão e o segura contra o peito.

— Se você não está feliz com a história que contei, não vai haver mais nenhuma. Vá, saia daqui. Por favor, vá lá para cima e me deixe continuar com meu trabalho.

Subo para a cozinha. Liam acha-se à mesa, comendo cereal. Entre os bocados, enfia o dedo no nariz e então come o que retira das narinas.

— Já passa das dez — anuncio.

— O que você tem a ver com isso, senhor Perfeito?

— Nada — respondo.

Ele segura a tigela de cereal diante do rosto e sorve o leite; o ruído me lembra minha avó e pergunto-me o que ela estará fazendo, o que Crito estará fazendo e se Brendan ainda brinca com Kate. Penso no sr. Roche. Eu gostaria de saber se ele perguntou por mim.

— Para sua informação — diz Liam com a boca cheia de papa —, a nossa escola tem dois turnos, o da manhã e o da tarde.

— Por quê?

— Porque são muitas crianças.

Ele tem o sotaque de Dublin e come as palavras na maioria das vezes. Brinco com a vasilha de açúcar, mas não consigo comer. Não gostaria de brigar com Liam, então continuo a falar, tentando ser amistoso.

— A que horas começa o turno da tarde?

— Meio-dia — responde ele.

— O que você vai fazer até lá?

— Jogar bola na rua com meus amigos — diz ele. — Sei lá.

Estou prestes a perguntar se posso ir junto quando minha mãe e meu pai chegam.

Meu pai está de terno e gravata.

Fico de pé.

— Oi — digo.

— Tudo bem? — pergunta minha mãe.

— Tudo bem — respondo.

Meu pai olha para mim e franze a testa.

— Não vai tirar o pijama hoje?

— Por que eu deveria fazer isso?

— Você não está doente, está?

— Não, mas...

— Por favor, vá se vestir. Então volte e ajude sua mãe.

Quando volto, meu pai tornou a sair e minha mãe está na pia, descascando batatas. Tia Evelyn sobe as escadas com algumas fatias de carne da mercearia vizinha.

— Vá sentar — diz a minha mãe. — Vou começar a preparar o almoço já, já. Vai estar pronto antes do meio-dia.

Minha mãe senta-se ao meu lado.

— Onde papai foi? — pergunto.

— Dar uma volta para resolver umas coisas — diz ela.

— Por que você não quer me contar o que está acontecendo?

— Quando o seu pai chegar em casa.

— Nós temos que voltar para Gorey — digo. — Você tem que ajudar com a apresentação de verão. Você não terminou de fazer os bonecos.

— Vamos ver — diz ela, e, por detestar a resposta a não ser que seja usada como parte de nosso jogo, odeio-a por usá-la.

Permanecemos em silêncio.

Tia Evelyn movimenta-se rápido enquanto cozinha e parece nervosa. Ela normalmente não é uma pessoa nervosa. Derruba uma xícara do guarda-louça e um jarro do aparador, e agarra ambos antes que atinjam o chão; movimenta-se bem rápido para uma mulher com o corpo igual ao de Alfred Hitchcock.

— Reflexos — grita ela.

— Ai meu Deus — diz minha mãe, rindo de um jeito estranho e escondendo o rosto nas mãos.

Enquanto comemos, a conversa gira em torno do tempo, de casamentos e batizados. Eu nada digo. Perco o interesse e vou para a sala ver televisão. Chove forte lá fora e a sala está escura. Mas ver televisão no meio do dia não é tão divertido quanto seria de se esperar. Tento me forçar a gostar, mas penso no sr. Roche, em como gostaria de vê-lo e no quanto estava ansioso para fazer seu primeiro teste e passar com louvor.

Coço a ferida em minha cabeça e paro quando ela começa a sangrar.

* * *

São quase quatro horas quando meu pai chega em casa. Ele cheira a loção pós-barba.

— Sua mãe e eu temos que sair novamente. Temos umas coisas para fazer — diz ele. — Mantenha-se ocupado por mais algumas horas.

— Mas eu estou de saco cheio. Posso ir?

— Desta vez, não — responde minha mãe. — Leia um livro ou assista televisão.

Meu pai arremessa uma barra de chocolate na minha direção, mas não tenho tempo de pegá-la. Ela cai no tapete a cerca de trinta centímetros de mim. Fito-a e ele faz o mesmo. Não vou pegá-la.

— Mas aonde vocês vão? — pergunto.

— Dar uma volta para resolver umas coisas — responde meu pai.

Minha mãe pisca para mim.

— Dar uma volta diferente para resolver coisas diferentes — diz ela, mas não quero tomar parte em suas piadas.

Quando eles saem, torno a descer para a livraria para ficar com tia Evelyn. Sento com ela em uma cadeira atrás do balcão. Ela parece feliz com minha companhia e me oferece um pacote de amendoins. Os amendoins me fazem pensar no zoológico. Desejo saber se ela me levaria. Liam disse que fica a cerca de quinze minutos de ônibus. Pergunto-me se alguém já ajudou na fuga de algum animal.

— Você pode me levar ao zoológico? — pergunto.

— Agora, não — responde ela, sem nem mesmo pensar sobre o assunto. — Talvez você queira ir até o vizinho por algum tempo.

— Por quê?

— Preciso fazer uma coisa sozinha, por isso.

Desço até a lanchonete e entro. As paredes são recobertas por papel listrado, vermelho e amarelo, e o rádio está ligado alto. O lugar está lotado de velhos e velhas, e algumas jovens perto da fachada com carrinhos de bebê. Quase todos acham-se voltados para a fachada, como se estivessem em um trem. As mesas estão cobertas com toalhas de plástico amarelo e todas têm um frasco de molho HP e de molho Worcestershire. O cheiro de fritura e linguiça é bom e sinto fome. Quero examinar o cardápio plastificado vermelho sobre a mesa perto da porta, mas nesse caso eu precisaria comprar alguma coisa mesmo que mudasse de ideia.

A mulher no caixa olha para mim e, embora não diga nem pergunte nada, explico:

— Só estou procurando meus pais.

— Você perdeu seus pais, meu amor?

— Não. Obrigado mesmo assim. Agora já vou indo.

Não compreendo por que fico nervoso.

Dirijo-me à mercearia vizinha e, ao entrar, o sino toca.

Maureen, a velha que trabalha atrás do balcão, se lembra de mim da última vez que vim de visita. Aproxima-se correndo.

— John! — grita. — Como você cresceu! Está do tamanho de um homem. Incrível.

Ela agarra meu braço direito.

— E com músculos de homem também!

Afasto o braço.

— Venha sentar aqui comigo e me ajudar a colocar as etiquetas.

Sento com ela e coloco etiquetas em pequenos cubos de caldo de carne e frango. Maureen retira os cubos dos pacotes maiores e os vende separadamente, embora na caixa esteja escrito PROIBIDA A VENDA UNITÁRIA.

— Então, o que o traz até Dublin, John?

— Só viemos porque queríamos vir.

— Ah, sim. — Ela descola uma etiqueta do dorso da mão enrugada e fixa-a no cubo de caldo de carne. — Vocês se cansaram do ar do campo?

— Foi isso. Nós já estávamos cheios. Cheios das vacas e da lama.

Por quatro dias, minha mãe e meu pai saem durante o dia e não voltam antes de escurecer. Fico sozinho. Liam vai para a escola à tarde e assisto televisão ou leio o *Livro Guinness dos recordes*.

Leio e tomo notas a respeito de Jean-François Gravelet, também conhecido como Blondin, o Grande, que atravessou as cataratas do Niágara em uma corda de sete centímetros e meio em 1855. Quando Liam está no colégio, abro espaço e faço uma faixa de sete centímetros e meio com fita adesiva, estendendo-se de uma parede a outra. Percorro-a com os braços abertos e tento me imaginar a cinquenta metros de altura sem equipamento de segurança.

Não consigo manter meus pés no limite de sete centímetros e meio. Não vejo como isso possa ser feito. Mas, quando olho com mais atenção para a foto de Blondin, percebo pela primeira vez que seus pés não estão retos; para caminhar sobre a corda bamba, ele precisa achatar os pés com sapatilhas e mantê-los de lado na corda. Quanto mais penso nisso, mais intrigado fico. Vou pedir a tia Evelyn para me conseguir um livro sobre Blondin e outros equilibristas.

À noite, minha mãe e meu pai descem ao porão para conversar e dar telefonemas. Minha mãe me explica que meu pai está buscando trabalho, e ambos estão procurando um lugar para morarmos.

Quando pergunto por que não podemos viver no chalé com vovó, ela responde:

— Talvez mais tarde. Nós vamos morar em Dublin por um tempo. — E, quando pergunto se posso ligar para vovó do telefone na cozinha, ela diz: — Pode, mais tarde talvez. Só deixe as coisas como estão por mais alguns dias.

É nossa sétima noite em Dublin. Estou no quarto de Liam, tentando ver se há algum jeito de jogar Detetive sozinho. Meu pai entra e senta na beirada da cama desconjuntada.

— Como vai? — pergunta, imitando o sotaque de Dublin.

— Tudo bem — respondo, pondo meu canivete suíço no tabuleiro, onde ele possa vê-lo. — Eu estava pensando se não podíamos ligar para vovó. Vamos ligar agora?

Ele respira fundo.

— Agora não, John. Mas em breve. Prometo que vamos fazer isso em breve.

Olho para as figuras da corda e do castiçal no tabuleiro do jogo Detetive. Quero saber se Crito está bem, se o Oiraid de Saritnem está seguro e meu dinheiro também. Quero saber se o *Guinness* me escreveu.

— Não fique tão triste — diz ele. — Por que não considera isso umas férias? Uma aventura?

Encaro-o até que ele desvie o olhar. Encaro-o como se seu rosto fosse uma carta de baralho, uma fotografia ou um desenho na parede; algo irreal e não humano.

Ele se levanta.

— Não me olhe como se eu tivesse acabado de te dar um chute na cabeça — diz ele. — Tudo vai ficar bem.

— Mas quando vamos voltar para casa?

— Nós estamos em casa — responde ele.

— Mas mamãe disse que temos de morar em um apartamento.

— Não fique de mau humor. Não há motivo para mau humor. Pense nas crianças pobres que não têm nada. Não têm apartamento para morar nem sapato nos pés.

— Como as da África?

— Isso.

— Prefiro não pensar nisso — digo, e pego a carta da arma com a foto da corda e mostro-a a ele.

Ele a contempla.

— E o que significa isso?

— Nada — respondo. — Quer jogar uma partida?

— Agora, não. Quem sabe mais tarde. Podemos jogar nós todos hoje à noite. Seus primos também.

Seguro a imagem da corda diante dele e percebo que, embora esteja nervoso, minha mão permanece firme.

23.

Na segunda-feira, vamos à igreja para assistir a um batizado e sentamo-nos bem na frente, no mesmo banco. Estou sentado entre tia Evelyn e tio Gerald, e Liam está mais perto da parede, na qual dá pontapés. Celia e Kay contemplam a via-crúcis e sussurram em seu idioma secreto.

Quando o padre surge no altar, as vestes ondulando ao redor do corpo, parece um animal que acabou de sair de sua caverna. Quero ver onde ele vive, ver por trás da porta da sacristia o interior de sua caverna e descobrir como é lá dentro.

A caminho de casa, meu pai para de repente diante de uma agência de apostas com TURF ACCOUNTANT'S escrito no vidro fumê.

— Só vou dar um pulinho lá dentro um instante — anuncia. — Vocês vão em frente.

Ele entra e nós permanecemos na rua. Tio Gerald arrasta os pés, constrangido, e o rosto e pescoço de minha mãe ficam vermelhos.

— Uma agência de apostas é o último lugar em que ele deveria estar — diz tia Evelyn.

— Eu não vou impedir — diz minha mãe. — Deixe ele fazer o que quiser. Deixe que destrua... — Ela interrompe o que está dizendo e, em vez disso, olha para um ônibus que passa.

— O que está sendo destruído? — pergunto. — O que ele está destruindo?

Ela olha pela vitrine da agência de apostas, então esfrega o dorso macio dos dedos em minha face. Abre a boca, em seguida torna a fechá-la.

— O quê? — pergunto. — O que você ia dizer?

— Não importa.

— O quê?

Ela respira fundo.

— Ele...

— Ele o quê?

— Ele bateu na sua avó — ela responde. Então baixa os olhos na direção das folhas de jornal que voam ao redor do poste, perto de meus pés. — E agora estamos na velha e suja rua.

— O quê? — pergunto.

— Vocês *não* estão na rua — replica tia Evelyn.

— Por que ele bateu na vovó? Quando?

Minha mãe pousa a mão em meu ombro e tia Evelyn segura minha mão e me puxa, do modo como fez quando chegamos à noite. É estranho, as duas me tocando, uma me segurando, a outra me puxando. Uma descarga de humilhação me sobe pela espinha até o rosto.

— Vamos — diz minha mãe. — A essa hora já estaríamos chegando em casa.

— Vou descobrir sozinho — anuncio. — Vou entrar lá e não vou para casa.

Entro. O Turf Accountant's está repleto de fumaça e ruído, com o som das corridas de cavalo no rádio. Permaneço na entrada por alguns minutos, coço a ferida da cabeça até sangrar, então vou até ele.

Meu pai já puxou a camisa branca para fora da calça e está na fila do guichê do caixa. Encontra-se quase no final da fileira torta de homens, todos segurando tíquetes, como ele, olhando para o sujeito na ponta da fila para ver quanto tempo vai demorar.

Ponho-me ao lado de meu pai.

— Pai? — chamo.

Ele não parece surpreso ao ouvir minha voz. Olha direto para a frente, para o balcão, para as barras diante da janela do caixa e para a grade sob a superfície de vidro, onde o dinheiro é depositado antes de ser recebido pelo caixa.

— O quê? — pergunta ele.

— É verdade que você bateu na vovó?

Nem assim ele olha para mim.

— E então, bateu?

Ele pigarreia.

— Bati — sussurra. — Agora vá para casa. Saia desse lugar imundo.

— Nós não temos casa — digo.

A mão que pende ao seu lado se fecha em um punho, e os vermes vermelhos que ele tem à guisa de dedos escondem-se sob as articulações peludas.

— Vá para casa — diz ele.

— Por que você bateu nela?

Ele olha para mim.

— Porque ela queria apanhar — responde e torna a desviar o rosto para fitar o caixa. — Bati nela porque ela me aporrinhou. Ela sabia que eu estava prestes a bater nela e continuou a me aporrinhar. E então me mandou sair de casa. E eu bati e ela sabia que eu ia bater.

— Você foi reprovado no teste do Trinity?

O pomo de adão em seu pescoço incha e ele olha para a frente.

— Foi?

Ele se vira na minha direção e há lágrimas em seus olhos.

— Sabe de uma coisa? Você até se parece um pouco com ela.

— Com quem?

— Com sua avó. Vocês parecem um par de gárgulas vigiando a vida das outras pessoas.

Sinto pena dele, me sinto culpado e sinto pena de mim mesmo. Fico olhando para ele. Se chorar, vou pedir desculpas. Então, quem sabe, quando ele houver concluído o que veio fazer, possamos ir até a lanchonete perto da casa de tia Evelyn para comer um pedaço de bolo. Mas ele apenas tosse, enfia a mão no bolso e torna a se virar para a janela do caixa.

— Vá para casa — diz.

Saio.

No caminho de volta à casa de tia Evelyn, compro uma barra de chocolate com o dinheiro que ele me deu ontem, para repor a que caiu no chão da sala, que Liam ou uma das gêmeas pegou.

Quando regresso, estão todos sentados à mesa da cozinha. Tio Gerald acha-se na extremidade mais próxima ao banheiro, com as gêmeas sentadas por perto. Ele está brincando com elas. Murmura e sorri enquanto faz com as mãos a igreja e a torre.

— Aqui está a igreja, e aqui está a torre — explica. — Abram as portas, e aqui estão as pessoas.

As gêmeas riem quando os dedos de tio Gerald se estendem e contorcem como gente nua, o que me deixa enjoado. Ele repete os movimentos e quando diz “Abram as portas”, as gêmeas escancaram a boca, exibindo pedaços de comida mastigada, a saliva por entre os dentes.

Liam acha-se perto da porta da sala, onde sempre se senta. Minha mãe e tia Evelyn estão juntas, de mãos dadas, no meio. Minha mãe andou chorando.

Eles não estão conversando sobre nada em particular. Mencionam casamentos, e a dama de honra que estava comendo um caramelo engasgou durante a cerimônia e cuspiu o doce no vestido da noiva.

Há torta de frango no forno para o jantar e, embora estejamos todos com fome, minha mãe diz que deveríamos esperar meu pai voltar para casa.

Quando dão sete horas e ele ainda não chegou, nós comemos, à exceção de tio Gerald; ele não come porque não gosta de comer na presença de outras pessoas, nem mesmo na presença da própria família.

Olho para o jogo americano, no qual há a representação de uma caça à raposa — homens de boné montados a cavalo, cães e raposas mortas penduradas em uma cerca. Minha mãe me vê olhando para as raposas. Imita patas com as mãos e simula um ar assustado no rosto.

Sorrio e ela sorri em resposta. Pergunto a mim mesmo se isso quer dizer que ela está se sentindo melhor e, caso esteja, se logo também me sentirei melhor. Liam ergue o prato, segura-o próximo ao rosto e quando pensa que não há ninguém vendo, aspira pedaços de torta.

— Liam — diz tia Evelyn —, vá para seu quarto e nos deixe sozinhos para podermos conversar.

Liam sai sem discutir e as gêmeas o seguem como cachorrinhos.

— Bem — diz minha mãe. — Eu não devia ter contado o que seu pai fez, mas, agora que contei, talvez também consiga pôr as coisas nos seus devidos lugares.

Ela mexe o chá enquanto fala e não ouço a colher golpear a lateral da xícara. Conta que meu pai bateu em minha avó durante uma briga e que minha avó caiu de encontro ao aparador. Foi um acidente e ela foi conduzida ao hospital para levar pontos. Quando pergunto por que papai não se desculpa para que possamos voltar, ela responde:

— Ele já pediu desculpas, mas elas ainda não foram aceitas.

Ela me explica que não vamos permanecer aqui por muito tempo; que é provável que moremos em um hotel por um período, até encontrarmos nosso próprio apartamento.

— Que tipo de hotel? — pergunto.

— Um barato — responde tio Gerald de seu lugar na ponta da mesa, perto da porta do banheiro.

— Existe um hotel agradável perto dos portões de Phoenix Park — anuncia minha mãe. — Bem perto do zoológico e do elefante. Podemos levar amendoins para ele.

— O papai vai para a cadeia?

— Sua avó não vai prestar queixa à polícia — responde tia Evelyn. — Ela sabe que foi um acidente.

O telefone toca e minha mãe corre para atender.

— Desligaram — declara.

O telefone toca novamente. Ela atende.

— Desligaram de novo — informa.

O telefone toca mais uma vez.

Eu atendo.

— Alô — digo.

— É o seu pai. Sua mãe está aí? Ela está bem?

— Está. A mamãe está ótima. Nós acabamos de comer torta de frango e agora estamos tomando chá com bolo.

— Logo vou chegar em casa. Você pode, por favor, dizer isso a ela?

— Tudo bem. Tchau.

Permaneço ao lado do telefone, esperando que toque novamente.

— Era o papai — digo.

— Por que você estava gritando no telefone? — pergunta minha mãe.

— Porque ele estava respirando muito forte. Parecia que estava conversando com um trator ou coisa assim.

— Ele provavelmente só está rouco e sufocado com toda a fumaça de cigarro naquele lugar asqueroso — explica tia Evelyn.

Levo meu pedaço de bolo para a sala.

Meu pai desaparece por dois dias e passo dois dias acreditando que ele está na cadeia em Mountjoy. Tenho pesadelos com ele em uma cela com uma privada a um canto e um sujeito com tatuagens e a cabeça raspada no beliche acima dele.

Ele volta para casa na quinta-feira pela manhã, enquanto estou na livraria com tia Evelyn. Está vestindo um casaco marrom novo, com punhos e colarinho de pele preta e exibe o início de um bigode.

— Tenho boas notícias — anuncia enquanto estende as mãos vermelhas e geladas em minha direção. — Nós conseguimos uma casa nova.

— Onde? — pergunto.

— Ballymun. Moradia de emergência, alta, no décimo segundo andar de uma torre de quinze andares — diz ele.

— Décimo segundo andar! — digo. — Nós vamos morar em um arranha-céu?

— Vamos. E estão construindo uma piscina que deve ficar pronta em algumas semanas. E da janela do seu quarto você pode ver jatos enormes voando lá no alto a caminho da América.

— Quando vamos para lá?

— Vamos nos mudar bem cedinho amanhã de manhã.

Tia Evelyn vira uma placa na porta com os dizeres VOLTO EM 5 MINUTOS.

— É melhor começar a agir, então — declara. — Vamos subir e encontrar Helen.

Subimos e encontramos minha mãe sentada em uma cadeira de espaldar reto sob a janela da sala. A televisão não está ligada e ela não está fazendo nada com as mãos.

— Vocês conseguiram um apartamento, Helen! Um apartamento de incorporadora novo em folha e podem se mudar amanhã — anuncia tia Evelyn. — E vocês podem pegar a mobília do quarto de despejo lá em cima e as camas do quarto de hóspedes.

Meu pai está perto da lareira e brinca com uma caixa de fósforos. Minha mãe concorda com um movimento de cabeça, mas nada diz.

— Os vizinhos com certeza vão doar algumas bugigangas. Mas nós não temos muito tempo. Vou começar a bater de porta em porta agora mesmo.

Minha mãe fecha a cara.

Tia Evelyn levanta-se do sofá e vai até ela. Estende a mão na direção de minha mãe, como se estivesse ajudando um deficiente físico a ficar de pé. Mas minha mãe não aceita a mão da irmã. Agradece e sai da sala.

— Não vá atrás dela — diz meu pai.

Eu fico e ligo a televisão.

24.

Às oito da manhã, tenho a mala azul a meus pés e fico observando meu pai e meus tios carregarem um caminhão sujo com a mobília. Minha mãe ajuda dando instruções e arrumando pequenas coisas no vagonete. Ofereço-me para ajudar, mas ela me manda sentar e esperar ao lado de minha mala, caso alguma tarefa seja necessária.

— Como o quê? — pergunto.

— Como trazer uma xícara de chá ou um copo de água para alguém quando for preciso.

Sento na beirada da calçada com uma caixa de curativos. Coloco um sob o joelho, deixo-o por alguns minutos, então torno a retirá-lo. Sinto uma dor agradável quando puxo o curativo e gosto da forma como arranca os pelos, deixando um trecho limpo e macio de pele.

Tio Gerald vê o que estou fazendo. Balança o dedo na minha direção, com cara de zanga. Sorrio, balanço o dedo em resposta e, como de costume, ele não sabe o que fazer. Recua e olha para mim, as mãos ao lado do corpo, então se vira, volta ao caminhão e desloca uma cômoda em alguns centímetros sem o menor motivo. Às vezes tio Gerald não parece levar a vida muito a sério; ensaia alguma coisa, percebe que ninguém reparou, muda de rumo, faz outra coisa e parece não se importar com a diferença.

Juntou-se um grupo de vizinhos. Cinco mulheres e dois homens. Acham-se diante do número 17, reunidos. A maneira como se mantêm agrupados os faz parecer todos da mesma família. Ficam olhando como se tivessem uma só mente; quando um deles me encara, todos me encaram, quando um deles fita minha mãe, todos fitam minha mãe. Quando um deles observa meu tio Jack acender um cigarro, todos observam.

Uma das mulheres está segurando uma colher de pau com mingau frio grudado na ponta e outra está segurando um pano de prato. Estão dizendo que vieram nos desejar *bon voyage*, mas fica evidente que vieram para ver qual é a aparência de uma família arruinada.

Minha mãe olha para eles e acena, e de repente eles se movem em direção à porta do caminhão e a cercam. Ela recua para impedir que fiquem no caminho.

— Ouvi dizer que todos os apartamentos têm aquecimento central — diz uma mulher magra, de cabelos vermelhos.

— E em pouco tempo vocês vão ter uma piscina — diz a da colher de pau.

Tio Jack e tio Tony estão na traseira do caminhão com a mobília e fico feliz por sentar na cabine, entre meu pai e minha mãe. Gosto de estar no alto e os braços de meu pai parecem fortes quando ele gira o volante para contornar as esquinas acentuadas.

O tráfego é pesado e há uma boa vista de todas as lojas na

North Circular Road. Baixo os olhos na direção das crianças a caminho da escola e me sinto livre. Seguro a mão de minha mãe.

Mas, à medida que nos aproximamos de Ballymun, meu humor muda. As ruas aqui são estreitas e as sarjetas, repletas de lixo. As casas são pequenas e cinzentas, e ninguém pintou as portas ou os peitoris das janelas. Quando chegamos ao estacionamento na base de uma das altas torres de Ballymun, fica claro que nada de bom pode acontecer aqui.

Meu pai salta da cabine e desço atrás dele. Sinto-me pesado e cansado. Olho ao redor, para as sete torres e as dezenas de prédios menores que nos cercam, a rua movimentada na beira do estacionamento, o imenso colégio no outro lado da rua movimentada e a rotatória.

Minha mãe permanece no lugar, as mãos no colo. Meu pai deixa tio Jack e tio Tony saírem da traseira do caminhão, então pousa a mão em meu ombro.

— Todas as torres foram batizadas em homenagem aos homens que assinaram a proclamação da República Irlandesa em 1916 — explica.

— Qual é a nossa? — pergunto.

— Plunkett — responde ele. — Aquela ali. A do meio.

Não é possível enxergar todas as sete torres com um único olhar. Elas são muitas e fazem tudo parecer escuro como a noite. Para enxergar todas, é necessário dar um giro completo. Como podem ser novas, estando tão asquerosas e sujas? Elas parecem dentes podres, deteriorados, marrons, manchados de piche, dentes arrancados de um gigante horrível e imundo.

— Como vamos subir com tudo isso pelas escadas? — pergunto a meu pai.

— Temos elevadores, bobo.

Subimos para nossa casa nova. Ao contrário dos elevadores sujos, das escadas sujas e dos corredores sujos, as paredes de nosso apartamento são brancas e limpas e, uma vez em seu interior, não há cheiro de urina nem guimbas de cigarro molhadas.

Mas é um apartamento pequeno, com tudo dentro dele pequeno: uma cozinha minúscula e uma minúscula sala de estar, com espaço suficiente apenas para um sofá, a televisão e umas quantas cadeiras. E o banheiro é o menor que já vi, com uma banheira onde cabe apenas um anão. Há dois quartos pequenos, ambos com janelas que não abrem e com vistas para o estacionamento e o asfalto doze andares abaixo.

Como todos os demais moradores das torres, temos de lançar nosso lixo através de um duto, e o duto fica no topo das escadas, perto da janela de meu quarto.

— Não quero dormir perto do duto de lixo — digo.

— Bem, não tem nenhum outro lugar — retruca meu pai.

Encaminhamo-nos ao quarto maior. Lá há um armário embutido coberto de espelhos escuros, pintados.

— Se eu for dormir aqui — anuncia minha mãe —, vou cobrir esses espelhos.

— Primeiro nós temos que terminar a mudança — diz meu pai, e então tornamos a descer pelo elevador.

Embora tenhamos mais coisas a transportar, meu pai insiste que tio Jack e tio Tony partam. Mas tio Jack volta pouco depois com cinco sacos de batatas fritas quentes e todos nos sentamos em um pequeno canteiro gramado perto do caminhão e comemos juntos.

— Tudo bem, então. Agora vocês vão embora — diz meu pai. — Nós podemos fazer o resto sozinhos.

Eles partem depois que meu pai dá a tio Tony algumas libras para pegar um táxi.

O aquecimento central está forte no apartamento. Faz muito calor do lado de dentro, e então sentimos o frio como uma chuveirada de água gelada quando saímos. Depois de cada viagem, meu pai enfia a cabeça sob a torneira de água fria. Permanecemos na cozinha vazia e o observamos se molhar enquanto nos abanamos com pedaços de papelão das caixas.

— Certo, então. Vamos conversar com a Associação sobre a possibilidade de reduzir esse aquecimento — diz ele. — Não podemos viver nos trópicos.

Minha mãe olha pela janela para o prédio escuro atrás de nós e suspira.

— Eu já falei com nossa nova vizinha, a senhora McGahern, e ela disse que o termostato é ajustado pela Associação e não pode ser mudado pelos locatários.

Meu pai balança a cabeça.

— Nós vamos nos acostumar — diz ela. — Só vamos ter que usar nossas roupas de verão.

A raiva de meu pai está engatilhada.

— Essa é uma ótima atitude, assim prematura. Desde quando você se rende tão rápido? Com base na conversa de uma velha intrometida?

— Eu não disse nada sobre uma velha ou sobre alguém ser intrometido.

— Eu vi a mulher parada lá fora, bisbilhotando cada caixa que trouxemos aqui para cima. E você! A palavra de uma estranha e você se dobra?

— Michael, acho que não...

— Eu mesmo vou procurar alguns vizinhos e descobrir se não existe uma explicação melhor.

— Desperdice o seu tempo pedindo uma segunda opinião — diz minha mãe. — Eu sei qual vai ser a resposta.

Ele sai, irritado, e bate a porta atrás de si.

É estranho estar com minha mãe em uma cozinha vazia, atrás de uma porta batida com tanto eco, parado sem fazer nada, e é muito estranho não ter escolha a não ser sair pela mesma porta sem nada dizer.

Embora esteja escuro quando terminamos de desempacotar e botar a mobília onde queremos, meu pai diz que precisamos dar uma volta antes de comer e ir para cama.

— Vamos explorar um pouco os arredores e então podemos tomar chá no balcão de algum bar. Que tal?

Pegamos o elevador; prendo a respiração o tempo todo até lá embaixo e minha mãe faz o mesmo. Meu pai aperta o botão que nos conduz ao subsolo.

— Vamos dar uma olhada — diz.

— O que tem lá?

— É o centro de atividades. Cada torre tem um, acho.

Mas quando chegamos o centro está fechado. Há uma placa na porta com o horário de funcionamento: deveria estar aberto em um sábado à noite. Também há uma placa listando as atividades gratuitas. Haverá aulas de violão amanhã para meninos entre dez e dezesseis anos.

— Aí está — diz meu pai. — Aulas de música.

— Isso é ótimo — digo. — Mas estou morrendo de fome.

— Vamos passear mais um pouco. Depois podemos comer.

Quando saímos do elevador, ergo os olhos para o topo das torres, que se projetam do chão de concreto e se estendem para o alto, mais alto do que qualquer outro prédio em toda Dublin, direto para o céu, como se estivessem desesperadas para beber das nuvens brancas ou serem lavadas pela chuva.

Caminhamos entre todas elas, e por toda parte sobre as paredes de tijolos há manchas de um cinza mais escuro, como feridas purgando. A única cor provém da tinta verde descascada nos peitoris das janelas e das pichações em preto e vermelho nas paredes do andar térreo. As sacadas de concreto estão repletas de roupa lavada pendurada, e os longos corredores e escadas estão lotados de coisas quebradas que as pessoas jogaram fora.

Não há árvores, e há um único trecho de grama na área dos fundos dos apartamentos. Ao longo da orla do gramado, uma alta cerca de arame farpado separa os apartamentos das casas populares nos quarteirões atrás.

Há muita gente fazendo muito barulho, mais barulho do que jamais ouvi, e gente por toda parte com sacolas plásticas de compras, subindo e descendo as passagens escuras ou as escadas enegrecidas.

— Todo mundo aqui é feio comparado com mamãe — digo.

Ela para de andar.

— Isso não é uma coisa muito generosa de se dizer.

Meu pai continua a andar e, quando está alguns passos à nossa frente, para e olha para ela.

— Você está certo, John. Sua mãe é muito bonita. Faz com que todos eles pareçam feios.

Ela baixa a cabeça e continuamos a caminhar. Atravessamos o estacionamento em direção à escola, que meu pai quer que eu veja, e passamos por um pub. O cheiro de batatas fritas faz minha boca se encher de água.

— Estou morrendo de fome — digo.

— Aguente mais um pouco — pede meu pai. — Vamos terminar de olhar.

— Não — diz minha mãe. — Nós precisamos comer.

Entramos no The Slipper, que é um dos três pubs a dois minutos das torres. O interior é barulhento, com música, homens e mulheres conversando, e as paredes acham-se cobertas de fotos de aviões. Pergunto a meu pai quantos motores tem um Jumbo 747 e ele responde:

— O suficiente — e rimos com ele.

25.

Passamos o primeiro dia arrumando coisas em gavetas e armários e decidindo onde deve ficar a mobília. No segundo dia, vamos às compras de comestíveis. Precisamos comprar tudo a partir do zero — sal, pimenta, pó para manjar e sêmola; panelas, lâmpadas, pilhas e ferramentas para consertar as coisas quebradas que as pessoas nos cederam.

No supermercado, meu pai deixa cair uma garrafa de molho de tomate no chão e ela se quebra; um pouco de molho respinga na calça branca de minha mãe.

— Michael! — grita ela. — Se eu não soubesse das coisas, ia dizer que você fez isso de propósito.

— Bem — diz meu pai enquanto se afasta da garrafa quebrada —, você não sabe de nada e isso não é surpresa para ninguém.

— Não se atreva a falar comigo desse jeito! — ela grita, nem um pouco preocupada que duas velhas perto da seção de congelados a estejam encarando.

— Eu falo como quiser — retruca meu pai.

Minha mãe cruza os braços sobre o peito e olha direto para ele.

— Estou no limite da minha paciência, Michael, e ela não é lá muito grande para começo de conversa. De modo que eu ficaria grata se você procurasse um pano úmido para limpar essa sujeira da minha calça.

Então meu pai sorri para ela, um sorriso afetuoso, e ela sorri em resposta, como se tudo estivesse perdoado. Não sei por que ela faz isso. O que será que se passa entre eles? Que modo de conhecer um ao outro eles têm? Por que minha mãe olha para ele tão carinhosamente?

Meu pai se afasta à procura de um pano úmido e, quando volta para limpar a calça dela, ela já não está irritada. Eles se beijam na boca por longo tempo e então pagamos pelos mantimentos.

Na manhã de nosso terceiro dia em Ballymun, acordo com dor de dente. A dor é muito forte e perfura como vidro cortado o lado esquerdo de minha mandíbula toda vez que respiro.

Minha mãe pede que eu me vista.

— Vou te levar ao dentista — anuncia. — Vou te levar ao centro comunitário.

O centro comunitário fica na esquina, vizinho ao shopping center. Percorremos a galeria comercial com suas paredes pintadas de listras azuis e vermelhas. É clara e limpa e, comparada aos prédios, que carecem de sol e de luz no interior, entre eles, atrás, a trinta metros deles, o shopping parece outro país. Embora meu dente esteja latejando, sinto-me como se tivesse saído de férias. No interior do shopping, há luz e um cheiro gostoso de *donuts* vindo da padaria.

No centro comunitário há um médico, um dentista e um

farmacêutico, e a sala de espera está repleta de gente lendo revistas.

Minha mãe informa à mulher no balcão que estou sentindo dor e esperamos apenas cinco minutos.

O nome do dentista é dr. O'Connor. Ele é alto, tem ombros largos e está vestindo um terno escuro, de cujo bolso superior projeta-se um lenço vermelho.

Informo-o a respeito de meu dente e ele dá uma olhada em minha boca com uma haste que tem um espelho na ponta. Então, sem avisar, ele puxa meu lábio para baixo e enfia uma agulha em minha gengiva.

— Isso vai fazer a dor passar. Agora, relaxe aqui na cadeira um instante enquanto arranco esse dente — diz ele.

Fico olhando para uma imensa pintura no teto enquanto ele arranca meu dente. Ele me informa que a pintura é de Bruegel. Vou me lembrar. Memorizo o rosto dos camponeses, mulheres e crianças vestidas de marrom, colhendo batatas na neve. Sem luvas, sem chapéus, sem cachecóis.

— Não faz sentido ficar olhando para um teto branco — diz o dr. O'Connor. — É melhor ver alguém em pior situação que você.

— Eu não senti nada — digo quando ele terminou, e ele aperta minha mão e sorri para mim por longo tempo.

— Bom rapaz. Eu estava preocupado que você pudesse precisar de uma injeção extra.

Gosto dele e me pergunto como eu seria se tivesse um pai diferente.

Em casa, permaneço deitado no sofá. Minha mãe está ocupada na cozinha. Não sei onde está meu pai.

Assim que posso comer novamente, minha mãe prepara uma

fritada com cogumelo e linguiça, e comemos ouvindo rádio ligado alto o bastante para encobrir o som de portas batendo e de uma discussão no apartamento vizinho.

Às quatro e meia, meu pai entra.

— Começo a trabalhar daqui a dois dias — anuncia.

Minha mãe dá um tapinha em seu braço e ele olha para a mão dela.

— Eu não estou morrendo — diz ele. — Ainda não está tudo acabado.

— Que trabalho? — pergunto. — Você entrou para o Trinity?

— Não. Consegui uma bolsa de estudos em uma siderúrgica.

— Mas você ainda vai prestar os exames para o Trinity? — pergunto.

— Agora, não — responde ele. — Agora preciso ganhar um pouco de pão.

— O quê? — pergunto.

— Ah, deduza — responde ele —, e enquanto estiver fazendo isso vá até a venda e compre leite e um maço de Silk Cut.

— Quanto você vai ganhar por semana? — pergunto.

— Vá, compre os cigarros e pode ser que eu conte quando você voltar.

Levanto-me e, como se pudesse ler minha mente, minha mãe pergunta:

— Por que não vamos até a cidade amanhã? Vamos dar uma de turistas por um dia.

Meu pai segura as mãos de minha mãe e beija uma de cada vez, então as devolve como se fossem algo que ele houvesse tomado emprestado, e quando ela recoloca as mãos nos bolsos do avental percebo que estão tremendo.

Vou até a venda para comprar os cigarros de meu pai e, quando volto, o elevador está novamente quebrado. Uso as escadas, que fedem a urina.

O sol saiu sobre Dublin e está quente. Meu pai está usando uns óculos escuros que o fazem parecer o para-brisa de um automóvel e minha mãe está usando um vestido rosa até os joelhos e botas brancas. Eles parecem artistas de cinema outra vez.

Percorremos lentamente as amplas calçadas da rua O'Connell à rua Grafton, que se curva e termina no Stephen's Green e no Dandelion Market. As ruas estão movimentadas, com gente fazendo compras e comendo, e há centenas de ônibus, um atrás do outro, como elefantes de lata, com dezenas de olhinhos em seu interior, todos espreitando o mundo.

Há gente bem-vestida, entrando e saindo de táxis, e gente carregando malas, indo e vindo nos saguões dos hotéis. Todos estão ocupados, com alguma coisa a fazer.

Almoçamos no Bewley's e em seguida atravessamos o Stephen's Green. Paramos para um sorvete, que tomamos enquanto observamos crianças pequenas alimentarem os patos. Quando escurece, voltamos pela rua Grafton. As lâmpadas redondas cintilam, brancas como cebolas em conserva, e quando percorremos a rua Moore passamos por sarjetas nas quais corre água com sabão, usada para lavar os restos de vegetais da feira de hoje. Eu gostaria que morássemos aqui, na cidade, perto dessas lâmpadas e de pessoas cantando em troca de dinheiro nas ruas.

Seguro a mão de minha mãe e meu pai assovia enquanto nos dirigimos, mais uma vez, ao topo da rua O'Connell. Passamos pelo cinema e eu paro.

— Nós podemos ver um filme? Podemos ver o que está passando?

Meu pai dá de ombros.

— Não vejo por que não.

Está em cartaz *Butch Cassidy*, mas menores de dezesseis anos não podem entrar.

— Entre atrás de mim — diz meu pai. — Simplesmente entre.

Minha mãe concorda. Compramos nossos ingressos e os entregamos ao porteiro; embora a projeção tenha começado há doze minutos, sento-me entre minha mãe e meu pai na sétima fileira, a partir da frente, e é o melhor filme que já vi.

Depois do filme, comemos peixe e batatas fritas sentados em um banco dentro dos terrenos da Trinity College. Apesar de estar escuro e mais frio agora, há estudantes sentados sobre seus casacos no gramado ou caminhando e andando de bicicleta ao longo das veredas calçadas com pedras.

Embora sejam desconhecidos, meu pai sorri para os estudantes à medida que vem e vão. Vira a cabeça para observá-los enquanto descem as escadas perto de nosso banco, conforme entram e saem pela porta atrás de nós, e enquanto pegam suas bicicletas e dirigem-se à rua. Então ele ergue os olhos para as salas iluminadas e balança a cabeça.

— Você vai estar aqui algum dia — digo.

— Essa é a firme esperança — diz ele.

Minha mãe dá um beijo em seu rosto e segura sua mão.

— O peixe e batata frita estão bons — digo —, mas o cheiro é melhor. Eu queria poder comer esse cheiro.

Eles riem.

— Está na hora de ir para casa — diz minha mãe e, quando se levanta, tenta me puxar junto. Mas sou pesado demais para ela e ela cambaleia. Seguro-a antes que caia.

Meu pai ri.

— Par estranho — declara.

Estamos sentados no andar superior do ônibus a caminho de casa. Quatro bêbados embarcam e gritam enquanto sobem as escadas. Viro-me no banco para observá-los. Eles mal conseguem andar. Gritam, xingam, cantam, chocam-se contra os bancos e, ao passar por nós a caminho da frente, um deles deixa cair um copo no chão. Minha mãe limpa a perna do jorro de líquido, mas nada diz.

Os homens sentam na fileira à nossa frente e por algum tempo conversam a respeito de sua noitada. Então um deles se vira para olhar para nós. Encara minha mãe por tempo demais. Meu pai cruza os braços sobre o peito e seu joelho salta para cima e para baixo.

Minha mãe levanta-se e faço o mesmo.

— O que é isso? — pergunta o bêbado. — Uma família de gigantes? E veja só. Uma giganta muito bonita.

Meu pai levanta-se e um segundo bêbado pergunta:

— Vocês estão indo para um jogo de basquete, é? Como se chama o time de vocês? Os Pés de Feijão?

— Vamos — diz meu pai. — Vamos descer.

Ele empurra minhas costas enquanto caminhamos e me pede para acelerar. Descemos e sentamos perto do motorista, que se vira em nossa direção.

— Meio bárbaro lá em cima. É a mesma coisa toda noite.

Balançamos a cabeça e concordamos e ele sorri para nós pelo retrovisor. Ainda que os bêbados estejam no andar de cima, o cheiro de álcool é tão forte que é como se os sujeitos vertessem uísque e cerveja da pele para o chão.

Sem nenhum aviso, meu pai me acerta com força na nuca.

— Pelo amor de Deus! — grita. — Pare de coçar a cabeça.

— Desculpe — digo, mas não me arrependo. Os bêbados o irritaram, não eu. Minha mãe olha pela janela. Se meu pai não estivesse conosco, ela se inclinaria na minha direção ou, no mínimo, diria alguma coisa. Mas ela balança a cabeça como se dissesse: "Que idiota". Mas quem ela desaprova — a mim ou a ele?

É nosso segundo sábado em Ballymun; estamos há mais de uma semana aqui e estou voltando das compras com duas garrafas de leite, meio quilo de açúcar e duas formas de pão.

À medida que me aproximo de nosso bloco, vejo uma das gangues de Ballymun no sopé das escadas. Eles são adolescentes, pouco mais velhos do que eu. Estão fumando apoiados na parede; estão rindo, xingando e esperando as pessoas passarem para poder dizer coisas obscenas. Embora nenhum dos garotos seja tão alto quanto eu, dirijo-me aos elevadores, apesar do terrível mau cheiro, para evitá-los.

Espero pelo elevador. Sei que as paredes estarão respingadas de vômito e urina. Às vezes leva vários dias até que a sujeira fedorenta seja limpa com um balde de água e um esfregão, ou lambida pelos cachorros.

A urina em geral é lançada nos cantos das paredes do elevador. É densa e pegajosa, portanto não vai muito longe. Nunca vi urina tão alaranjada, tão grudenta e tão espessa.

Quando o elevador chega, pego as compras e entro. Há uma garota no elevador, agachada no chão como se pretendesse ir ao banheiro. Tem a minha idade, mais ou menos onze ou doze anos, e ergue os olhos na minha direção e sorri. Fico na expectativa de que ela se levante, erga as calças, saia, mas ela permanece onde está e continua agachada.

Enquanto subimos ao décimo segundo andar, olho para sua calcinha branca, com manchas marrons, esticada ao redor de seus joelhos machucados. Pergunto-me se ela vai perceber que vi as manchas em sua calcinha e fico constrangido; acho que mais constrangido porque ela não sente vergonha.

Ela sorri, levanta-se e aperta o botão, e sorrio em resposta. Ela sai correndo do elevador no décimo primeiro andar, deixando para trás um pequeno pedaço de merda preta.

Minha mãe está na cama embora ainda não seja noite, ainda não esteja escuro. Ela não está dormindo, e sim deitada de costas, olhando para o teto. Permaneço de pé à porta e conto sobre a menina que estava cagando no elevador.

— Como era ela? — pergunta minha mãe.

— Tinha dentes muito brancos — respondo.

Mas talvez eu tenha achado seus dentes brancos por seus lábios serem tão vermelhos.

— Entendo — diz minha mãe, fechando os olhos.

Durante o jantar, ouvimos a máquina de costura no andar de cima. Três jovens moram no apartamento bem em cima do nosso e uma delas às vezes aciona a máquina de costura das cinco horas até depois de eu ir para cama.

Meu pai ri ao declarar:

— Aquelas três lá em cima. São quase cegas.

— São? — pergunta minha mãe.

— São, e são irmãs. Elas mal conseguem enxergar a um palmo do nariz.

— Mas se elas são quase cegas, como conseguem usar a máquina de costura? — pergunta minha mãe.

— Essa é a que enxerga mais — responde ele —, e ela só costura toalhas de mesa, que não exigem muita habilidade.

— Como é que você sabe? — pergunto.

— Trabalho com um sujeito que me falou a respeito delas — responde ele. — Elas são bastante conhecidas por aqui. Alguns dizem que os pais delas eram primos em primeiro grau.

— Como é que elas conseguem se sustentar se são cegas e não têm marido? — pergunto.

— Como é que eu posso saber? — diz meu pai. — Como é que qualquer mulher progride neste mundo que as pessoas alegam que pertence aos homens?

Minha mãe bate na lateral de sua xícara com a colher e ele pigarreia.

— Só estou brincando — diz ele. — Só brincando.

Mais tarde, quando as ouvimos fazer barulho, meu pai as chama de "três ratinhas cegas" e canta a quadrinha infantil olhando para o teto.

Na manhã seguinte, enquanto estamos tomando café, ouvimos as mulheres no andar de cima, e elas parecem estar batendo no chão com cabos de vassoura.

— Ah, as três ratinhas cegas passeando com suas bengalas — diz meu pai.

Mas estou certo de que as vi ontem saindo do elevador. Três mulheres, no início da casa dos vinte, com cabelos pretos compridos e olhos pretos, cheirando a perfume forte. Não as vi usando bengalas nem óculos escuros. Elas me pareceram normais, e duas delas estavam de salto alto.

Franzo a testa. Minha mãe para de comer.

— Elas não são oficialmente cegas — diz ele. — Se fossem oficialmente cegas, estariam em um asilo com epilépticos e cães-guias.

* * *

É meio da tarde e estou com meu pai. Torno a ver as três mulheres, junto às escadas, perto do nosso apartamento. Estamos pintando a porta da frente. Estou de pé sobre o capacho ajudando, segurando uma lata de tinta.

Ele para de pintar e agarra meu ombro.

— Três ratinhas cegas ao meio-dia — diz.

— O quê? — pergunto.

— Ali na frente — sussurra ele —, três ratinhas cegas no fim do corredor.

Enquanto meu pai assovia a canção das "Três ratinhas cegas", as mulheres encaminham-se às escadas no outro lado da torre.

— Vamos atrás delas — digo.

Uma delas ouve e se vira. Não parece contrariada; parece estar se divertindo e para de andar um instante. Olho para meu pai. Ele continua a assoviar e a encara até que ela se vire e se afaste com as outras. Ele as observa até que elas estejam fora de vista.

Tia Evelyn vem de visita. Traz uma caixa de tortas de creme e um pôster para a parede do corredor.

Dá uma boa olhada em tudo no apartamento e, quando termina, põe-se ao lado da foto de casamento de meus pais, pousada sobre o guarda-louça perto da porta da cozinha.

— Estou vendo que vocês trouxeram a magia do passado com vocês — diz ela.

— Você não deixa sua foto de casamento à mostra? — pergunta minha mãe.

— De jeito nenhum. É quase como ver um par de fantasmas.

Tia Evelyn põe as mãos nos quadris. Não vai sair sem uma briga.

— O papel de parede tem um tom de rosa lindo, com aqueles pontos amarelos e aquelas... aquelas hastes em destaque.

— Estames — digo. — Elas se chamam estames.

Entramos na cozinha e nos sentamos à mesa com um bule de chá. Meu pai traz um livro no colo, *A ciência de compreender a mente depressiva*. O livro parece um apoio, nada mais do que um lugar para que ele descanse as mãos. Não o vi ler nada desde que chegamos.

Minha mãe boceja e tia Evelyn continua a falar.

— Você ficou sabendo que o doutor Behan morreu na semana passada? Partiu para junto de Deus. Ah, ele sempre respeitou o recato das pacientes dele. Ele nunca examinava uma paciente com menos de dezesseis anos sem a presença da mãe, e o mesmo valia para os meninos pequenos.

Minha mãe nada diz e, em lugar de falar, boceja novamente.

— John, pare de coçar a cabeça — diz meu pai.

Começa a gritaria no apartamento vizinho; uma mulher grita, e tia Evelyn olha para minha mãe.

— Quando você estiver acostumada com esse tipo de barulho, acho que vai ser bom — diz. — Talvez seja um pouco quente demais, com esse calor subindo pelo chão, mas, no todo, é realmente muito aconchegante. Acho que você tornou o lugar muito agradável.

Percebo, pelo cenho franzido de minha mãe, que ela sabe, assim como eu, que tia Evelyn está mentindo.

Pela primeira vez, pergunto-me se herdei meu dom de minha mãe, que percebe o que eu percebo: tia Evelyn dá de ombros no meio das palavras "É realmente muito aconchegante", e sua linguagem corporal não corresponde ao que está dizendo.

Comecei a aguçar minhas habilidades, a controlá-las. Quando detecto mentiras, sinto calor, principalmente perto das orelhas e do pescoço, mas não sinto enjoo. Com o tempo, vou me tornar um mago. Memorizei mais passagens de livros. Eis uma de minhas favoritas:

> A maioria das pessoas jamais reconhecerá os sinais e expressões do mentiroso. Essas expressões faciais e gestos são involuntários e aparecem e desaparecem tão rapidamente que, a não ser que tenha um olho muito bom — um instinto, um dom —, a pessoa nunca os perceberá e nunca será capaz de detectar mentiras.

Tia Evelyn continua a falar e parece demasiado interessada no emprego de meu pai na fábrica, onde tudo o que ele faz é usar macacão e soldar pedaços de metal.

— Tanto faz que seja só uma coisa temporária — diz tia Evelyn —, uma coisa que sustente vocês.

Meu pai se levanta.

— Ninguém vai morrer por causa de um pouco de trabalho braçal — declara. — Você dá a impressão de que trabalhar em uma fábrica é a maldição de uma fístula fedorenta.

— O que, em nome de Deus, é uma fístula? — pergunta tia Evelyn.

Todos olhamos para meu pai, mas ninguém diz nada. Saio correndo, pego o dicionário da mesinha de centro e o levo até a cozinha.

— Espere, vou explicar o que é.

Leio o significado uma vez, fecho o dicionário contra o peito e repito de cor.

— Uma fístula é um buraco no reto que emana pus malcheiroso e fezes o dia inteiro — digo.

Meu pai ri e continua rindo.

— Ah, nessas horas fico muito satisfeito com você — diz ele.

Tia Evelyn fica vermelha. Suas orelhas e seu pescoço ficam vermelhos como xarope.

— Ah — diz ela. — Eu disse a coisa errada quando estava só tentando demonstrar interesse e agora vocês se juntaram contra mim.

— Eu sei — diz minha mãe. — Não precisa se preocupar.

Tia Evelyn respira fundo; vai tentar mais uma vez provocar a briga pela qual veio.

— Bem, Helen, é uma bênção disfarçada o fato de você não ter tido mais. Quer dizer, foi uma benção que você só tenha podido ter um, não foi?

Minha mãe franze a testa.

— O que você está querendo dizer?

— Que é melhor que você só tenha tido o John, mais nenhum outro filho com que se preocupar. Quer dizer, neste lugar e tudo mais.

Minha mãe levanta da mesa e dirige-se à pia onde, de costas para tia Evelyn, esfrega um pano úmido sobre a bancada. Conto silenciosamente junto com ela. Ela esfrega o pano para a frente e para trás exatamente dez vezes.

Meu pai deixa o aposento sem pedir licença. Uma vez mais, ninguém diz nada. Tia Evelyn brinca com a colher de chá e gira sem parar seu prato vazio. De acordo com o relógio perto da janela, o silêncio dura apenas três minutos, mas é como se ninguém na terra fosse tornar a falar e minha garganta parece repleta de terra seca.

— Bem — diz minha mãe, virando-se para encarar a irmã —, é hora de preparar o jantar.

Tia Evelyn olha para seu relógio.

— Meu Deus! O que aconteceu com a hora?

— A mesma coisa que sempre acontece — responde minha mãe.

— Vemos vocês no domingo, então? — pergunta tia Evelyn enquanto minha mãe a acompanha até a porta da cozinha.

— É. Domingo, então.

A porta da frente bate e fico sozinho com minha mãe.

— Por que ela disse aquilo? — pergunto. — Por que ela disse: "Foi melhor que você só tenha podido ter um filho"? Pensei que você só quisesse um.

— Ela não tinha direito de dizer isso. Estava zangada com seu pai e não estava raciocinando bem.

— Mas mesmo assim ela se referiu a uma coisa horrível quando disse isso.

— Não me importo que ela tenha feito isso. — Ela estende os braços, aproximo-me de seu corpo e nos abraçamos. — Bom. Agora vá lavar as mãos para o jantar.

Há uma imagem de crianças africanas famintas no noticiário.

— Terrível — diz minha mãe —, quando esses pobres bebês morrerem, vão simplesmente ser transportados em carrinhos de mão.

— Você quer que eu desligue a tevê? — pergunto.

— Não — responde ela. — Pode deixar.

Quando o jornal termina, sentamos-nos à mesa da cozinha para o jantar e, depois de alguns minutos de silêncio, meu pai declara:

— Prestem atenção. Lá vão as três ratinhas cegas.

Do andar de cima, chega o ruído da máquina de costura e, um instante depois, o de alguém andando de sapato de salto.

— Bengalas — diz meu pai. — Prestem atenção. — Ele começa a assoviar a canção: "Três ratinhas cegas, Três ratinhas cegas, Vejam como correm...".

— Lá vão elas de novo — diz ele.

— São muitas ratinhas — diz minha mãe, os olhos chorosos.

— Do que você está falando? — pergunto.

— Não faça perguntas, que eu não conto mentiras — diz meu pai.

— Mas você mente — digo.

Ele me ignora, mal posso acreditar, e minha mãe enfia uma batata frita na gema de seu ovo estalado. Odeio-o por me ignorar e o sangue que preenche meu pescoço lateja e torna difícil engolir.

Alguma coisa está errada, e quero saber o que é. Levanto da mesa e deixo a comida. Eles não me repreendem e não me surpreendo. Vou para meu quarto e escrevo outra carta ao *Livro Guinness dos recordes*. Mas quando termino sinto medo que o endereço de Ballymun seja usado contra mim e acrescento uma última observação: "P. S. Estou dando nosso endereço provisório em Ballymun, Dublin, onde estamos morando durante alguns meses enquanto meu pai constrói nossa nova casa em Donnybrook".

É domingo e fomos à missa com tia Evelyn, tio Gerald, as gêmeas e Liam. Jantamos, e agora minha mãe e eu estamos sozinhos na cozinha ouvindo rádio.

— Mãe, eu queria saber se posso ter um rádio no meu quarto.

— Para quê?

— Para abafar o som do coletor de lixo. Detesto o barulho e o cheiro.

— Você parece gente rica, que está sempre insistindo em morar no lado contrário ao sentido em que sopra a fumaça da fábrica — diz ela.

Meu pai entra na cozinha por trás de mim. Devia estar deitado no sofá. Ele não foi à missa.

— Não podemos comprar outro rádio — declara ele.

— Mas detesto o barulho e o cheiro e não quero mais dormir lá.

Ele olha para minha mãe.

— Tudo bem — diz. — Você pode dormir com sua mãe, se quiser.

— Mas onde você vai dormir?

— Vou dormir no sofá. Estou ficando bastante apegado a ele.

— Boa ideia — digo.

— Ninguém vai dormir no sofá — diz minha mãe.

— Então tudo bem — diz meu pai enquanto coça a barba, que tornou a crescer, mais escura e cerrada do que antes. — Até encontramos uma casa para nós, você vai dormir com sua mãe, e eu vou dormir no quarto com cheiro de lixo.

Ele pisca alegremente para mim, mas minha mãe está em dúvida.

— Por que não conversamos um pouco mais sobre isso? — pergunta ela. — Talvez mais tarde.

— Não é tão complicado assim — diz meu pai. — Vou dormir no quarto menor e vocês dois podem dividir a cama grande.

— Não seria melhor que alguém dormisse no sofá? — pergunta ela.

— Eu não vou dormir no sofá — digo.

— Nem eu — diz meu pai.

Minha mãe lança a meu pai um olhar maldoso e frio.

— Pelo amor de Deus, Michael! Você acaba de dizer que se apegou ao sofá.

— Eu não estava falando sério — diz ele.

— Bem — declara ela ao se afastar —, então já chega.

No final das contas, ontem à noite meu pai dormiu no sofá, e agora estamos os três na sala, antes do café, de pijama, contemplando a desordem de cobertores e travesseiros, lenços de papel e papéis de bala que ele deixou pelo chão.

Minha mãe lembra-o de que precisa limpar a bagunça e guardar as roupas de cama. Ele diz:

— Que maldita diferença faz para essa cova se está ou não arrumada?

Minha mãe balança a cabeça e tenta sorrir.

— O lugar não é tão ruim assim — diz. — Tem seu lado bom.

— Onde ele está? — pergunto. — Será que a torre tem um quinto lado que eu não conheço?

Meu pai esmurra de leve meu braço como se dissesse "Muito boa", e minha mãe suspira.

Ontem à noite dormi profundamente na cama com ela. Estava mais quente e, como ela permaneceu do seu lado e mal se moveu durante a noite, meus sonhos foram longos e claros. E gostei de dormir com ela porque conversamos antes que ela apagasse a luz, e quando ela está com sono sua voz é suave e gentil.

Quando meu pai chega em casa do trabalho, pergunto-lhe como é a fábrica.

Ele dá de ombros.

— Me mantém longe de confusão — declara ele, o que não é absolutamente o tipo de coisa que ele costumava dizer.

— Acho que você pode ler no ônibus — digo. — Pode estudar para as provas no Trinity.

— E é exatamente isso o que eu faço — diz ele.

Mas é mentira. Conferi sua pasta enquanto ele estava no

banheiro; não havia livro nenhum. Talvez ele leia à noite, quando minha mãe e eu vamos dormir, mas acho que não. Acho que ele assiste à televisão.

Forço-me a ficar acordado e, quando dá meia-noite, deixo o quarto e saio à procura de meu pai. Ele não está no quarto. Está na sala, sentado no sofá, vendo televisão.

— Você está acordado até tarde — diz ele.

— Não consegui dormir.

— Teve um pesadelo?

— Não, só estou totalmente desperto.

— Sente comigo e assista isso.

— Mas não tem nada passando.

A programação da tevê termina à meia-noite, com os sinos do ângelus.

— Eu sei. Mas ficar olhando para a tela vazia me ajuda a pensar. Além do mais, Crito gosta de ver seu reflexo no vidro negro.

Dou um pulo do sofá. Não posso acreditar.

— Crito? Crito está aqui? Alguém trouxe ela para cá?

— Não, sente. Crito não está aqui.

— Então por que você falou nela como se ela estivesse aqui?

— Eu fico imaginando que está — responde ele. — Aqui. Preste atenção.

Meu pai começa a acariciar o ar entre nós dois, carícias suaves, arredondadas, do tamanho de um gato, como se Crito estivesse sentada aqui. Então ele bate na perna, como se a estivesse convidando a subir em seu colo. Ele diz "Ups" quando ela salta, e continua a acariciar suas costas, dessa vez com carícias maiores e mais planas.

— Viu? É como se ela estivesse aqui.

Engulo duas vezes, até que minha garganta esteja seca novamente, e olho para as cortinas.

— Isso é muita loucura, pai. Eu não sabia que você era tão doido.

— Você devia voltar para a cama. Não vai querer pegar no sono na escola.

Fico de pé.

— Eu ainda nem comecei a escola. Mamãe está tentando me livrar de ter que ir para a escola de Ballymun.

Minha mãe quer descobrir um bom colégio religioso para mim, como o que fica perto da livraria de tia Evelyn, que é cercado por um alto muro de tijolos, tem uma gruta, uma imagem da Virgem Maria e uma fonte de água-benta no jardim da frente.

— É claro. Ainda assim, você precisa do seu sono. Até amanhã.

— Boa noite, pai.

— Boa noite, John.

Ele beija minha mão de brincadeira e rio.

Estamos em Ballymun há quase duas semanas, e quero ir para a escola. Quero fazer novos amigos e estou cansado de ficar vagando pelas torres. Li todos os meus livros, não tenho nada para registrar em meu novo Oiraid de Saritnem e construí até mesmo outro palco de marionetes para minha mãe com uma caixa de maçãs. Não há mais nada a fazer, portanto subo até o topo de todas as sete torres, e quando fico cansado de subir e descer escadas observo a vida de Ballymun da janela, ou deito na cama de minha mãe e leio. O quarto que dividimos está melhor agora que ela usou as sobras do papel de parede para cobrir os espelhos pintados de marrom.

Em três dias vejo quatro ambulâncias e oito carros da guarda. Não raro o ferido acha-se na parte traseira da ambulância com a pessoa que o feriu. Não raro mulheres agridem homens, não raro mulheres se agridem, e não raro bêbados agridem mulheres depois de longas sessões de gritos, mas as mulheres gritam mais do que os homens.

Vejo uma mulher inconsciente sobre uma maca sendo colocada dentro da ambulância. A maneira como as portas se abrem e o paramédico de casaco branco ajeita a maca para deixá-la reta antes de fazê-la deslizar para dentro lembra exatamente um chef enfiando a comida em uma travessa dentro do forno.

Vejo roupa lavada cair dos varais que as pessoas instalam nas varandas do andar térreo e, quando a roupa não cai nem é levada pelo vento, as crianças roubam. Os apartamentos térreos são os que ninguém quer e quase metade está vazia e fechada com tábuas.

26.

Ontem chegou uma carta avisando que tenho de frequentar a Ballymun National School, no outro lado da rua. Vou levar menos de dois minutos para ir até lá e é provável que consiga ver a torre Plunkett da janela de minha sala de aula. Começo amanhã, portanto este é meu último dia livre. Acordo tarde e vou para a cozinha tomar café. Minha mãe ainda está dormindo, mas alguém deixou dois cadernos novos sobre a mesa. Pego uma faca na gaveta e recorto quadrados no papel de parede no vão entre o armário e a geladeira, e uso o papel para encapar os cadernos. Então vejo um bilhete que caiu da mesa. É de meu pai e tem cinco libras coladas com fita adesiva na parte de trás.

Querido filho,

Tenha um ótimo primeiro dia amanhã. E eis algum dinheiro para você comprar um presente. Espero que isso compense um pouco as coisas para você.

Com amor, papai.

Atravesso a rua e desço dois quarteirões até a loja de brinquedos no imenso shopping center. Nunca estive em uma loja de brinquedos tão grande, tão clara. Procuro durante um hora antes de me decidir por um carro de corrida por controle remoto chamado Johnny Speed, O Mais Fantástico Carro de Corrida Já Produzido, da Topper Toys. Viro a caixa, leio cada centímetro dela e contemplo por longo tempo a foto colorida na tampa.

O carro é um Jaguar XKE conversível vermelho-vivo e há um pequeno motorista de plástico, de cor creme, no banco dianteiro; o carro vai para a frente e para trás e as rodas podem ser guiadas, portanto ele também faz curvas. Ninguém mais vai ter um desses, e posso dirigi-lo atrás do prédio; se as pessoas pararem para perguntar, posso dar instruções. Se eu estivesse com o dinheiro que tirei de vovó, poderia comprar também alguns acessórios. Poderia comprar uma pista de corrida, os homens do *pit-stop* vestindo macacões e bonés, a arquibancada para os espectadores e o homem que segura a bandeira preta e branca de chegada.

Recebo troco suficiente para comprar pilhas, uma barra de chocolate e uma garrafa de Fanta e permaneço algum tempo sentado em um largo banco no shopping center aquecido, lendo as instruções. Quando tenho certeza de ter entendido como o carro funciona, retiro o carro e a caixa de controle dos compartimentos de isopor e faço meu primeiro teste no chão brilhante e liso do shopping.

O carro funciona e é veloz! Duas mulheres surgem, permanecem ao meu lado e observam. Há um fio que conecta a caixa de controle ao Jaguar, mas ele tem dez metros de comprimento, de modo que o carro pode ir bem longe.

— Não é maravilhoso? — pergunta uma das mulheres.

— É fantástico — respondo. — Acabei de ganhar de aniversário.

— Feliz aniversário.

— Que presente lindo!

— Obrigado, eu adorei — digo.

— Tchau, tchau — diz uma das mulheres.

— Temos mais compras para fazer — diz a segunda, e lá se vão.

Eu queria que outras pessoas vissem. Faço o Jaguar contornar o banco. O fio fica preso, mas desenrosco-o e tento novamente. Da segunda vez, faço certinho.

Volto para o prédio.

Os garotos da gangue estão amontoados perto do elevador. Decido pegar as escadas. Se algum deles falar comigo, vou fazer uma pausa antes de responder e respirar fundo, para não parecer nervoso.

Quando alcanço o patamar do primeiro andar, um dos integrantes da gangue surge correndo atrás de mim. Continuo a subir, mas ele me alcança.

— Sai da porra do meu caminho! — diz.

Não estou no caminho dele, portanto me mantenho à esquerda dos degraus e prossigo.

— Eu disse para sair da porra do meu caminho! — grita ele.

Continuo a subir para o segundo andar, então viro à direita, fingindo que moro nesse andar. O restante da gangue surge atrás de mim.

Eu paro e me viro. Vou imitar o sotaque de Dublin.

— Como vão? Acabei de me mudar de Gorey para cá.

— Vou te mostrar Gorey — diz o mais alto, e então conto quantos são: há apenas cinco, não os dez ou mais que eu havia imaginado.

— Quantos anos cê tem? — pergunta um deles.

— Onze — respondo.

— Então, por que não está na escola? — pergunta o garoto das escadas, que tem um olho azul e outro castanho.

Agora estamos todos no corredor, diante do número 29. Espero, caso alguma coisa aconteça, que as pessoas lá dentro nos ouçam.

— Eu não estava a fim de ir — respondo. — E vocês?

Eles também dizem que não estavam a fim de ir para a escola. Eu gostaria de saber como eles conseguem se dar bem em uma situação dessas, mas não pergunto. Todos parecem ter cerca de treze ou catorze anos. Nenhum é tão alto quanto eu e já não sinto tanto medo de apanhar, mas ainda preferiria que eles me deixassem em paz, para poder ir para casa com meu novo carro.

— O que você tem nessa sacola grande? — pergunta o garoto mais alto, cujo cabelo é loiro no alto, com pequenos rabos de cavalo oleosos caindo às suas costas.

— Compras — respondo.

— Não parecem compras.

— Parece uma caixa colorida.

Recuo um pouco para ficar de costas para a parede do corredor e me dou conta de que apenas os estou deixando mais curiosos.

— É um carro movido a controle remoto — digo.

— Passa pra cá — diz o menino com olhos de cores diferentes.

— Tudo bem — digo. — Mas me deixe fazer o carro funcionar primeiro. Vou fazer uma demonstração para vocês.

Retiro o carro da caixa, e tento me assegurar de que eles não vejam minhas mãos tremendo. Coloco as pilhas e penso no que fazer. Faço o carro circular pelo corredor, até o outro lado, e faço-o virar quando alcança as escadas. Eles observam.

— Dá um cigarro aqui — peço. — Vou mostrar uma coisa pra vocês.

O garoto com os rabos de cavalo oleosos me estende um cigarro, que coloco no banco do passageiro do carro, e então, de cerca de três metros de distância, guio o carro até ele.

— Que foda — diz ele. — Tô a fim de ter meus cigarros entregues.

— É — digo. — É foda.

Quem me dera não ter dito isso. Eles me encaram e então me mandam para o outro extremo do corredor. Retiro o cigarro do carro, enfio-o no bolso e me certifico de que eles vejam.

Eles tornam a me chamar.

— Quer entrar? — pergunta o garoto dos rabos de cavalo.

— Tudo bem — respondo.

— Mas você tem que dar o carro pra a gente — diz o garoto mais baixo. — Para sempre. Fica no lugar da taxa de sócio.

Agacho-me para tornar a colocar meu carro novo na caixa. Tento permanecer calmo e protelo um pouco fazendo as pilhas caírem, para ter tempo de reprimir o choro. Engulo algumas vezes antes de erguer os olhos.

— A gangue de vocês tem nome? — pergunto.

— Tem — responde o que está recostado na parede do corredor, com um cigarro atrás da orelha —, nós nos chamamos The Fangs, os caninos.

Todos riem e também rio, embora saiba que eles estão rindo de mim: eles não se chamam The Fangs. Entrego meu carro novo e nos apertamos as mãos.

Eles me dizem seus nomes. Os líderes são Mark, o mais alto com os rabos de cavalo oleosos, e Colman, o que tem olhos de cores diferentes.

— Mais uma coisa — diz Mark —, você tem que fazer um serviço antes de ser um membro completo.

— Qual?

— Você tem que ir até o novo conjunto habitacional e trazer para nós uma pia nova em folha.

— É — diz Colman. — E até as cinco horas de amanhã.

Eles me pedem para jurar que, se algum dia for pego fazendo qualquer coisa, vou dizer que não os conheço, e eles prometem que vão dizer que não me conhecem.

— Claro — digo e nos apertamos as mãos novamente.

Minha mão não está mais úmida que a deles.

Eles me perguntam em que torre moro e o número de meu apartamento. Informo a torre, mas dou o número do apartamento da sra. McGahern. Eu deveria ter fornecido um número aleatório, de um andar diferente.

— Mas é melhor vocês não aparecerem por lá — digo. — Minha mãe é surda e cega e fica muito perturbada com surpresas.

Estou mentindo melhor. Meu rosto já não fica quente e meu corpo não treme. Estou mais firme nos pés e mais forte. Mark me informa como funcionam os canteiros de obra. Primeiro vêm os topógrafos, em seguida são feitas as escavações e então o concreto é derramado nas cavidades.

— Alguém já ficou preso no concreto molhado? — pergunto.

Eles riem e trocam olhares.

— É melhor deixar você fazer o serviço — diz Colman e, ao seu sinal, todos viram-se e se afastam.

Poucos minutos depois, Mark volta.

— É melhor não esquecer — diz ele. — Vejo você amanhã às cinco, ao pé da escada.

Meu carro novinho em folha está na caixa, debaixo de seu sovaco.

* * *

Não tenho medo deles. Temo apenas que me humilhem. Vou fazer o que combinei. Vou roubar uma pia de uma casa vazia, que não pertence a ninguém.

Atravesso a rua rumo ao conjunto residencial e, depois que os operários saem, caminho por algum tempo ao longo das paredes por terminar. Quando estou pronto, dirijo-me aos fundos de uma das novas casas e subo por uma janela com tinta branca molhada, que mancha minha calça e minhas mãos. A tinta fresca cheira a marzipã e respiro pela boca para impedir que o cheiro penetre em minha cabeça.

Vou até a sala e sento no carpete novo e macio. Há bastante espaço claro e desocupado. Deito de costas e rolo durante algum tempo. Tiro a calça para ver qual é a sensação do carpete contra minhas pernas nuas e então tiro a cueca para ver qual a sensação do carpete em meu traseiro.

Visto-me, dirijo-me ao banheiro, sento no chão novo e brinco com as torneiras, que têm formato de golfinhos. É uma casa boa, grande. Eu gostaria de morar em uma casa que não foi usada.

Puxo a pia, mas está presa à parede com parafusos. Saio. Está ficando escuro e atravessar as escavações é como estar em um labirinto. Escrevo no concreto molhado e arrebento um pedaço de barbante que os construtores fixaram para demarcar os cômodos da nova casa. O tempo inteiro, meio que espero que a gangue esteja me observando.

Fico imaginando como seria viver em uma dessas casas novas, maiores e mais limpas do que nosso apartamento, com janelas mais amplas. E elas têm escada. Tenho saudades da escada que conduzia ao quarto onde minha mãe e meu pai dormiam no chalé de minha avó.

São quase seis horas e não encontrei a pia. Estou cansado e com fome, portanto vou para casa. Vou pegar a pia amanhã.

* * *

Minha mãe está na cozinha. Está sentada no chão, as pernas cruzadas, os braços sobre os joelhos. Há cacos de um prato quebrado no chão. Ela parece ter chorado; traz mechas de cabelo molhado grudadas ao rosto.

— O que aconteceu? — pergunto.

Ela me olha de cima a baixo.

— O que aconteceu com você?

— Nada.

— Sua calça está coberta de tinta.

Quero contar. Quero contar tudo a respeito das novas casas e da gangue, mas não agora. Quero saber por que ela andou chorando.

— Eu só estava ajudando a pintar uma parede lá embaixo. Com algumas pessoas do centro comunitário.

— Você devia pôr suas roupas de molho.

— Mas por que você está sentada no chão? Por que andou chorando?

— Sente que vou contar — diz ela.

Embora ela provavelmente tenha em mente que eu me sente à mesa, empurro alguns cacos do prato quebrado e sento no chão.

— Eu estava espremendo um limão e ele estava tão seco, que tive a impressão de que tinha acabado de estrangular alguém tentando extrair um pouquinho de suco.

Olho-a atentamente nos olhos e ela desvia o olhar.

— Fiquei furiosa à toa. Furiosa com essa coisa mínima. Peguei um prato que seu pai deixou no aparador hoje de manhã e atirei na parede.

— Você quer que eu faça alguma coisa? Quer que eu ajude?

Ela segura minha mão.

— Quero, você pode ajudar. Pode estudar bastante e passar no seu Leaving com louvor, se tornar dentista, piloto ou alguma coisa útil, casar com uma mulher que tenha cabeça e ter pelo menos quatro filhos. E cantar "A valsa da despedida" no meu funeral.

— Mas eu não sei cantar — digo.

— Então ponha um disco para tocar — replica ela.

— O toca-discos não ia caber no caixão.

E então permanecemos em silêncio até que ela diz:

— Te amo mais do que deveria. Não importa o que você faça, eu vou te amar, e isso é uma coisa que você nunca vai entender.

— Vou, sim — declaro. Inclino-me e pouso a cabeça em seu colo.

— Levante, John. Eu vou para a cama. Estou muito cansada.

— De novo? Você está sempre cansada e com sono.

Ela boceja enquanto se levanta e a observo sair.

27.

É meu primeiro dia na Ballymun National School. Minha mãe me acompanha até a faixa de pedestres e aponta para o prédio cinza da escola. Estamos a apenas quinze metros de casa.

— Aí está — diz ela, sorrindo e balançando seu braço longo e fino.

Esse seu gesto, o de apontar para o prédio de concreto como se fosse esplêndido, me faz lembrar o dia em que visitamos juntos a casa grande em Gorey.

— Eu podia ter encontrado sozinho — digo.

— Eu sei — diz ela. — Mas eu queria ver você ir.

— OK, então. Tchau.

De repente, seu rosto desmorona, como se ela estivesse chorando a seco e ela me abandona sem se despedir. Atravesso a rua.

A professora me faz ficar de pé diante da turma enquanto me apresenta.

— Esse é o menino novo que mencionei ontem. O nome

dele é John Egan e ele se mudou de Gorey para Dublin. Espero que vocês o façam se sentir muito bem-vindo.

— Bom-dia-John-E-gan — dizem eles sem emoção e em uníssono.

Nada digo. Eu gostaria, mas, como não consigo pensar em nada de bom para dizer, fico calado. Olho para eles e deixo que olhem para mim.

A turma é maior do que minha turma em Gorey e, enquanto a professora explica onde fica Gorey, conto: são dez meninas e sete meninos. Há uma cadeira vazia na fileira do meio e a mesa atrás da qual se encontra foi esfregada para livrá-la das inscrições.

Sento e passo as primeiras poucas aulas do dia meio adormecido. Há uma pequena janela para olhar lá para fora, mas a sala está quente demais. Minha nova professora é uma mulher baixa e gorda, com cabelos castanhos cortados rente, como os de um homem. Usa óculos e sempre que faz uma pergunta, retira-os e os balança com a mão gorda.

O único prazer que sinto por estar em sua turma é o de pegá-la em suas mentiras. Ela se aproxima de nossas carteiras e examina nossos cadernos. Quando mente para um aluno, sua voz fica mais baixa.

Ela diz ao menino lento na mesa ao lado da minha — que comete erros evidentes por todo o trabalho — que ele está "fazendo um excelente trabalho", e sua voz soa tão baixa que se torna quase inaudível.

No intervalo, três caixas contendo pequenas garrafas de leite e uma caixa de sanduíches de geleia são entregues em nossa sala de aula. O leite está quente e a geleia nos sanduíches, seca e quebradiça. Permaneço na sala e leio.

No almoço, procuro alguém com quem sentar e vejo dois garotos, ambos de óculos, sentados sob a janela de uma sala de aula, a cabeça baixa, a cara enfiada na comida. Sento perto deles.

— Olá — cumprimento. — Vocês se importam se eu sentar aqui?

Eles abrem espaço, embora haja bastante e, depois que sento, eles pousam o sanduíche no colo e limpam as mãos nas calças. Devem ser baixos, pois precisam esticar o pescoço para olhar para mim.

Pergunto sobre a escola e o que fizeram no feriado de Páscoa. Pego facilmente um dos garotos contando uma mentira. Ele diz que foi a Londres na Páscoa e que seu pai o levou para dar uma volta no MG vermelho do tio. Conta que rodaram a cento e dez quilômetros por hora e que o chapéu de sua mãe saiu voando. Ele não mentiu quanto a estar em Londres ou sobre o carro esporte, mas mentiu a respeito da mãe. Ou ela não estava no carro, ou estava, mas não estava usando chapéu.

Lembro do que dizia um dos livros: "Uma das partes mais difíceis na detecção de mentiras é quando apenas uma parte da afirmação contém a mentira. Pode ser muito difícil separar a mentira da parte verdadeira da sentença".

Reparei que, quando alguém mente, é quase como se alguma coisa passasse por seu rosto, como uma nuvem; como se a pessoa desbotasse ligeiramente, se tornasse menos real, menos semelhante à pessoa que estamos acostumados a ver. É difícil dizer exatamente o que acontece. Mas, o que quer que seja, consigo perceber.

No final do dia, minha professora informa à turma que na semana que vem haverá despiolhação na escola. Todos faremos fila (meninos e meninas em salas separadas) apenas com nossas roupas de baixo, e seremos borrifados com o produto que mata piolhos e lêndeas; também seremos examinados em busca de tinha.

Depois da escola, tenho uma hora e meia antes da hora combinada para encontrar a gangue, e é nesse tempo que preciso conseguir a pia que prometi. Depois de passear pelo novo conjunto habitacional por meia hora, decido que não vou encontrá-los. Não me preocupo com eles.

Percorro as ruas escuras em torno de Ballymun, depois das moradias com porta verde e janelas pequenas, e passo por fogueiras ardendo nos terrenos, por restos carbonizados de colchões e carrinhos de bebê, e memorizo o nome das ruas e das placas dos carros. Um grupo de amigos não é tão importante para mim quanto meu dom.

Vou para casa e preparo um sanduíche de presunto. Meu pai não está em casa e, embora ainda não esteja escuro, minha mãe está dormindo. Não a acordo. Como metade do sanduíche de presunto, visto meu pijama, então vou para a cama. Leio a seção sobre homens que fugiram da prisão no *Guinness*. Gosto da impressão que me causa James Kelly, que fugiu de Broadmoor em 28 de janeiro de 1888, usando a chave que fez a partir da barbatana de um espartilho. Kelly passou trinta e nove anos como homem livre em Paris, Nova York e no mar. Em 1927, voltou a Broadmoor e pediu para cumprir o restante da sentença que recebera por ter assassinado a esposa.

Penso em uma forma de atrair a atenção do *Guinness*. Talvez deva enviar uma gravação em fita de um experimento. Eu poderia realizar o experimento com minha mãe. Talvez eles tenham escrito para mim e a carta esteja me esperando em Gorey. Depois de uma hora de meditação, não consigo mais suportar o silêncio. Dou um tapinha no braço de minha mãe para acordá-la.

— Estou dormindo — ela diz. — Volte para o seu lado da cama. Você está me esmagando.

— Como vou receber meu correio? — pergunto.

— Que correio? — pergunta ela, cobrindo um bocejo com as costas da mão.

— Estou esperando uma carta do *Livro Guinness de recordes* — respondo.

— Que carta?

— Eu já disse. Escrevi para eles sobre meu dom de detectar mentiras.

Ela senta e põe um travesseiro atrás da cabeça.

— Me faça uma xícara de chá e depois conte outra vez.

Preparo um bule de chá e o levo para ela em uma bandeja com um pacote de biscoitos.

Sento na beirada da cama e lhe conto. Ela não vai esquecer novamente.

— Ah, é — diz ela. — Mas você não acha que essas mentiras são inofensivas? Não consegue enxergar essas mentiras pelo que são? Elas são inocentes. Seu pai só estava com vergonha de admitir que os cartões foram comprados em um lote barato. E vovó mentiu porque às vezes não é educado falar sobre dinheiro. Além do mais, dinheiro é um assunto doloroso no momento.

Não é educado falar sobre dinheiro? Ela está dizendo a verdade, mas detesto que acredite nisso e detesto ainda mais que esteja parecendo um robô. Apenas seus lábios se movem, o resto de seu rosto está rígido.

— Não me interessa por que eles mentiram! — grito. — Você não entende o principal nisso tudo? Eu tenho um dom.

A cama balança e o sanduíche de presunto desliza para fora do prato; o pão e o presunto se separam, e o presunto gruda no edredom.

— John, não há necessidade de gritar. Acho que talvez você seja só mais observador do que a maioria dos meninos da sua idade, e isso é uma coisa boa, uma coisa realmente excelente. Mas talvez você deva compreender isso melhor. Não faz sentido ser insensível, faz?

Salto da cama e vou até a mesinha de cabeceira, de forma a ficar mais perto dela.

— Você acha que eu devia parar e ser como todos os outros?

Pego um livro e o balanço à medida que grito com ela. Eu gostaria de ter outra coisa na mão, mas não há nada mais que eu possa segurar, e nada que vá me acalmar. Sinto-me vazio e desejo segurar e tocar objetos. Também quero pôr alguma coisa na boca.

— Você quer que eu finja que não tenho um dom?

Ela senta e envolve os joelhos com os braços.

— Fique calmo.

— Não — grito. — Você é burra e idiota. Burra, burra, burra!

— Por favor, fique calmo. Não precisa gritar comigo. Eu não sou surda. — Ela está nervosa.

Quero saber por que ela não me leva a sério, mas não vou mais discutir. Ela verá por si mesma.

Vou até a porta.

— Vou assistir televisão.

— E eu? — pergunta ela. — Você praticou comigo?

— Pratiquei. Você fica vermelha até quando conta mentiras inocentes.

— É mesmo, sargento Egan?

Se eu não acalmar meu corpo, se não impedir que meu corpo se enfureça, vou fazer alguma coisa ruim. Preciso parar e ficar calmo. Engulo em seco e tento sorrir.

— É — digo. — Sinto muito ter gritado com você.

— Venha cá — diz ela, e vou até lá.

Ela belisca minha bochecha.

Quando a beijo, percebo um buraco no cotovelo de sua camisola e outro maior sob a axila. Posso ver sua pele e parte de seu seio pelo buraco. Desvio o olhar.

— Eu podia ficar famoso — digo.

Minha voz parece a de meu pai e pergunto-me se ela acha isso estranho. Queria saber como vai ser quando minha voz engrossar ainda mais. Quando meu pai falar e eu falar, vai parecer a mesma pessoa falando.

— Podia — diz ela em tom inexpressivo.

— Vou ganhar dinheiro suficiente para irmos juntos às cataratas do Niágara — digo.

— Pode ser.

Ela não comeu nenhum biscoito, então parto uma metade e a ofereço a ela. Ela mastiga como se o biscoito fosse feito de madeira. Pego a outra metade e a mergulho no chá. O biscoito está mole agora e ela come como se não tivesse dentes, os lábios se separando um pouco, então tornando a se unir com um estalido molhado.

— Como você vai provar que tem esse dom? — pergunta ela, por fim demonstrando interesse.

— Eles vão fazer experiências e testes.

Ela sorri.

— E então vão te pagar uma fortuna em ouro e vamos voar para os Estados Unidos com passagens de primeira classe.

— Você não acredita em mim, não é?

— É uma coisa esquisita. Um pouco difícil de entender, só isso.

Ela não está convencida; acha que sou idiota. Bem, então é só uma questão de tempo.

Ela vai ver.

Não vou viver com as coisas desse jeito, elas não podem permanecer como estão.

— Vamos comer — é tudo o que ela diz.

Odeio a forma como as pessoas conseguem comer, não importa o que tenha acontecido.

Dirigimo-nos à cozinha e ela prepara batatas fritas e ovos, e por algum tempo ficamos em silêncio, mas não importa. Meu pai não está em casa e ela nada diz a respeito. Menciona que vai fazer trabalho voluntário na Ballymun National School. Vai ajudar a distribuir o leite e preparar sanduíches de geleia. Comento que os sanduíches de hoje estavam secos demais e ela concorda em passar mais manteiga neles.

— Vou acenar para você quando passar por sua sala — diz ela.

— E eu vou acenar de volta — digo.

Paramos de falar novamente. Comemos os ovos e as batatas fritas e ouvimos rádio, então vamos para a sala e nos sentamos juntos no sofá. Ela mantém o braço a minha volta enquanto comemos bolo e assistimos a um filme; a felicidade que sinto é estranha e faz cada parte de meu corpo parecer líquida.

Quando ela me beija no rosto, peço desculpas três vezes por tê-la chamado três vezes de burra. Ela me diz que sou um bom garoto e pede que eu não me preocupe.

— Só estou preocupado — digo — porque agora nós somos uns pobres-diabos, e em Gorey nós éramos diabos ricos.

Ela ri e não cobre o rosto com as mãos. Isso é bom.

Esperamos meu pai chegar em casa, mas ele está atrasado novamente, trabalhando, e chega quando o The Late, Late Show está quase no fim.

Ele sorri quando nos vê sentados juntos no sofá debaixo do cobertor. Despenteia meu cabelo.

— Tudo bem? — pergunta.

— Tudo — respondo.

— Quer uma xícara de chá? — pergunta minha mãe.

— Eu mesmo me sirvo — responde ele.

— Está com fome? — pergunta ela.

— Não, comi um sanduíche de carne na lanchonete.

Vou para meu quarto e pego o novo palco feito com a caixa de maçã, com as cortinas puxadas para o lado.

Quando meu pai se acomoda no sofá com sua xícara de chá, coloco-me a sua frente.

— Pai? Eu queria apresentar um show de marionetes. Vai levar mais ou menos cinco minutos.

Ele sorri. Está de bom humor esta noite.

— Tudo bem, filho. Vamos ver.

— Cês têm que desligar a televisão primeiro.

— Não diga cês — adverte meu pai. — É vulgar.

Ponho o palco sobre a mesinha de centro, cubro a cabeça com um pano preto e me agacho.

— Bem-vindos, senhora e senhor, ao nosso incrível show de marionetes. Chama-se Marionetes Filósofas do Mundo. Um por um, vocês vão receber quatro filósofos famosos, que estão disfarçados, e vão ter que adivinhar quem são eles. Se acertarem, ganham um pedaço de chocolate.

Começo com uma marionete de mão, uma meia branca de toga, na qual há um rosto desenhado. O fantoche de meia diz ao outro fantoche:

— Você fede. Você é irritante. Você é um idiota.

Pergunto:

— Algum dos membros da ilustre audiência consegue adivinhar quem é esse filósofo?

Meu pai ri e grita:

— Eu sei! Eu reconheceria essa cara gorda de meia em qualquer lugar!

Sua voz está tão alta que é como se ele achasse que eu não vou conseguir ouvir direito embaixo do pano preto, ou como se as marionetes não fossem entender.

— É Sócrates! — grita ele.

— A-há — digo. — Dedução muito inteligente: Sock-ra-tease.*

Apresento mais três filósofos, incluindo Platão: um dedo de pé de papelão, brincando com uma bola de futebol feita com um pedaço de algodão e uma pequena pedra dentro.** Meu pai acerta dois e minha mãe acerta um.

Estou contente e entusiasmado com o último filósofo que preparei, e retirei seu nome, como os demais, de um dos livros de papai.

O último filósofo disfarçado é um boneco Lego segurando uma pá. Faço o boneco Lego realizar movimentos de cavar um pequeno monte de feno.

— Quem consegue adivinhar a identidade deste último filósofo? — pergunto.

Não há resposta.

— Vocês precisam de uma pista? — pergunto. — Ele está cavando.

Silêncio.

— Vamos lá, senhora e senhor! — instigo. — Não conseguem decifrar? É só pensar. As pistas estão todas aqui.

— Nós desistimos — diz minha mãe. — Fale.

— Não — digo, sentindo calor sob pano preto. — Não é tão difícil assim! Vocês têm que pensar. Pensem só mais um pouco. Pensem!

Meu pai liga a televisão.

* Jogo de palavras com *sock* (meia) e *tease* (provocar). (N. T.)

** Jogo de palavras com *Plato* (Platão) e *toe* (dedo do pé). (N. T.)

— Ainda não — pede minha mãe.

— Já pensei o bastante por uma noite — retruca ele.

Saio de debaixo do pano preto.

— Era Heidegger — digo, enquanto chuto a caixa para o outro lado da sala. — Hay digger.*

Meu pai desvia o olhar do rosto de Gay Byrne na televisão e sorri para mim.

— Muito esperto — diz. — Você ganha o último pedaço de chocolate.

Vou para meu quarto para que eles não percebam meu rosto decepcionado.

* Jogo de palavras com *hay* (feno) e *digger* (escavador). (N. T.)

28.

Depois da escola no dia seguinte, vejo a gangue ao pé da escada. Eles estão amontoados, inspecionando o carrinho de compras repleto de mantimentos de alguém.

Recuo, dou a volta no quarteirão algumas vezes e, quando retorno, eles se foram.

Minha mãe está sentada na sala cerzindo meias e está usando um de seus vestidos bons, o vestido rosa e preto que usou na missa do domingo de Páscoa. Está linda, cerzindo e ouvindo rádio.

Digo oi e vou para o quarto, onde deito de bruços. Preciso pensar a respeito da gangue e o que farei a seguir.

Na hora do jantar, ela entra para perguntar o que estou fazendo. Digo que estou pensando a respeito de coisas que li no *Livro Guinness de recordes*.

Ela prende o longo cabelo em um rabo de cavalo.

— Está na hora do jantar.

— Posso ficar aqui? Não estou com fome.

— Se você quiser.

Ela sai e coço a cabeça, no mesmo lugar onde sempre coço. Mas fui longe demais novamente e há sangue em meus dedos. Limpo o sangue na calça. Continuo a pensar e a coçar, então fecho os olhos.

Minha mãe volta alguns minutos mais tarde com um sanduíche de presunto e senta na beirada da cama.

— Tome, você precisa comer alguma coisa.

Pego o prato, mas não como o sanduíche.

— Está tudo bem?

— Tudo ótimo.

Eu gostaria de conversar sobre a gangue; contar que estou devendo a eles uma pia e que precisarei evitá-los a caminho de casa todas as noites.

Ela fica de pé ao lado da cama e baixa os olhos para minha cabeça.

— Você está sangrando!

— Eu não percebi.

— Vou passar um pouco de antisséptico nisso.

Ela volta com um frasco e um chumaço de algodão e senta ao meu lado na cama enquanto coloca antisséptico no buraco em meu couro cabeludo.

— Você está preocupado com alguma coisa? — pergunta.

— Não, só estou pensando. Tenho pensado muito.

— Está no parque de diversões outra vez? Aquele que mencionou?

Ela consegue lembrar ao menos isso.

— Estou.

Então, quando estamos deitados na cama, olhando para o teto, ambos ouvimos: um avião voando baixo, a caminho do aeroporto de Dublin. O ronco do trem de pouso, o baixo lamento dos motores.

Vou até a janela.

— Consigo ver a ponta da asa — digo. — Está muito baixo.

Fico bastante excitado ao dizer isso, embora esteja mentindo. Não estou vendo o avião. Sou melhor mentiroso do que era em Gorey. É provável que vá me tornar tanto um ótimo detector de mentiras quanto um mentiroso talentoso. Não tenho intenção de mentir de forma ruim, e não serei criminoso nem trapaceiro, mas será um segundo estágio crucial de minha arte ser capaz de passar pelo teste do polígrafo e vencer. Tal conjugação de talentos certamente me trará mais fama.

Continuo a olhar para o céu, para nada além de nuvens cinzentas. E digo:

— Estou vendo o avião, mãe!

Imagino que estou no avião, com o jantar no colo e um cobertor sob o qual dormir. Menciono a minha mãe os fones de ouvido, os chinelos e as vendas para os olhos que os passageiros da primeira classe recebem nos aviões.

— Você parece saber um bocado sobre o que acontece nos aviões para alguém que nunca esteve num.

— É porque sei que vou viajar de avião. Ao contrário de algumas pessoas, como papai, sei que vou fazer as coisas que realmente quero fazer e não ficar só falando nelas.

Ela puxa o edredom até o queixo.

— John, quando não puder dizer uma coisa gentil, então não diga absolutamente nada.

— Mesmo que seja verdade?

— Você não está sendo justo. Acho que precisa aprender um pouco de tolerância. Faça aos outros o que gostaria que fizessem a você.

A Bíblia! Não consigo falar, então produzo um rosnado alto e longo, como um cão rugindo.

— John? O que deu em você?

Ela não era assim em Gorey. Lia livros, empregava palavras inteligentes e interessantes, conversava sobre a confecção de marionetes, e agora está melancólica e frágil sem motivo nenhum.

— Como você consegue não perceber o quanto está parecendo idiota? — grito. — De repente você virou uma idiota! Uma mulher idiota com voz de bruxa velha num ponto de ônibus. Por que você só fala comigo o tempo todo com esses ditados? Você é uma idiota!

— Isso não é justo. — Ela fecha os olhos.

— É, é, sim. É justo e é verdade. Você parece um zumbi desde que nos mudamos para cá.

Ela abre os olhos.

— Nós todos estamos passando por um período árduo e difícil.

Não sei o que está acontecendo comigo, mas de repente estou em cima da cama, de joelhos, e minha mão acha-se sobre a boca de minha mãe, como uma mordaça, para impedi-la de falar. Para impedi-la de ser uma pessoa frágil. Repetindo o que ouve e fazendo-se de idiota.

— Cale a boca, cale a boca, cale a boca! Não diga mais nada.

Não consigo parar de gritar com ela para fazê-la se calar. Ela luta, o que me deixa assustado, mas sou forte, e mantenho a mão sobre sua boca enquanto ela tenta falar, enquanto luta para afastar minha mão de seu rosto.

— Cale a boca! — grito. — Pare de tentar falar!

Quando ela por fim se cala, afasto a mão de sua boca e sento ao seu lado na cama. Ela se afasta, mas não se levanta. Olha para mim. Não há expressão nenhuma em seu rosto, há impassibilidade. Vazio.

— Não fale comigo — digo. — Fique calada.

Ela olha para mim. Sem lágrimas, sem medo. Inexpressiva.

— Não faça isso. Não fique me encarando. Só quero que você fique calada.

— Eu estou calada — diz ela.

Fecha os olhos, como se esperasse.

Também me calo e meu coração para de palpitar, mas sinto um gosto estranho na boca; parece sujeira, parece terra. Quero que ela abra os olhos.

— Agora vou sair para assistir televisão — digo.

Ela abre os olhos e torna a me encarar.

Saio do quarto.

Não me sinto mal pelo que fiz; estou apenas surpreso, como se houvesse estado em outro lugar, ou dormindo por alguns minutos; em um filme ou uma peça.

Vou para a sala; meu pai não está e pouco me interessa onde ele esteja.

Como alguns biscoitos, então, e sento à mesa da cozinha com um bloco e uma caneta e escrevo outra carta para o *Livro Guinness de recordes*.

Às dez horas minha mãe entra na cozinha. Permanece de pé à porta, sem jeito. Acho que esperava que eu não estivesse aqui.

— Sinto muito sobre o que aconteceu antes — digo. — Você pode, por favor, me dar um selo?

Ela está tensa e nervosa; acha-se encurvada e suas pupilas estão pretas e muito grandes. Ela está parecendo mais baixa e sua boca, menor, firmemente fechada, não tão vermelha quanto deveria estar.

— Estou com vontade de te bater — diz, a voz tímida e baixa. — Estou há horas tentando me acalmar para não fazer isso.

Levanto e permaneço ao seu lado.

— Vá em frente. Me bata agora.

Ela não hesita. Ergue a mão acima da cabeça e então me dá um forte tapa no rosto. Dói como quando uma bola de futebol acerta minha perna em um dia frio.

Ela dirige-se à mesa e senta.

Sigo-a e sento também.

— Nunca mais encoste a mão em mim novamente, John. Nunca mais.

— Desculpe. Não faço mais. Prometo.

Permanecemos sentados um instante, ambos contemplando a mesa da cozinha. Ela vai até a geladeira e retira um pouco de carne enlatada. Corta a carne em fatias e em seguida cozinha couve-de-bruxelas e cenouras. Observo-a. Ela me oferece um sanduíche. Digo que não estou com fome.

— O selo que você precisa é para sua carta para o *Livro Guinness de recordes*?

— É.

— Acho que devíamos esquecer esse assunto da detecção de mentiras. Você não acha?

— É o que você diz sempre que conversamos sobre isso. Você não entende? Tive que te contar duas vezes e nas duas vezes você disse exatamente a mesma coisa. Será que não consegue entender nada?

— Eu estou cansada — diz ela. — Estou muito cansada.

Ela lambe o selo para mim, e sua língua parece inchada, gorda e vermelha demais.

— Obrigado — digo.

— Agora eu vou dormir. Diga a seu pai, quando chegar, que o jantar está no forno.

29.

Dois dias mais tarde, é fim de semana e faz sol, mas não posso sair por causa da gangue. Eles provavelmente ainda estão esperando por mim. Devem querer me bater. Mas tenho mais medo de passar vergonha do que de apanhar. Não quero ser humilhado nem que riam de mim.

Permaneço no apartamento e digo à minha mãe que estou me sentindo indisposto. Ela pergunta se eu gostaria de ir ao zoológico, testando, quem sabe, para ver se estou mentindo sobre o fato de estar indisposto.

— Não — digo. — Estou me sentindo mal.

Ela se oferece para medir minha temperatura. Digo-lhe que não se preocupe.

— Bem — anuncia ela. — Vou dar um passeio de ônibus até Stephen's Green, depois vou caminhar um pouco e pegar bastante ar puro. Talvez até veja um filme.

— Onde está o papai?

— Está trabalhando. Ele tem um serviço com tio Jack hoje. Vai estar em casa para o jantar.

Deito no sofá e como ovos quentes com torrada. Na televisão, há um filme que se passa em uma escola de meninos na Inglaterra e a voz educada do ator que faz o papel do professor me faz lembrar do sr. Roche.

Depois do filme, decido ver se consigo descobrir o telefone do sr. Roche. Lembro que o diretor disse que o sr. Roche era de Dublin, portanto procuro na lista telefônica de Dublin. Há muita gente chamada Roche e não sei o primeiro nome dele. Em vez disso, descubro o número da Gorey National School. Não espero encontrar alguém na escola no sábado, mas uma mulher atende ao telefone depois de dois toques.

Digo quem sou, um ex-aluno do sr. Roche, e que gostaria de falar com ele.

— Você é o filho de Helen Egan — diz ela.

— É, sou.

Ela me dá o número do sr. Roche em Gorey. Quando agradeço, ela pergunta:

— Como vai sua mãe?

— Está ótima — respondo.

— Você teve sorte de ter me pegado aqui. Eu estava justamente prestes a fechar o prédio. Você diz a ela que perguntei por ela?

— Digo sim — respondo. — Agora preciso desligar. Tchau.

Desligo e respiro fundo algumas vezes antes de discar o número.

Quando ouço sua voz agradável e vagarosa dizendo "Alô, David Roche falando", fico nervoso. Minha garganta seca e minha mão treme.

Eu não pretendia passar um trote, mas é o que acontece.

— Alô — digo —, aqui fala o senhor Roche.

Ele diz:

— *Aqui* fala o senhor Roche.

Digo:

— Acho que sou seu parente distante e gostaria de saber se você pode me convidar para uma xícara de chá na sua residência.

Ele desliga.

Não entendo o que fiz. Ligo novamente em seguida. Se esperar, perco a coragem. Digo afobado:

— Alô, senhor Roche. É John Egan, senhor. Eu estava na sua turma na Gorey National School.

Há uma longa pausa. Ouço papéis farfalhando e então, quando ele por fim fala, parece ter comida na boca.

— Ah, o garoto que saiu na calada da noite?

— Isso — respondo, contente por ele se lembrar. Talvez as coisas deem certo entre nós, afinal de contas. Ele vai me ajudar a fazer o que for preciso para me tornar famoso. Vai me ajudar a chamar a atenção do *Guinness*. — Nós nos mudamos para Dublin. Para Ballymun, senhor.

Outra longa pausa enquanto meu coração dispara.

— Você ligou para esse número há alguns minutos? — pergunta ele.

— Não — respondo. — Não. Só liguei agora. Pela primeira vez. — Isso é uma mentira mal contada.

— Bem, quem quer que fosse, parecia ter sido você.

— Bem, não foi, senhor. Deve ter sido outra pessoa. Deve ter sido uma coincidência.

Percebo as sensações causadas por mentir: o que a mentira faz com minha temperatura, minha voz e meu corpo. Reparo que minha mão esquerda está cerrada, mas é difícil saber o que minha mão direita estaria fazendo se não estivesse ocupada segurando o receptor do telefone. Também percebo que estou falando mais rápido do que o habitual.

— Você mora em Ballymun agora.

Não sei ao certo se isso é uma pergunta ou uma afirmação.

— Moro — digo. — É muito bom depois que a gente se acostuma.

Ele está definitivamente comendo. Espero até que mastigue e engula.

— Vou rezar para que você nunca se acostume. Vou rezar para que saia daí na primeira chance que tiver.

— Está bem — digo —, o senhor está muito certo e...

— Bem, jovem John, lembre-se de ser bom e, mais importante, boa sorte.

Ele desliga.

Nunca falei ao telefone com alguém que sequer se deu o trabalho de se despedir. Despeço-me do tom de discagem e então olho ao redor, constrangido.

Ando algum tempo para um lado e outro, atrás do sofá, em seguida torno a ligar para ele.

— Senhor — digo. — Sou eu de novo.

— Certo.

— Esqueci de contar que tenho uma prenda.

— Acho que você não tem nenhuma necessidade de me mandar um presente.

— Não é um presente para o senhor. É um dom meu, uma prenda minha. Eu tenho um dom.

Ele respira pesadamente, mas nada diz.

Espero.

— Que tipo de dom?

Ele parece entediado. Já não tenho certeza se devo contar.

— Ainda não posso dizer. Mas é um dom de verdade e eu gostaria de saber se o senhor pode me ajudar com uma carta que preciso...

— Por que mencionar esse dom se você não pode me dizer o que é?

Por que não digo o que tencionava dizer? Por que não consigo controlar o que digo e como digo? Como posso ter perdido o rumo tão fácil? Eu me odeio.

— Bem, senhor. Um dia vou ficar famoso. Acho que sou um detector de mentiras humano. Tenho absoluta certeza, mas preciso de ajuda com...

Ele pigarreia.

— O quê? Continue.

Menciono as mentiras de meu pai e de minha avó. Menciono o Oiraid de Saritnem e os livros que li.

— Me fale mais a respeito — pede ele. — Me explique isso.

Agora tenho uma chance de provar que tenho um dom e de mostrar parte do que aprendi.

— Tenho uma aptidão e sei que mentir provoca emoções que são involuntárias e sei que essas emoções não podem ser completamente encobertas.

Prossigo. Ele parou de comer.

— E consigo perceber essas emoções no rosto das pessoas e no que elas fazem com o corpo, na forma como agitam as mãos e outras coisas. Consigo perceber até quando um bom mentiroso está mentindo porque "uma das pistas mais importantes em uma simulação é a discrepância entre o que a pessoa está dizendo e o que seu rosto e seu corpo estão fazendo".

— Isso é um bocado de coisa. Você obviamente fez o seu dever de casa. Mas como sabe que essas sensações não são simplesmente sentimentos como mágoa e vergonha? Emoções que sente quando acha que alguém chegado a você está mentindo?

— Porque existem provas. Testei com Brendan e fiz anotações em meu Diário de Mentiras.

Ele ri.

— Desde que isso não vá adiante — declara —, fico feliz em informar que Brendan é um dos piores mentirosos que já encontrei, tanto no que diz respeito à quantidade de mentiras que conta quanto à alarmante falta de credibilidade delas.

— Ah — digo. — Mas... — Estou zangado e com falta de ar, como se tivesse corrido. Certifico-me de não parecer aborrecido.

Ele começa a comer novamente.

— Talvez fosse o caso de testar esse seu dom em amigos que sejam mentirosos mais experientes.

— Bem — digo —, eu conheci uma gangue. Poderia praticar com eles. Talvez da próxima vez eu possa...

Ele tosse alto para me interromper. Será que isso é um truque para encerrar uma conversa chata? Será que ele quer desligar? Se eu não fizer alguma coisa para impedir, vou ficar furioso demais para falar. Respiro fundo e conto até dez.

— Bem, John, eu estou fascinado. Se você ainda tiver esse dom quando terminar o seu Leaving, por favor, sinta-se à vontade para entrar em contato comigo.

— Certo, senhor.

— Estou falando sério, John. Eu gostaria que você tivesse alguma coisa que te tirasse desse lugar miserável.

Ele diz a última frase com um ardor tão repentino e tão forte que sinto vontade de chorar, de rir, de bater palmas. Ele não me odeia.

— Eu também — digo. — Também espero que sim.

Vou até o aparador e pego o pincel atômico preto que a mamãe usa para escrever meu nome nas etiquetas de minhas roupas novas. Retiro o pulôver e escrevo o número de telefone do sr. Roche na parte interna do braço esquerdo, pouco abaixo da axila; se o número desaparecer quando eu lavar, escrevo novamente. Vou conservar o número comigo todos os dias.

30.

É o meio da mesma noite e meu pai está de pé na porta do quarto e sussurra meu nome. Finjo não ouvir, mas ele se aproxima da cama na ponta dos pés e sacode meu ombro.

— Levante — diz ele. — E não acorde sua mãe.

Está com a mesma malha suja amarela que tem usado quase todos os dias desde que nos mudamos para Ballymun.

— Estou com muito sono.

— Levante — diz ele. — Tenho uma coisa para te dizer.

Visto meu roupão e vou com ele até o quartinho que era meu. O cheiro do coletor de lixo está forte, e ele tritura e chacoalha.

São três e quinze da manhã e o relógio na parede ao lado da cama parece estranho, com os dois ponteiros unidos, um de costas para o outro, grossos e negros.

Ele se deita e me sento na beirada da cama. A artéria em sua têmpora está pulsando em sincronia com o relógio; o verme azul lateja uma vez a cada segundo. Viro o rosto para o outro lado e espero que, quando torne a olhar, a franja tenha caído para encobri-lo.

— Você está devidamente desperto? — pergunta ele.

— Estou totalmente desperto.

— Bom, porque você vai ter que se concentrar.

— Por quê?

— Porque tenho que te pedir para parar de arrancar todo o papel de parede. Sua mãe disse que você foi muito mal-educado.

— Eu não fui mal-educado.

— Bem, fiquei sabendo que foi e sou eu que tenho que dizer.

— Por quê?

— Porque sou seu pai.

— Tudo bem — digo. — É só isso?

Ele põe as mãos atrás da cabeça.

— É tarde e seu pai está um pouco bêbado. Ele só estava com vontade de dar uma olhada no seu único filho.

A artéria em sua têmpora está pulsando mais rápido. Duas pulsações larvares por segundo.

— Onde você estava? — pergunto.

— Só fui tomar umas cervejas no bar depois do trabalho.

— Com quem?

— Com alguns amigos do trabalho.

Ele está mentindo.

— Onde vocês foram? — pergunto.

— No Terminal.

— Por que você ficou até tão tarde? — pergunto.

— Porque nós tínhamos muito o que conversar. O chefe está pegando no nosso pé. Você nunca enfrentou um velho tão desgramado. Hoje ele nos obrigou a limpar a cozinha; cinco homens de joelhos esfregando.

A clara tensão mental por ter de inventar isso é perceptível em seu rosto.

— Então, como vai você, cara-de-peixe? — pergunta ele.

— Não me chame de cara-de-peixe.

Ele é meu pai e deveria achar que tenho boa aparência, mesmo que eu não tenha.

— Você é um cara-de-peixe — diz ele, articulando mal as palavras cara e peixe, de modo que estas saem mais como carra-pexe.

Ele põe a mão em meu joelho e permito que a conserve ali.

— Desculpe, cara-de-peixe, na verdade você não parece com um peixe. É só porque você come muito croquete de peixe que te chamo assim.

— Você também come — retruco.

— Tudo bem. Não precisa fazer uma tempestade num copo d'água.

Ficamos algum tempo em silêncio. Ele fecha os olhos e permaneço sentado onde estou, na beirada da cama. E então, quando ele ergue o braço acima da cabeça, sinto cheiro de perfume.

— Pai? Por que você está sempre caçoando das mulheres cegas lá em cima? Você conhece essas mulheres?

— Por nada — responde ele. — Eu simplesmente gosto de brincar.

— Mas você conhece as mulheres?

— Não, por que conheceria?

Seu rosto está imóvel, como se estivesse paralisado. Agora vou fazer o papel de detetive.

— Você realmente não conhece?

— Não. Vi as mulheres do mesmo modo que você. Mas não as conheço.

— Todos os outros apartamentos aqui são iguais a esse?

— O da senhora McGahern é igual. Então, imagino que sejam todos mais ou menos iguais. Só um pouco menores ou maiores.

— Você já esteve no décimo terceiro andar?

Ele senta, inclina-se para a frente e estende a mão para tocar meu rosto.

— Não, filho. Não tenho motivo nenhum para subir até lá.

Ele nunca me chama de filho e nunca toca meu rosto.

— Você realmente nunca esteve no apartamento delas? — pergunto. — O apartamento das três ratinhas cegas?

— Por que você continua a me perseguir com essas perguntas? Por que essas perguntas?

— Você parece saber muito sobre essas mulheres.

Agora ele está pensando. Está usando o tempo de que necessita.

— Bem, a resposta é não. Não tenho nenhum motivo para subir até lá.

Ele está mentindo. Tenho certeza de que está mentindo. Ele está se preparando para levantar da cama.

— Então você não esteve lá em cima?

— Estive, fui até a casa de Mark para tomar uma xícara de chá depois do trabalho. Ele mora no décimo quinto andar. Então, sim, eu já estive lá em cima.

— Posso fazer mais uma pergunta importante?

— Claro que pode, filho. Você pode me perguntar qualquer droga de coisa que quiser.

— Você já fez alguma coisa indecente com elas?

Ele se levanta. Fica de pé bem ao meu lado e suas pernas estão perto das minhas. Seu rosto está vermelho e ele está ofegante. Acho que vai me bater com o cinto. Mas não sinto medo. Estou certo, e ele está errado. Sei que esteve lá em cima com aquelas mulheres. Sua mentira me contou a verdade.

Mas ele chuta a porta do quarto em vez de me chutar e fico preocupado de que vá acordar mamãe. Espero que saia porta afora, mas ele se vira para me encarar e fica parado com as mãos balançando ao lado do corpo, como se esperasse. Olho para ele e nada digo; ele abre a boca, mas não emite som nenhum. Caminha até a parede e volta duas vezes, a cabeça baixa.

— Eu desisto — declara. — Eu desisto.

E então, sem dizer mais uma palavra, sai.

Volto para a cama com minha mãe, aproximo-me de seu corpo e deito ao lado dela. Embora queira permanecer assim, e adormecer com meu peito contra suas costas quentes, afasto-me para meu lado da cama de casal e é onde durmo.

À noite, em vez de assistir televisão depois da escola, saio. Todas as noites, durante cinco noites, digo a minha mãe que vou descer ao subsolo para a aula de violão.

Em vez de ir para o subsolo, subo ao andar de cima, onde moram as três ratinhas cegas. Faço hora perto da porta do apartamento delas, ando de um lado para o outro no corredor até depois das nove. Quando meu pai sair, vou pegá-lo.

Mas ele não sai e não consigo ouvi-lo atrás da porta. Às dez, torno a descer as escadas rumo ao nosso apartamento.

Na quinta noite, decido esperar ao pé das escadas, na varanda do décimo segundo andar. Sento no primeiro degrau e olho para cima. E, quando o vejo, mal posso acreditar. Ele está descendo as escadas, vindo do décimo terceiro andar, carregando a pasta preta que leva para o trabalho, vestindo seu feio macacão azul.

— Oi — diz ele quando me vê, como se não houvesse absolutamente nada de errado no mundo.

Agarro o corrimão e ergo os olhos na direção dele.

— Onde você esteve?

— Não que seja da sua conta — responde ele —, mas passei no apartamento de Mark para tomar uma xícara de chá.

— Não, não passou. Vi você descer do décimo terceiro andar.

Ele me empurra ao passar e seu pé golpeia meu joelho.

— O seu problema é que você vê o que quer ver.

Antes de entrar em casa, espero até que ele tenha chegado há algum tempo. Alcanço o banheiro bem a tempo, e vomito até não sobrar nada. Fazia tempo que eu não ficava enjoado, e sua mentira deve ser das piores para provocar tal reação. Meu coração palpita de raiva quando o ouço na cozinha, conversando normal e inocentemente com minha mãe.

É hora do jantar, no dia seguinte àquele em que flagrei meu pai descendo as escadas, e ele não voltou para casa. Estou na cozinha preparando um mingau e minha mãe está sentada à mesa secando o cabelo com um secador que tem um tubo conectado a uma touca plástica. Ela liga o aparelho na tomada e o tubo enche a touca plástica de ar quente, até que esta infle como um balão em sua cabeça.

— O que você acha disso? — pergunta ela. — O que acha desse secador de cabelo antiquado?

— Acho bom — respondo. — Tem personalidade. Igual a você.

Ela ri, remove a touca plástica e pousa-a sobre os joelhos.

— Minha mãe usou esse secador uma vez para secar uma galinha. Sabia disso?

— Não.

— Ela criava galinhas e um dia uma delas caiu numa poça de lama das grandes e ela decidiu dar um banho nela. Minha mãe deu um banho na galinha, levou ela para a sala e usou essa engenhoca para secar o bicho.

— Funcionou?

— Espere aí — diz ela.

Ela volta alguns minutos mais tarde com a foto em preto e branco de uma galinha dentro do secador, com a cabeça e o bico para fora.

— Então — diz ela —, isso é mais uma coisa para você pensar. Você pode acrescentar isso ao seu parque de diversões.

— Obrigado — digo.

— Me dá um beijo — pede ela, e quando lhe dou um beijo na testa tenho a sensação de que sou seu marido.

— Mãe? Tenho uma coisa muito, muito importante para contar.

— Pare de coçar a cabeça.

— Posso contar?

— Pode.

— Vou esperar até que você esteja preparada e escutando direito.

— Conte agora. Estou ouvindo direito.

— Acho que o papai está fazendo alguma coisa suspeita com elas lá em cima.

— Pelo amor de Deus!

— Não, mãe. Escute. Acho que você deve saber. Só escute um instante.

Conto-lhe que papai entrou no quarto às três e quinze da manhã, que estava bêbado e que mentiu sobre onde havia estado. Conto-lhe que ele esteve lá em cima com elas.

— Isso é loucura — diz ela. — Quem você pensa que é?

— Estou falando a verdade.

— Desta vez não, não está. Seu pai nunca faria uma coisa dessas. Pode ter mentido a respeito de onde estava, mas de uma coisa eu tenho certeza: ele não estava lá em cima com aquelas mulheres.

— Por que você não acredita em mim? Por que não pode simplesmente escutar?

— Não estou gostando nem um pouco dessa conversa.

— Se você não acredita em mim, por que não sobe e conversa com as mulheres? Pergunte a elas se o papai esteve lá.

Ela se levanta.

— Não vou fazer uma coisa dessas. E você devia lavar a boca.

Protesto e imploro que ela acredite em mim.

Ela pousa a cabeça nas mãos.

— OK. Hoje você vai voltar para sua própria cama. Um menino sujo como você pode aguentar um pouco de mau cheiro do coletor de lixo.

— Eu não sou sujo. Sou o contrário! Eu sei a verdade!

— Você não era sujo em Gorey, mas está um tanto sujo agora.

Pego meu casaco e desço.

Tenho esperanças de dar de cara com a gangue. Agora não me importa o que aconteça, e anseio por alguma coisa que tome o lugar dos problemas e do drama que desejava, mas que não consegui com minha mãe. Mas não encontro a gangue, portanto vou sozinho ao novo complexo residencial e passeio ao redor das trincheiras de concreto. Há uma pequena galocha vermelha presa em uma das lajes de cimento recém-assentadas.

Quando chego em casa, meu pai está à mesa da cozinha com minha mãe, comendo carne em conserva, cenouras e purê de batata.

— O seu está lá — diz minha mãe.

Meu prato mantém-se aquecido sobre uma caçarola cheia de água quente.

— Por onde você andou? — pergunta meu pai.

— Só fui até o subsolo para ver se tinha alguma atividade.

— E tinha? — pergunta minha mãe.

— Só pintura e criancinhas fazendo coisas como cobras de caixas de ovos.

— Engraçado — diz meu pai. — Estive lá embaixo não faz muito tempo e estava fechado para limpeza. Tem uma placa na porta dizendo isso.

Fui pego, mas ele permite que eu me safe.

— De qualquer maneira, você está um pouco velho para fazer cobras — diz sorrindo e me dando um tapinha na mão.

— Acho que estou.

— Lembra, Michael — diz minha mãe —, como John adorava livros para colorir? Ah, e os bonecos de feltro. Lembra como ele adorava aquilo?

— Eu não adorava os bonecos de feltro — digo. — Eu odiava.

Eles riem.

— Eu sei do que gostava e do que não gostava. Vocês devem estar me confundindo com outra pessoa.

Eles ainda estão rindo e minha mãe tenta me alegrar fazendo cócegas em meu sovaco.

— Não! — peço.

Depois do que lhe contei, não compreendo seu bom humor.

Saio assim que limpo meu prato e vou para a sala ver televisão. Deixo o volume baixo para continuar a ouvi-los conversar.

Eles conversam sobre o aquecimento central, sobre o fato de o apartamento ser quente demais, sobre a geladeira estar sempre cheirando mal, sobre o preço do combustível, se o petróleo algum dia vai acabar, sobre o tamanho de Phoenix Park e se é o maior parque urbano do mundo.

Sei que é.

— O que vamos ter de sobremesa? — grito.

— Amendoim! — grita meu pai e ambos riem.

Volto à cozinha.

— Tenho que ir ao dentista de novo na semana que vem — anuncio. — Estou com outro dente doendo.

Quero a compaixão dele. Mas não a obterei.

— Jesus — diz meu pai —, você deve ser a única criança na face da terra que se oferece para ir ao dentista.

— Não me interessa — retruco. — Eu gosto do dentista.

— Acho que ele gosta do doutor O'Connor porque o homem usa um terno elegante e fala muito bem — diz minha mãe. — Parece um advogado que orienta sobre dentes.

Eles riem da brincadeira espirituosa de minha mãe e finjo rir também. Nunca serei uma pessoa excluída das coisas.

— É — digo. — Um advogado que dá orientação a respeito de dentes e faz vocês pagarem os olhos da cara.

Meu pai força um sorriso e estende a mão para que eu a aperte. Estendo a mão e nos cumprimentamos por um bom tempo. É estranho, e eu não havia percebido antes, mas sua pele é macia como a de minha mãe.

Vou para o quarto com seu cheiro de lixo e me deito na cama. De bruços, de lado, de costas, o cheiro não desaparece. Sinto uma náusea dolorosa no estômago quando penso em Brendan; sinto saudade dele e não consigo deixar de imaginá-lo com Kate, os dois rindo juntos, rindo de mim; deito de costas e é o mesmo pensamento indefinidamente... no escuro e na tristeza e deprimido e de costas... no escuro e na tristeza e deprimido e de costas.

Viro de bruços e meu pai bate na porta. Digo-lhe que entre e ele se esgueira para dentro na ponta dos pés como se fosse um gatuno. Fecha silenciosamente a porta atrás de si e senta na beirada da cama.

Fecho meu livro escolar e sento de pernas cruzadas.

Ele senta ao meu lado, as pernas fora da cama.

— Ei, cara-de-peixe — diz. — Faz tempo que nós não temos uma boa conversa. Como vai você?

— O quê? — pergunto. — Mas nós conversamos no meio da noite.

— Bem, me desculpe por aquilo. Eu tinha tomado uns drinques e você sabe como eu sou. Não sei beber muito bem. Lamento ter te acordado. Eu não devia ter feito isso.

— Está tudo bem.

— Dessa vez lembrei do seu presente.

Não vejo nenhum sinal de presente.

— Mas quando eu te der o presente quero que me perdoe por ter esquecido tantas vezes seus presentes no passado. Você vai fazer isso? Agora que lembrei, vai me perdoar?

É tarde demais, penso, mas me dê o presente e deixe-me ver se é bom.

— OK — respondo.

Ele retira um enorme par de meias marrons de uma sacola de papel.

— Bem, filho, aqui está! Comprei para você um famoso par de meias, e você pode fazer com elas um fantoche ou o que quiser.

Ele abre um amplo sorriso e parece muito satisfeito.

Seguro as meias marrons. Elas são enormes, têm vários orifícios tanto nos dedos do pé esquerdo quanto nos do direito, e um imenso buraco no calcanhar esquerdo; são finas, quase transparentes em certas partes do pé.

— Não estou entendendo.

Ele fala devagar:

— Essas meias pertenceram ao homem mais alto que já existiu. Esse par de meias foi usado pelo homem mais alto do mundo.

Estou surpreso. Minha boca se abre e meus olhos se enchem de lágrimas.

— Robert Pershing Wadlow? Elas pertenceram a Robert Pershing Wadlow?

— Isso, eram dele. Têm quarenta e sete centímetros de comprimento — responde meu pai. — Ele as usou no último ano de vida. Estavam entre seus últimos pertences e foram guardadas por seu pai.

Sento-me ereto, feliz, impressionado, mas principalmente feliz. Ergo as meias e as examino. O pé de uma delas tem quase o comprimento de meu braço, do cotovelo até o dedo indicador. A meia inteira é do tamanho de meu braço.

— Que tal? — pergunta meu pai. — Elas são muito velhas, por isso estão um pouco ásperas e usadas. Mas isso só serve para mostrar que são autênticas.

Minha felicidade se estilhaça. Eu não havia percebido antes. Estava ocupado demais com meu entusiasmo. Mas agora percebo: ele está mentindo.

Estou demasiado triste para testá-lo. Não consigo acreditar que tornou a mentir. Quero ir para a cama, entrar debaixo das cobertas, dormir, e quero que ele vá embora.

— É — digo, forçando um sorriso. — Que presente maravilhoso!

— Não foi fácil de conseguir, mas, como eu disse, os buracos e o aspecto envelhecido mostram que elas são genuínas.

Tenho uma escolha, chorar ou pensar. Vou pensar.

Em geral o mentiroso respalda suas mentiras com expressões como "Palavra de escoteiro", "Juro pela minha vida", "Juro pela minha mãe mortinha". O fato de meu pai dizer que o mau estado das meias serve para provar que são autênticas é um exemplo do que alguns livros chamam de "juramento revelador".

— Como você conseguiu essas meias? — pergunto.

— Procurei durante meses. E finalmente encontrei um sujeito no trabalho, que conhecia outro sujeito nos Estados Unidos, que tinha comprado as meias em Illinois há alguns anos, em um leilão.

Meu pai mentiu não uma, mas várias vezes em rápida sucessão, como alguém que tem pimenta nas narinas e espirra incontrolavelmente.

Estou furioso e envergonhado.

— Elas devem ter sido muito caras — comento.

— Sim e não. Eu queria comprar os sapatos dele. Mas eles teriam me deixado quebrado por duas vidas.

— Prefiro as meias — digo. — Obrigado.

— Não há de quê, meu único filho.

Vou precisar tomar mais cuidado dessa vez para não "contaminar a cena" porque o detector de mentiras não deve criar um ambiente que torne o mentiroso mais propenso a apresentar sinais de estresse. Os sinais de estresse podem ser confundidos com os sinais da mentira. O detector de mentiras deve ser imparcial e paciente.

Não devo lhe dar nenhuma dica de que sei que está mentindo. Vou deixar em paz as meias falsas e dirigir a atenção para alguma coisa diferente. Largo as meias.

— Estou contente que você tenha ficado feliz — diz ele. — Agora vou te deixar com seu dever de casa. Tudo bem?

Sento com travesseiros atrás da cabeça.

— Espera, pai. Quero perguntar uma coisa, é para a escola.

— Vá em frente.

— Você foi o melhor da turma no seu Leaving? Na semana que vem vamos fazer um teste de QI na escola e o professor disse que seria útil saber o QI de nossos pais.

— Fui — responde ele —, derrubei meus adversários tão rápido que não desloquei um grão de poeira na arena. Exatamente como Milo de Crotona, fui o vencedor sem pó. — Sorrio para mantê-lo confiante.

— Mas qual é o seu QI? Que QI você precisava ter para ser aceito na Mensa?

— Você sabe. Você estava lá quando recebi a notícia.

Ele esfrega a perna, do mesmo modo que esfregou a perna quando mentiu a respeito de meu cartão de Páscoa.

— Fale de novo. Eu esqueci e quero muito saber.

— Cento e quarenta e cinco — anuncia ele, a voz áspera e desagradável. — Em todo caso, mais de cento e quarenta. E para ser aceito na Mensa bastam cento e trinta e três.

Ele sequer tem inteligência bastante para ficar calado; para perceber que estou armando uma cilada. Será que não percebe o que posso fazer?

— Faz muito tempo desde que fiz o exame — acrescenta ele —, pode ser que seja hora de testar novamente. — Trata-se do mentiroso esclarecendo e emendando, até que a farsa seja óbvia.

Mal consigo acreditar no quanto ele mente mal. Não compreendo, de forma alguma, como pode esperar se dar bem e por que não consegue se conter. Não o entendo. Ele deve achar que sou idiota.

Estar no quarto com ele é como estar sozinho, como estar completamente sozinho, mas não tão tranquilo.

— Obrigado, pai. Vou pegar um pouco de leite.

Levanto da cama e ele me segue pelo corredor, do jeito que Crito costumava fazer.

— Está tudo bem, filho — diz, me dando um tapinha no ombro, mas seu rosto parece cansado e triste.

Sinto medo que ele diga que me ama.

31.

Quando não vejo minha mãe na escola no dia seguinte, sei que algo terrível aconteceu. Ela normalmente passa pela janela de minha sala de aula às dez e meia com as outras mães, carregando as caixas de leite e os sanduíches de geleia, e normalmente aceno de minha carteira.

Bebo o leite e desembrulho meu sanduíche de geleia, mas não como. Decido que vou para casa ver o que aconteceu.

Durante a aula de matemática, sequer me dou o trabalho de erguer a mão; vou direto para a frente da sala e digo:

— Senhorita? Estou me sentindo muito mal e preciso ir para casa.

Saio da sala antes que a professora consiga responder. Infelizmente, ela me alcança justo quando estou prestes a deixar o prédio principal.

— John Egan! — ela chama, com sua voz grave, masculina. — Você não pode simplesmente sair da escola desse jeito. Volte imediatamente e vá consultar a enfermeira.

Viro de costas para ela e me inclino, como se estivesse morrendo de dor, enfio o dedo indicador na garganta e produzo um reflexo forte o bastante para vomitar.

Surpreendo-me ao ver quanto pão há no que sai de meu esôfago, já que tudo que comi no café da manhã foi uma tigela de cereal.

— Preciso ir — grito e me afasto correndo, o mais rápido que minhas pernas me levam.

— Deus te ama! — ela grita atrás de mim, subitamente cheia de compaixão.

Quando chego em casa, a porta está escancarada e minha mãe está sentada no chão do corredor. O telefone foi puxado da mesa do corredor e jaz próximo a suas pernas no chão, o fone fora do gancho.

Ela está de camisola — a que tem os enormes furos na axila e no cotovelo — e seu cabelo está despenteado. Ela ergue os olhos na minha direção quando me aproximo, mas não diz nada.

Tenho a sensação de que meu rosto está muito frio.

— Bem — diz ela por fim, sem me olhar —, você disse a verdade e agora não tem pai.

Fico paralisado; o sangue escoou de minha cabeça e está latejando em meus braços. Meus braços formigam dos ombros até a ponta dos dedos. Esse sangue pulsando me apavora; é como se meus braços pudessem se soltar e cair no chão.

— Então, você não vai falar agora? — pergunta minha mãe, o rosto transtornado. — O gato finalmente comeu sua língua?

Estou assustado e quero dar um fim nisso. Quero sentar no chão e fazer alguma coisa para confortá-la. Engulo e tento umedecer a boca seca, de modo a conseguir falar.

— O que aconteceu? — pergunto. — Onde está papai?

Ela limpa o nariz com a manga da camisola.

— Liguei para ele no trabalho.

Ela conta que ligou para a fábrica e que o supervisor declarou que só podia entrar em contato com alguém no andar da fábrica em caso de emergência. Ela precisou dizer que era uma emergência.

— Que tipo de emergência você disse que era? — pergunto. — O que você disse?

— Não interessa que tipo de emergência. Tive que me humilhar e inventar alguma coisa e então ouvir o supervisor chamar seu pai no alto-falante, "Michael Egan. Michael Egan. Venha até o escritório para atender um telefonema urgente". Então seu pai veio até o telefone, ofegando e bufando, e falei o que você me contou ontem, e sabe o que ele disse?

— Não.

Não quero que ela fique no chão desse jeito. Quero que ela se levante. Ela não deveria estar no chão vestindo sua camisola rasgada.

— Ele disse: "Bem, faça o que o garoto está dizendo então, se acredita nele. Vá você mesma perguntar a elas". E depois desligou na minha cara.

— E daí? — pergunto.

Ela bate com o punho no chão e isso produz um som abafado por causa do carpete.

— E então, eu fui até lá em cima. Fui até lá em cima de camisola. Senti cheiro de bebida quando as mulheres atenderam à porta. E perguntei sobre seu pai, e sabe o que uma disse?

— Não.

— Ela riu e disse: "Ele é uma boa trepada, aquele cara!".

Quase caio. Não consigo me concentrar. Ela não deveria me dizer isso. Ela não deveria dizer isso. Estendo a mão para a porta atrás de mim, para me afastar de sua voz chorosa, furiosa, terrível. Tenho medo do que ela vai dizer a seguir.

— Vou voltar para a escola — anuncio.

— Você não vai voltar para a escola! Vou esfregar seu nariz nisso. Vá arrumar as coisas de seu pai. Ele vai chegar às três para buscar a mala dele.

— Por quê?

— Por quê?

Ficamos em silêncio. O choro do bebê no apartamento vizinho parece se tornar mais alto e mais apavorado. Olho para o telefone perto de minha mãe e quero que toque. Quero que a mulher no andar de cima diga que estava apenas brincando. Quero que isso acabe. Quero estar certo e quero estar errado.

— Por quê? — pergunto novamente. — Por que tenho que arrumar a mala dele?

— Porque eu pedi a ele que fosse embora. Você queria que eu acreditasse em você, e agora acredito. Você devia estar contente. Agora que conseguiu o que queria.

Preciso ir ao banheiro.

— Mas eu só queria que a verdade viesse à tona.

— E o que você achou que ia acontecer quando a verdade viesse à tona?

— Não sei — respondo, desejando que estivéssemos sentados na cozinha, conversando normalmente, em vez de fazer isso no corredor.

— Você não sabe? — pergunta ela. — Você não sabe?

— Sinto muito.

— Você sente muito?

Tornamos a ficar em silêncio e alguém lá fora chuta uma lata vazia por toda a extensão do corredor.

— Vá fazer a mala do seu pai e a sua, se for o que você tiver vontade de fazer.

Ela se levanta do chão, entra no quarto e fecha a porta atrás de si.

* * *

Vou ao banheiro e depois fico andando pelo apartamento por alguns minutos. A foto de casamento sobre o guarda-louça foi removida e em seu lugar há uma caixa de lenços de papel. Ainda tenho meio que a sensação de que, se quisesse, poderia fazer tudo voltar ao que era antes; poderia fazer as coisas voltarem atrás. Penso em ligar para minha avó e perguntar se ela pode vir morar conosco durante algum tempo, se reconciliar com meu pai, ou nos deixar voltar para Gorey.

No caminho, poderíamos parar em um parque de diversões ou no circo Duffy. E talvez haja um trem a vapor em miniatura, passeios de pônei, gente vestida de animal. Eu não ia querer ir embora.

Nós quatro poderíamos parar em um circo para comer algodão-doce, ver os domadores de leões e equilibristas, e eu sentaria entre meu pai e minha avó. Quando eles pusessem as mãos no meu colo, eu faria que se dessem as mãos.

Vou até o telefone e disco o número de minha avó em Gorey. Ninguém atende. Cubro os olhos com as mãos e me inclino sobre a pia. Quando me sinto mais calmo, saio para o corredor, permaneço diante da porta do quarto de minha mãe e pergunto-me se ela deseja que eu vá embora com meu pai. Vou para meu quarto, sento na cama e bato em minhas pernas com os punhos cerrados, de modo a ter hematomas amanhã.

A caixa de maçã para os shows de marionetes desapareceu. Corro para a cozinha para ver se está na lata de lixo e ei-la, e sobre a mesa da cozinha há um bilhete de minha mãe para meu pai, em papel de correio aéreo:

Michael,

Pegue as coisas que lhe pertencem e vá embora. E quando

tiver um lugar para ficar certifique-se de dizer ao seu filho onde você está.

Helen

Pego o bilhete e volto para meu quarto. O choro do bebê no apartamento vizinho está mais alto. Enfio os dedos nos ouvidos e deito de bruços na cama. Quero ir embora, mas também quero ficar. Quero estar em dois lugares; aqui com minha mãe e longe com meu pai, e quero viajar com ele, para onde quer que vá. Talvez pudéssemos voltar para Gorey juntos e eu tornaria a ver o sr. Roche.

Fecho os olhos e imagino que estou morando com meu pai no hotel perto dos portões de Phoenix Park, o hotel perto do zoológico. Ou poderíamos ficar juntos em um hotel elegante, como o Shelbourne; um hotel com porteiro de fraque; eu desceria e lhe faria perguntas sempre que precisasse. Pediríamos o jantar ao serviço de quarto e comeríamos com o prato no colo, em cima da imensa cama em nosso quarto de hotel, tomaríamos o café da manhã trazido em um carrinho, desceríamos à noite e nos sentaríamos no bar para comer batatas fritas, tomar limonada vermelha e assistir à imensa televisão.

Mas não é ele o vilão? Não é ele a causa do problema? É, esse problema é culpa do meu pai e não irei com ele. Vou ficar bem aqui, onde estou, com minha mãe. Não é ela a culpada. Ele deveria nos deixar em paz e não nos causar mais problemas.

Às três horas, meu pai volta para casa. Ouço-o antes que ele abra a porta da frente, conversando com alguém do lado de fora. Eu me levanto e saio para encontrá-lo. Ele está com tio Jack e tio Tony, e todos estão de macacão azul. Não gosto de ver meu pai vestindo macacão; gosto mais quando está usando o paletó de seu terno preto e camisa branca. Sem o paletó, parte de sua personalidade se perde porque ele não pode abotoar seus botões errado de propósito e não pode usar uma manga dobrada e a outra abaixada.

— Você está aqui — diz ele. — Não devia estar na escola?

— Fiquei doente — respondo. — Voltei para casa cedo.

— Ele está sempre doente, não está? — pergunta tio Jack a tio Tony, como se eu fosse um cachorro que precisasse ser sacrificado.

— Eu não estou sempre doente — digo.

Meu pai nos deixa e vai para o quarto. Tio Jack se aproxima de mim e me abraça. Olho por sobre seu ombro para tio Tony, que está recolocando o telefone na mesinha do corredor.

— Vamos para a cozinha preparar um chá bem gostoso e bem forte — diz tio Jack.

— Tudo bem — digo.

Sento-me à mesa da cozinha. Quando tio Jack termina de fazer o chá, aproxima-se e fica de pé ao meu lado. Pousa as mãos em meus ombros e baixa os olhos na minha direção. Detesto quando as pessoas se impõem desse jeito. Ele poderia muito bem ter sentado ao meu lado.

— Me deixe! — digo.

— Vá devagar — diz tio Tony. — Ele só está tentando ajudar.

— Não preciso de ajuda. Eu sei o que está acontecendo. Fui eu que contei a verdade à mamãe.

Eles se entreolham. Sabem de minha participação nisso tudo. Devem ter conhecimento do meu dom para detecção de mentiras.

— Bem — diz tio Jack, acomodando-se na cadeira habitual de minha mãe —, então você não vai precisar que nós o coloquemos a par dos fatos da vida.

— Não — digo. — Eu sei de tudo.

— E deduzo que você vá ficar aqui — diz tio Tony enquanto procura no armário alguma coisa para comer.

— Vou. Mas posso mudar de ideia e ir com papai se sentir vontade.

— Claro que pode — diz tio Jack.

— Tem algum biscoito neste estabelecimento? — pergunta tio Tony.

A porta da frente bate. Minha mãe se foi.

Meu pai entra na cozinha quando está quase escuro. Ninguém acendeu a luz. Ele parece velho e triste, a boca caída, os olhos pequenos.

— Certo, então — diz. — Está na hora de cair fora.

— Então é melhor encerrar essa festa — declara tio Tony.

Meu pai sorri e debruça-se na minha direção. Me dá um beijo no rosto e sussurra:

— Está tudo bem.

Seu hálito está podre. Retribuo o sorriso, mas quero que ele fique longe de mim. Nunca senti hálito tão podre. E se for essa a última vez que o beijo? E se for essa a última vez que o vejo, e minha última lembrança é a de seu hálito podre?

— Onde você vai morar? — pergunto.

— Com tio Tony, e vai ter uma cama extra para você sempre que quiser fazer uma visita. Então, vamos deixar de sentimentalismos na despedida porque na verdade não estamos nos despedindo, e simplesmente...

— Simplesmente o quê? — pergunto. — Você está querendo dizer que não vai se despedir e em vez disso simplesmente vai embora?

Meu pai recua e me olha de cima a baixo.

— Que mistura estranha você é, de garotinho e de rapaz crescido. Com qual deles estou falando agora?

Baixo a cabeça e fico constrangido por me sentir constrangido e querer que ele saia.

— Qual vai ser o número do seu telefone, então? — pergunto com a voz mais dura que tenho.

— Vai ser o mesmo que o meu — responde tio Tony.

— Ah, é — digo.

— Bem, então...

— Certo, então....

— Tchau, John.

Eles partem.

Vou para meu quarto, entro debaixo das cobertas e é aí que espero até ouvir minha mãe voltar para casa. Ela vai direto para seu quarto.

Preparo um bule de chá fresco e o levo para ela.

Ela está sentada na cama com o rádio ligado, o volume alto.

— Ele foi embora? — pergunta, mesmo sabendo que ele partiu.

— Foi.

— Bem, e agora?

— Não sei — respondo.

— Não acredito que seu pai tenha te dado algum dinheiro.

Ela parece-me ter dito "o puto" e não "seu pai", de modo que fico confuso e não respondo de imediato.

— E então, ele deu?

— Deu. Ele me deu uma nota de dez libras e tio Jack e tio Tony me deram mais cinco cada um. E vovó pode mandar algum dinheiro, não pode? Para a gente não ficar pobre.

— Ficar pobre é a menor das nossas preocupações.

— Então isso é bom, não é?

Ela dá de ombros e sorri debilmente.

— Você pode ir até a lanchonete comprar alguma coisa? Eu não vou cozinhar.

— Tudo bem. O que você quer?

— Simplesmente vá. E quando tiver tomado seu chá, faça o seu dever.

De manhã, minha mãe liga para o diretor da escola e diz que estou com febre e que não irei à aula por alguns dias.

— Fique aqui, por favor, mas não faça muito barulho. Vou dormir um pouco — diz ela.

— Mas você acabou de acordar.

— Fiquei acordada a noite toda.

Sigo-a até o quarto e fico parado perto dela, ao lado da cama.

— Sabia que se não dormir onze dias seguidos você morre? — pergunto.

— Sabia — responde ela. — Não dormir mata mais rápido do que não comer. A maioria dos seres humanos dura doze semanas sem comida.

Ela parece outra pessoa, a voz inexpressiva, o rosto enrugado ao redor da boca.

— Quantos dias sem água? — pergunto.

— Não sei. — Ela tira o roupão e fecha os olhos. Sua cabeça cai e seus dentes rangem.

— Você quase pegou no sono agora há pouco. De pé!

— Então vou me deitar.

— Talvez eu deva dormir aqui com você outra vez, e isso vai te ajudar a dormir.

— Acho que seria melhor eu ficar sozinha na cama.

— Você vai deixar o papai voltar se ele pedir desculpas?

— Estou cansada demais para conversar sobre isso agora e você já sabe demais.

— Mas você não pode me dizer o que vai acontecer?

— Já chega, John. Por favor, me deixe em paz. Agora vou tentar dormir.

32.

Estamos no meio da noite e minha mãe vem até a porta do meu quarto. Esta é a quarta noite seguida que ela vem até minha porta e toda vez diz mais ou menos a mesma coisa.

— Eu não pretendia te acordar. Só vim ver como você estava. Só vim ver se você também estava tendo problemas para dormir.

— Eu estava dormindo a sono solto.

— Desculpe. Volte a dormir, então.

Nas duas primeiras noites me levantei, fui com ela para a cozinha e preparamos leite quente; na terceira noite jogamos gamão por cerca de uma hora, até ela dizer que estava com bastante sono e voltar para a cama.

Mas esta noite é diferente. Ela acende a luz e se apoia no portal, como se não conseguisse ficar de pé.

— Mamãe, qual é o problema?

— Ah, é só o aborrecimento. Estou sentindo falta de Michael.

— Quer que eu vá dormir na sua cama? — pergunto.

— Se você quiser — responde ela.

— OK — digo.

Saio da cama e vou com ela até o quarto. Gosto do cheiro de suas roupas de cama agora que meu pai se foi. Cheiram a terra depois da chuva.

— Vou deixar a luz acesa por um tempo e ler meu livro. Isso vai te incomodar?

— Não — respondo e volto rapidamente a dormir.

De manhã, ela não me acorda, e quando entro na cozinha às nove e meia lá está ela, sentada à mesa, com uma carta na mão.

— É da sua avó — anuncia. — O seu pai voltou para Gorey.

— Quando o correio chegou?

— É de ontem.

— Por que você não leu a carta ontem?

— Não tive coragem.

— Mas é da vovó. Você devia ter aberto. É da vovó.

— Sei muito bem de quem é. Não precisa me dizer.

Ela não se zanga comigo desde o dia em que voltei da escola e a encontrei sentada no chão do corredor.

— E quem se importa com quando chegou? Li a carta agora e ela está dizendo que Michael voltou para a mamãe. E não era isso que você queria? Você não queria ver seu pai pelas costas?

Isso não faz o menor sentido para mim e começo a tremer de raiva. Se alguém deveria voltar para Gorey, seríamos nós, não ele.

— Por que ele voltou para Gorey? — pergunto. Mal consigo respirar.

— Seu pai prometeu a sua avó que vai continuar a trabalhar. Eles deram uma trégua.

— Então nós podemos voltar?

— Venha cá um minuto — pede ela. — Venha e sente.

— Não quero.

— Faça o que quiser.

Pego a carta sobre a mesa e leio.

— Mas vovó está dizendo que quer nos ver. Isso não quer dizer que também vamos voltar?

— Não sei.

— Mas o que ela está querendo dizer?

— Por que não telefona para ela e descobre? Depois quero que você vá para a escola.

— Mas vou chegar muito atrasado.

— Você só vai chegar um pouco atrasado.

Minha avó leva um bom tempo para atender o telefone.

— Alô, aqui é a senhora Egan — anuncia.

— Alô, vovó? Sou eu, John.

— Alô, John. Como vai?

— Estou ótimo.

— E sua mãe? Como vai ela?

— Ela está ótima também.

— Isso é excelente.

— Como vai Crito?

Tenho uma imagem mental de Crito sentada em minha cama, olhando para as árvores na janela e mordendo a pata, o nariz fungando.

— Crito está ótima. Está dormindo perto da lareira nesse instante, ronronando.

— Papai está aí?

— Na verdade, está. Ele chegou sábado à noite.

— Mas ele disse que ia morar com tio Tony.

— Bem, ele veio para cá, está seguro e isso é o principal.

Minha respiração está rápida e superficial; para falar sem parecer ofegante, preciso ir devagar, uma palavra de cada vez.

— Mas... ele... te... contou... o... que... fez? Contou... o... que... fez... comigo... e... com... a... mamãe?

Ela suspira.

— É melhor conversar sobre isso com seu pai.

Mal consigo falar. O mundo virou de cabeça para baixo. Quero que ela preencha o silêncio e me faça uma pergunta simples, uma pergunta como "Você está bem?", mas ela permanece calada e ouço minha respiração diante do bocal do telefone.

Percebo que ela quer se despedir. Pergunto:

— Você não sabe que fui eu que contei a verdade para a mamãe? Não sabe que consigo perceber quando as pessoas estão mentindo?

— Ora, ora. Não vamos conversar sobre isso. Isso nao é uma novela em que as pessoas soltam as coisas sempre que sentem vontade.

Ouço uma voz de homem ao fundo.

— Era papai? O que ele disse?

— É, era o seu pai. Ele só estava chamando para me avisar que o carteiro está aqui.

— Ele quer falar comigo?

— Eu vou ver. Espere um instante.

Ela chama meu pai e diz mais alguma coisa também, alguma coisa a respeito de Dublin, tudo em irlandês para que eu não entenda.

Espero e espero, mas o telefone está silencioso e fico me perguntando se ela desligou. Espero mais um pouco, e quando por fim volta ela parece sem fôlego.

— Ele me pediu para dizer que te ama.

— Ele não quer dizer oi?

— Com certeza quer, mas precisa fazer uma coisa agora.

— Ah.

— Posso contar uma história a respeito de um rato em Gorey?

— Não! — respondo. — Não quero que você me conte uma história a respeito de um rato em Gorey.

— Sei que você não está falando sério, John.

Não respondo. Mal consigo falar.

— Tchau, John.

— Espere. Você pode ver se tem carta para mim? Estou esperando uma carta do *Livro Guinness dos recordes*.

— Eu torno a ligar se houver alguma coisa. Certo?

— Você tem certeza de que não chegou nenhuma carta para mim?

— Tenho certeza.

— Tudo bem.

— Se Deus quiser, tudo vai se resolver. Agora reze por mim, como um bom menino, e reze por sua mãe e por seu pai também. E por você se sobrar tempo.

Desligo sem me despedir.

Conto a minha mãe o que minha avó falou e ela parece aborrecida, mas nada diz. Envolve a xícara de chá com uma das mãos.

— O que nós vamos fazer? — pergunto.

— Esfriou — diz ela.

— Você não se importa? Não está zangada? — pergunto.

— Não há motivo.

— Agora eu vou para a escola — anuncio.

Mas não vou para escola. Abro e fecho a porta da frente, então me encaminho ao meu quarto em silêncio e sento na cama. Meia hora depois, minha mãe entra de sopetão no quarto, sem bater.

— Pensei que você tivesse ido para a escola — diz.

— Eu fui — explico. — Mas eles iam fazer uma excursão e eu não tinha autorização sua, então a professora me mandou para casa.

Ela franze a testa.

— Você é um péssimo mentiroso para alguém que se diz um detector de mentiras.

Fico irritado novamente. Meu pescoço dói e incha. É difícil respirar. Mexo os pés, enfio as mãos nos bolsos e a encaro.

— Eu vou amanhã — digo.

— Amanhã. Amanhã é o primeiro dia do resto da sua vida.

Será que ela está tentando me provocar com outra daquelas frases feitas idiotas?

— Talvez eu assista tevê agora — digo.

— Talvez eu vá para cama — diz ela.

— De novo?

— Não dormi nada ontem à noite. Estou muito cansada.

— Por que você não está conseguindo dormir?

— Não sei.

Afasto-me e sento no sofá. Em vez de ligar a televisão, me inclino para a frente, pouso a cabeça sobre os joelhos e faço os joelhos saltarem para cima e para baixo. Eu queria tanto tê-la de volta! Quero que ela seja do jeito que era antes. Ela não pode continuar chata e estúpida como está agora. Esse problema precisa ser resolvido antes que seja tarde demais.

33.

Há uma comédia na televisão, mas não consigo me divertir. Meu humor assemelha-se ao da noite com Brendan no galpão do zelador; agora, como na ocasião, não há escapatória, e, como não há maneira de me distrair e estou só, é como se estivesse agigantado e reparasse em tudo. Estou demasiado vivo; há excesso de mim, tudo fora de controle.

Ouço batidas na porta e me levanto para abri-la, mas não há ninguém lá fora.

Achei que pudesse ser ele. Faria sentido ele voltar agora.

Sento no chão, perto da tela da tevê, mas as más recordações surgem. São recordações muito estranhas, coisas que eu pensava ter esquecido. Lembro da vez em que estava no banheiro na casa de Brendan. Fiquei um bom tempo lá dentro porque estava com prisão de ventre. Brendan estava do lado de fora, esperando. Eu podia ouvi-lo arrastando os pés e suspirando. Por fim, ele disse:

— Anda logo.

E respondi:

— Estou fazendo um cocozão.

Não sei por que disse que estava fazendo um cocozão. Tive de permanecer no banheiro como um prisioneiro até meu rosto deixar de ficar vermelho. Eu não conseguia ver graça naquilo, mas ele não parava de rir e correu pela casa contando às irmãs o que eu havia dito. Mexeu comigo por causa disso o dia inteiro.

Lembro e fico vermelho, embora não haja ninguém na sala. É como se meu cérebro houvesse decidido passar seu próprio filme sombrio em alto e bom som; um filme de maus pensamentos, de más lembranças. Cada pensamento é pior do que o anterior e nada vai impedir que o filme continue a passar.

Ouço a campainha da porta e vou atender.

Não há ninguém.

Grito:

— Olá!

Será ele?

— Olá!

Volto para a sala, aumento o volume da televisão e a televisão fica altíssima, mas meu cérebro é mais forte e não consigo controlá-lo. Vou para a cozinha. Não há nada para comer, nem leite, nem pão, nem biscoito, nem cereal.

Dirijo-me ao quarto de minha mãe para pegar algumas moedas em sua bolsa e fazer compras. Abro silenciosamente a porta. Ela está acordada, sentada na cama, com as costas apoiadas na cabeceira, fitando a parede.

— Pensei que você estivesse dormindo — digo.

— Não consegui.

— Por que não?

— Já faz sete dias agora — diz ela. — Sete dias e só algumas horas de sono. Já chega. Dá para acreditar? Sua mãe está no limite.

Há lágrimas escorrendo por seu rosto, mas ela não produz ruído de choro.

— O que você quer dizer com está no limite? — Meus joelhos se dobram e quase caio.

— Eu era bonita. Mas tive meu último dia de beleza. Nem mesmo sei quando foi. Foi no mês passado ou no inverno passado? Foi no meu último aniversário ou no anterior?

Cruzo os braços para ter o que fazer. Não sei por que ela está mencionando sua aparência. Ela não é feia e não é velha.

— Meu último dia de beleza se foi, e sem aviso. E se foi para sempre.

Ela estende a mão para pegar o copo de água ao lado da cama e toma um pequeno gole. Seus lábios estão secos e há pedaços de pele descamando.

— E um dia, em breve, não vai fazer diferença para que tipo de espelho eu olhe, não vai fazer diferença a luz, se é clara ou escura, vou parecer uma velha.

— Mas você não é velha — digo. — Você nunca vai ser feia. Só que ultimamente o seu cabelo está despenteado, e um pouco grisalho.

— Venha cá um instante.

— Não — respondo. Não estou com vontade de me aproximar dela.

— Você sente falta de seu pai?

— Mais ou menos.

— Eu falei com ele hoje. Disse que o perdoo, mas ele diz que não vai voltar. Disse que nós o humilhamos. Disse que está arrasado.

— Então por que não vamos para Gorey?

— Nós não somos bem-vindos lá.

— Somos, sim.

— Não. Não somos. Nós não somos bem-vindos lá.

— Por quê?

— Porque envergonhamos o bom nome da família de seu pai, e isso nunca vai ser perdoado.

— Foi verdade. Você preferia que eu não tivesse contado? Eu estava protegendo você.

Ela ri. Uma risada estranha, como um latido ou uma tosse sombria.

— Me protegendo do quê? Sífilis? Gonorreia? — Ela torna a rir. — Olhe para você. Um menino de onze anos no corpo de um adulto, que insiste na verdade ridícula e que adquiriu o mau hábito de mentir.

Caminho até a cama e ela se endireita e puxa as cobertas até o pescoço.

— Eu não sou mentiroso. Ele é que é — digo. — Você falava que a confiança é mais importante do que qualquer coisa.

— Eu me preocupo em evitar o sofrimento sempre que posso. Acho que isso é tudo com que todos se preocupam.

— Isso é uma coisa idiota de se pensar.

— Claro que é. Mas a dor é muito mais dura do que a ignorância.

— Você é boba — digo. — Eu não sabia que você era tão boba.

— Talvez seja. Por que você não prepara um sanduíche para você?

— Não tem pão — digo e saio do quarto sem lembrar de pegar o dinheiro.

Não vou à escola no dia seguinte. Fico em casa, como um pouco de espaguete na panela e arroz-doce na lata, e assisto televisão durante a maior parte do dia. Vou até o centro comercial lá embaixo para comprar pão e chá. Levo um bule de chá e um prato de torradas para minha mãe e, quando digo que estou preocupado com o fato de ela não conseguir dormir, ela me pede que não me preocupe com ela, diz que está resfriada, muito resfriada, só isso.

— Mas você não dorme nunca. E fica cansada o tempo inteiro. Você não consegue levantar da cama? Vamos sair e fazer alguma coisa.

— O que você gostaria de fazer?

— Qualquer coisa. Quem sabe ir até a rua Grafton ou ao zoológico.

— Talvez amanhã.

— Você antes queria fazer coisas. Queria ver o mar e dar passeios de carro.

— E vou querer novamente. Só estou um pouco cansada por causa desse resfriado.

— Você nunca teve um resfriado tão forte antes. E resfriados não deveriam mudar as pessoas e fazer com que fiquem tão diferentes.

— Bem, eu estou mais velha agora.

Quero que ela pare de dizer que está velha. Quero quebrar o jarro sobre sua mesinha de cabeceira, derrubar o abajur, arrastá-la pelo braço no chão e tornar a transformá-la em quem era antes.

— E daí? — digo. — Vamos ao zoológico ou vamos pegar o trem até Dún Laoghaire. E quando voltarmos talvez esteja passando um filme.

— Quem sabe amanhã. Devo estar me sentindo melhor amanhã.

— Por que você não diz com certeza amanhã e então com certeza vai se sentir melhor?

— Certo. Com certeza amanhã. Vamos pegar o trem até o mar.

Vou dormir e pela manhã lembro do sonho que tive comigo e com minha mãe. Estamos em um transatlântico, muito felizes juntos, a caminho do Niágara para visitar o Museu Ripley.

Sentamos perto da vigia em nossa cabine no convés superior e prestamos atenção enquanto um homem de macacão verde deposita nossas malas sobre uma esteira; vemos as malas deslizarem para baixo.

Mas a esteira torna-se mais estreita e algumas malas deslizam rápido demais, vão pelos ares e caem na água. As pessoas gritam e choram, mas o homem de macacão verde ri.

— Algumas vão se perder — diz ele. — Algumas vão se perder.

Então avisto minha mala, azul, pequena, com alça de couro, e fico nervoso quando a vejo deslizar para fora da esteira. Mas em vez de cair na água e se perder para sempre a mala vem em minha direção. Atravessa a vigia e pousa suavemente no meu colo.

Fico feliz. Não sei o que aconteceu com a mala de minha mãe no sonho, mas não parece importante.

Preparo chá e levo até o quarto. Ela está acordada; sentada na cama, mais ou menos do jeito que a deixei ontem, vestindo um cardigã rosa sobre a camisola, fitando a parede.

— Serviço de quarto — digo. — Você pediu uma xícara de chá?

— Você é um doce! — diz ela. — Eu ia adorar uma xícara de chá. Por que você não senta um pouco comigo?

Ela bebe o chá e deito ao lado dela.

— O que vai acontecer se você nunca mais conseguir dormir de novo? — pergunto.

— Que Deus me ajude se isso acontecer.

— E aí, hoje nós vamos pegar o trem até o mar?

Ela põe o braço ao meu redor.

— Meu querido, acho que, no momento, as chances de que morcegos vampiros comecem a beber leite quente são maiores.

Ela ri da piada, mas não sinto vontade de rir.

— Você está dizendo não?

— Não foi o que eu disse — responde ela. — Não é um bom momento. É um péssimo momento.

Ela tem sangue-frio como meu pai. E seu cabelo não está grisalho apenas na frente, perto das têmporas e das orelhas; há mechas brancas caindo sobre seus olhos e o cabelo está gorduroso e sujo também. Sujo e grisalho.

Espero que ela termine o chá e, quando pousa a xícara sobre a mesinha de cabeceira, retiro um travesseiro de trás da cabeça e o apoio no joelho. Nada digo, ela tampouco. Ligo o rádio para abafar alguns de meus pensamentos.

— Desligue isso — diz ela e, como a maior parte do que diz, é como se pouco se importasse, como se o que acontecesse a seguir não fosse da sua conta.

Desligo o rádio, volto para a cama e seguro o travesseiro no colo.

— Você está ocupando espaço demais aí, John. Não pode ir para o outro lado da cama?

Passo para o outro lado e, sem meu peso no meio do colchão, seu corpo sobe, como um objeto leve e plástico dentro d'água. Devo ser muito mais pesado do que ela.

— Assim está melhor — diz ela enquanto pressiona as têmporas com os dedos. — Mas estou com uma dor de cabeça terrível. Se eu conseguisse dormir... Se eu conseguisse dormir, nós podíamos ser felizes novamente.

— Você agiria normalmente outra vez? Ficaria feliz outra vez?

— Não sei, mas eu daria qualquer coisa.

Espero que ela tome dois comprimidos para dormir e, quando se deita de lado, também me deito e acaricio suas costas.

— Obrigada — diz ela. — Fico mais calma com você aqui. Talvez agora eu durma.

* * *

Deixo-a e vou até a sala. Quero me acalmar, mas não sei como. Sento, em seguida torno a levantar. Estou inquieto e ando de um lado para o outro. Tento me sentar, mas não consigo. Às três, volto ao quarto para ver se ela está dormindo. Mas ela não dorme. Está sentada, brincando com a costura da camisola rasgada.

— Venha sentar aqui comigo — pede. — Estou me sentindo arrasada. Estou em pedaços.

Ela deita de costas. Subo na cama e deito ao lado dela. Ela fica em silêncio e sua respiração é fraca. Pego suas mãos relaxadas, cruzo-as sobre seu peito e olho para ela. Está imóvel e tranquila agora. Mas sei que logo estará acordada.

Subo em cima dela. Minhas pernas cavalgam-lhe o estômago e os quadris e desejo permanecer aqui e olhar para seu rosto tranquilo, mas ela se movimenta e geme.

Para impedi-la de mover-se, pego o travesseiro e cubro seu rosto, então me deito sobre ela, em cima do travesseiro e faço pressão. Quando ela para de se mover, pouso a cabeça no travesseiro. Agora estamos ambos com sono.

De repente ela chuta. Ela me chuta e seus braços voam na direção de meu rosto. Estou surpreso com sua violência, surpreso com sua força. O travesseiro abafa seus gritos e gemidos, mas eu gostaria, além disso, que o rádio estivesse ligado para abafar o ruído terrível.

Com toda a minha força, pressiono o travesseiro, seguro seus braços e luto contra seus chutes. Quando ela por fim para de lutar, saio de cima de seu corpo e olho para ela: está mais calma novamente; está mais bonita.

Levanto da cama. Está terminado.

Mas meus pés estão frios. Por que eles estão tão frios? Preciso de meias. Alguma coisa que os mantenha aquecidos. Por que eles estão tão frios? O que há de errado com meus pés? Vou até a gaveta para procurar meias. Preciso pensar no que farei a seguir, mas meus pés estão muito frios. Procuro meias quentes nas gavetas. Não consigo pensar.

Ouço uma pancada, um ruído de raspagem, um som fraco, porém constante, alguém lá fora esfregando uma moeda ao longo da parede? Fico imóvel e agora percebo, mais alto e claro, que o som vem do quarto. Fecho a gaveta e, enquanto me endireito para levantar, me dou conta de que ela está tossindo.

Viro-me para encará-la. Seus olhos estão abertos e suas mãos, no pescoço. Observo-a com atenção até que pare de chiar. Observo-a com atenção até que ela olhe para mim.

— Mamãe?

Ela se levanta, passa os pés pela borda da cama e fica de pé, os braços estendidos, as mãos para o alto como se quisesse me impedir de avançar na direção dela.

— Você tentou me sufocar? — A voz é indiferente, calma. — Foi isso que tentou fazer?

— Não, mãe. Você só foi dormir. Você teve um pesadelo.

Ela não olha para mim, pega o roupão nas costas da cadeira e sai; rumo ao corredor.

Vou atrás dela.

— Suma da minha frente — diz.

Ela vai para a sala e vou atrás.

— Fique longe de mim — ela estende as mãos diante dos seios.

— Mas por quê? Qual é o problema?

Aproximo-me dela, mas ela recua e se agacha a um canto.

— Ave-Maria, cheia de graça, o Senhor é convosco, bendita sois vós entre as mulheres, bendito é o fruto de vosso ventre, Jesus.

— Por que você está rezando?

— Porque meu filho tentou sufocar a mãe. Ah, meu Deus. Sufocar a mãe! Sufocar a própria mãe!

— Você disse que queria dormir.

— Eu não disse que queria morrer. Você podia ter me matado.

— Mas você não morreu. Eu amo você, mãe. Você não vai parar de chorar?

Eu me aproximo e ela recua.

— Mas eu não fiz — digo. — Eu não fiz nada.

— Suma da minha frente! — ela grita.

Vou para meu quarto, deito na cama e ouço minha mãe ao telefone com a polícia.

Ela dá nosso endereço. Repete três vezes e então declara:

— Acho que meu filho tentou me matar na cama.

34.

Minha mãe entra na sala com dois guardas; um sujeito ruivo e uma mulher baixa, de nariz grande. Ambos são mais baixos do que eu e olham para mim, mas nada dizem. Quero que saiam. Dirijo-me à porta da frente e abro-a. Esta não é a casa deles e eles não deveriam parecer tão descontraídos vindo até aqui.

— A porta da frente está aberta — grito. — Podem sair agora.

Mas ninguém se mexe.

Volto para sala e observo minha mãe. Ela permanece atrás da mulher como se buscasse proteção e limpa o nariz com o lenço rosa que lhe dei no Natal passado. Ouço outra batida na porta. Minha mãe vai atender e fico sozinho com os guardas.

Ninguém diz nada e fico irritado quando a mulher olha para a foto de minha primeira comunhão sobre o console da lareira: trago o missal branco apoiado na perna e não estou preparado para a câmera.

Minha mãe está na porta da frente, chorando e contando a alguém o que aconteceu.

Entra um sujeito de pouco mais de vinte anos, com a mão no ombro de minha mãe.

— Oi — cumprimenta ele. — Você deve ser John Egan. Meu nome é Kevin McDonald. Sou assistente social.

— Certo — digo, observando minha mãe, que seca os olhos com o lenço.

Nada sinto além de cansaço e irritação por ter estranhos em minha casa.

— Vou levar você para outro cômodo um instante — explica o assistente social. Ele usa brinco e tem a tatuagem de um pássaro azul no pescoço. — Vamos para o seu quarto? — pergunta.

Ele estende a mão e pousa-a em meu braço.

— Não precisa encostar em mim — digo.

Vamos até meu quarto e ele senta de pernas cruzadas no chão.

— Sua mãe deixou isso aqui muito bonito — diz ele. — Esses apartamentos podem ser bem deprimentes.

Deito na cama, fito o teto e ouço a sirene da ambulância lá fora.

Poucos minutos depois, há outra batida na porta. Ouço a voz dos homens da ambulância e a de minha mãe, que declara:

— Agora estou ótima, obrigada.

Um dos sujeitos da ambulância diz que eles deveriam examiná-la mesmo assim, e ela declara:

— Não quero desperdiçar o tempo de vocês. Não há nenhuma necessidade de fazer uma tempestade num copo d'água.

Fico de pé e dirijo-me à porta. Quero conversar com ela.

— Você tem que ficar aqui dentro — diz o assistente social.

— Quero conversar com ela.

— Você pode conversar comigo, se quiser — diz ele.

— Os guardas não vão pegar uma declaração ou coisa parecida? — pergunto. — Eles não vão me interrogar e fazer uma gravação?

— Vão, isso vai acontecer mais tarde, mas nós podemos conversar um pouco primeiro, se você quiser.

— Eles vão tirar minhas impressões digitais?

— Não se preocupe com isso agora. Por que não conversamos um pouco? Hmmm?

— Mas e se eu te contar uma coisa, e então contar a eles coisa diferente? E aí?

— O que você me contar vai ser extraoficial.

— Isso é meio idiota. Acho que prefiro ficar calado — digo.

— Como quiser.

Poucos minutos depois, tenho a sensação de que não me importaria de falar, mas quanto mais penso a respeito do que quero dizer, menos consigo deixar as coisas claras; então fico confuso quanto ao que aconteceu, não consigo dizer nada e a coisa chega a tal ponto que me pergunto se algum dia vou tornar a falar.

A policial bate na porta. Sorri, como se de repente gostasse de mim.

— Nós terminamos de conversar com sua mãe e agora estamos prontos para você — anuncia ela. — Na cozinha.

Dirijo-me à cozinha e minha mãe espera na sala, o que é estranho. Já que vai ouvir tudo o que dissermos, ela pode muito bem vir para a cozinha e sentar conosco.

— Você quer beber alguma coisa? — pergunta o assistente social.

— Não, obrigado. De qualquer maneira, não temos nada além de água. Não temos nem leite. Não que eu esteja querendo leite. Eu só queria uma Fanta.

Eles olham para mim por um instante e ninguém diz nada.

— Quantos anos você tem, John? — pergunta a mulher nariguda.

— Onze — respondo. — Vou fazer doze em julho.

— Você parece bem mais velho — diz a policial.

— É — respondo. — Eu sei.

— Você quer contar para nós o que aconteceu?

— Ela já não contou?

Os guardas se entreolham e parecem não acreditar no que ouviram. A mulher dá de ombros e o homem balança a cabeça na direção dela, como se lhe pedisse para guardar seus gestos para si mesma.

— Já, mas você não quer contar o seu lado da história? — pergunta o sujeito.

— Existe só um lado — respondo.

— Você tentou ajudar sua mãe a dormir pondo um travesseiro em cima da cabeça dela? — pergunta a mulher.

— Tentei.

— Sim, mas como?

— Ela já não contou?

— Já, mas por que você não conta para nós? Agora nós estamos aqui.

— Eu ajudei ela com um travesseiro.

— Você queria machucar sua mãe?

— Não.

— O que você achou que ia acontecer quando pôs o travesseiro no rosto dela?

— Achei que ela fosse dormir.

— Você não achou que poderia machucá-la?

— Não.

— Mas machucou — diz o policial. — Você machucou sua mãe. Foi isso o que você fez.

— Não, não foi. Só fiz o que ela queria. Ela não estava mais agindo normalmente. Eu só fiz o que ela queria, para melhorar as coisas para ela.

— Como assim?

— Vocês não estão entendendo nada. Por que ninguém entende nada?

— Se você explicar, quem sabe vamos entender — diz o assistente social. — Por que você não explica para nós? Nos ajude a entender.

— É perda de tempo — respondo.

Eles fazem mais perguntas do gênero, mas quando me recuso a responder me deixam sozinho na cozinha e vão até a sala conversar com minha mãe.

— Helen — diz a mulher —, nós temos que levar seu filho conosco agora.

— Está bem. Levem — diz ela. — Não posso ficar aqui com esse monstro.

Monstro? Monstro? A quem ela está se referindo? Derrubo uma cadeira na cozinha e corro para a sala, mas paro perto da beirada do sofá quando o policial se move em minha direção. Cruzo os braços sobre o peito e olho para ela por cima da cabeça dele.

— Eu só fiz o que você queria — digo. — Não é minha culpa se você mudou de ideia. É? Não é minha culpa se você mudou de ideia. Você mudou, não eu.

Ela olha para a mulher.

— Podem levá-lo — diz.

— Me levar para onde?

— Você vai ver quando chegar lá — diz o policial.

O assistente social me pede para arrumar uma mala com

roupa para uma semana; alguns livros escolares, uma caneta, e alguma coisa de brincar.

— Como o quê? — pergunto. — Uma bola de futebol? O quê?

— Use a sua imaginação — responde ele.

Os guardas permanecem com minha mãe. O assistente social e eu saímos juntos do apartamento e ele nada diz até o elevador chegar. Ao entrarmos, ele pousa a mão em minhas costas. Cubro a boca por causa do cheiro de urina, mas ele parece não se importar.

— Sua mãe está muito chateada — explica —, mas disse que continua a te amar. Você tem sorte. Ela é uma boa mulher.

Olho para as pichações na parede — *os mastins são uns malditos animais* —, sorrio e finjo não ter ouvido. Mas, de alguma forma, gostaria de mostrar a pichação ao assistente social e dizer: "Essa pichação tem duplo sentido".

— Vou com você ao Juizado de Menores pela manhã — explica ele. — O juiz vai decidir o que fazer com você até a audiência.

— O que é uma audiência? É o mesmo que um julgamento?

— Talvez precisemos conversar mais quando chegarmos ao seu quarto.

— Foi você que mencionou a audiência. Eu nem sequer perguntei.

— É verdade. Fui eu que mencionei. Sinto muito.

A ambulância está estacionada lá embaixo, diante do elevador; uma das portas está aberta, a outra fechada. Está escrito LÂNCIA.

O carro do assistente social é azul e seu interior cheira a sapatos novos.

— Certo, então — diz ele. — O lugar para onde estou levando você pode parecer um pouco assustador a princípio, mas não é um lugar ruim, e todos lá vão querer cuidar de você e garantir que esteja bem. Sei que você deve estar se sentindo meio atordoado depois de tudo e talvez só mais tarde entenda o que aconteceu.

— Não sou nenhum bebê — digo. — Você não precisa conversar comigo como se eu fosse um bebê.

Ele dá de ombros e deixa um caminhão ultrapassar.

— Você tem um cigarro? — pergunto.

— No porta-luvas — responde ele.

Fuço e encontro um maço de Silk Cut.

— Tem fósforos?

— Use o isqueiro do carro — responde ele.

— Ah, é — digo.

Estou me divertindo. Eu não deveria estar me divertindo. Quero permanecer no carro; continuar rodando; quero pegar a balsa para a França ou a Inglaterra, rodar até a Suíça e pegar um trem, depois ir até o aeroporto e voar para os Estados Unidos. Continuar rodando só por diversão. Está quente no carro e há uma fita tocando.

— Imagino que isso seja jazz — digo.

— Você gosta?

— Gosto.

Ele balança a cabeça, mas nada diz, e seguimos em silêncio enquanto fumo dois cigarros, acendendo um no outro. Ao nos aproximarmos da cidade, baixo o vidro da janela e penduro a cabeça para fora, como fazem os cães. Olho para o céu escuro, para a lua com formato de unha e me sinto feliz. Quando viramos na imensa praça, perto da estátua de Parnell, observo as luzes nas janelas das grandes casas geminadas, e tenho esperança de ficar em uma delas.

— Chegamos — diz o assistente social.

Ele aponta para uma casa de quatro andares com entrada azul, grades nas janelas e uma escada de pedra que conduz ao porão. Há luzes acesas em todas as janelas e uma camisa do Manchester United pendurada em uma delas no último andar.

— Isso é um abrigo para meninos?

— É, é um abrigo para meninos. Vamos entrar e ver se eles já arrumaram a cama.

Há um quarto para mim no final do longo e escuro corredor. Alcançamos uma porta amarela, na qual se acha pendurado o número 84 em metal, e entramos. O assistente social acende a luz, que pisca um instante antes de acender. É um quarto pequeno, com um tapete amarelo redondo no meio do quarto — o mesmo amarelo da tinta na porta —, uma cama estreita baixa, no nível do chão e carros de corrida no papel de parede. A cama não parece grande o bastante para mim e, embora eu prefira dormir na horizontal, deitado de costas, provavelmente terei de dobrar as pernas durante a noite.

— Então, esse vai ser o seu quarto por alguns dias — diz o assistente social. — Deixe sua mala no armário e venha comigo até a sala de reunião.

Sento na cama arrumada. É branca, como um tablete, bem esticada, os lençóis enfiados até embaixo sob o fino colchão. Há três cobertores em uma pilha ordenada ao pé da cama, um laranja, um verde e um marrom.

— Para quê? — pergunto.

— Você vai ser entrevistado pelo diretor, só por um minuto e, de manhã, vai tornar a encontrar os policiais.

— Estou me sentindo mal — digo.

— É compreensível — diz ele enquanto abotoa a manga da camisa. — Provavelmente você está começando a perceber o que aconteceu.

— Não, não estou. Só estou me sentindo mal.

— Tudo bem, vou buscar uma aspirina, mas precisamos ir. O diretor saiu da cama especialmente para ver você e nós não queremos que ele fique acordado a noite inteira.

— OK.

Os dois guardas que foram ao nosso apartamento acham-se na sala de reuniões, acomodados em cadeiras encostadas à parede ao fundo. O assistente social puxa uma cadeira à mesa e a indica. Sento e ele desaparece, ou assim penso, até perceber que está de pé atrás de mim.

Não há nada na sala além da mesa, quatro cadeiras, um aquecedor e alguns brinquedos para crianças pequenas: argolas que se encaixam em varetas de plástico e figuras de plástico que se encaixam em orifícios de plástico. Alguém tentou forçar um triângulo em um buraco quadrado.

O diretor entra. É velho e magro, e seus cabelos pretos e grisalhos estão despenteados. Ele senta à minha frente na mesa e segura uma caneta sobre um bloco de papel.

— Boa noite, John — cumprimenta. — Sou o senhor Keating.

— Olá — respondo.

Ele me entrega uma chave e informa que pertence ao armário em meu quarto. A chave deve ser de plástico: não pesa mais do que um cubo de açúcar. Há biscoitos de chocolate sobre a mesa, mas não me apetecem. Estou faminto e saciado ao mesmo tempo, como se houvesse muito ar em meu estômago.

Então ficamos em silêncio e ele olha para mim.

— Você está coçando um bocado a cabeça — diz ele. — Você tem consciência de estar fazendo isso?

Eu não tinha, mas agora não há como esconder o sangue em meus dedos.

— Isso não dói? Não dói fazer o couro cabeludo sangrar?

— Na verdade, não. Só coço porque está comichando.

— Existem jeitos melhores de impedir a coceira.

Dou de ombros.

— Você está sentindo dor agora? No lugar onde sua cabeça está sangrando?

— Não.

Ele olha para o assistente social.

— Quer que eu pegue um lenço de papel ou um pouco de algodão?

— Não. Não tem importância.

Mais silêncio.

— Eu soube que você se considera um detector de mentiras. Soube que consegue perceber quando as pessoas estão mentindo.

— É.

— Eu mesmo sei alguma coisa a respeito desse assunto. Sabia que existem outras pessoas no mundo que conseguem fazer isso?

— Sabia. Eu li a respeito delas. — Conto-lhe um pouco do que li sobre os mágicos, como acertam entre noventa e cem por cento nos testes.

— Você sabia que a maioria dos sujeitos que detectam mentiras desenvolve cedo na vida uma hipersensibilidade à emoção? E que essa sensibilidade aumentada muitas vezes se deve a circunstâncias pouco comuns na infância?

Gosto que falem comigo como se eu fosse um adulto inteligente, mas não entendo aonde ele quer chegar.

— E daí? — pergunto.

— Bem, John, muitas pessoas que alegam possuir o dom de detectar mentiras têm mães extremamente nervosas ou pais alcoólatras, ou alguma outra força ou presença no início da vida que é, ou era, perniciosa, anormal, desagradável ou extremamente angustiante de alguma forma. Isso soa familiar, John? Você teve alguma experiência angustiante?

Ele está errado.

— Estou me sentindo mal — digo.

Quando faço menção de levantar, a cadeira cai. E isso é a última coisa que lembro de minha primeira noite no abrigo para meninos da praça Parnell.

Quando acordo, o assistente social e o diretor estão de pé ao lado da minha cama. O quarto está abafado e, embora deva ser manhã, as cortinas não foram abertas e ainda está escuro.

— Nós viemos te acordar — diz o assistente social. — Mas você acordou sozinho. Como dormiu?

— Bem — respondo. — Muito bem.

— Você perdeu o café da manhã — diz o diretor ao abrir as cortinas. — São onze horas.

Levanto-me e um inseto pousa em meu rosto e depois em meu braço. O quarto está quente e infestado de moscas. Eu nunca havia visto moscas dentro de casa. Elas não deveriam estar aqui.

— Vista-se. Vamos esperar lá fora.

Visto as mesmas roupas com que cheguei e saio para o corredor. O diretor cruza os braços sobre o peito. Faço o mesmo. Mas me sinto estúpido, descruzo os braços e apoio o ombro na porta.

— Sua mãe vem te buscar hoje à tarde. Ela veio às nove

horas e ficou esperando, mas não quis que o acordássemos. E seu pai vai chegar no trem da tarde, mas primeiro você precisa vir conosco até a sala de reuniões. Depois vai almoçar.

— Se minha mãe está aqui, por que não posso vê-la? — pergunto.

— Ela esteve aqui, mas mandamos que fosse para casa descansar um pouco. Vai voltar esta tarde. Primeiros nós precisamos organizar a papelada. Precisamos assinar seus documentos de liberação.

— Isso quer dizer que vou embora?

— Vai, mas vamos tratar desse assunto em outro lugar, não no corredor.

Eles sentam-se a um lado da mesa bamba e me sento do outro. O diretor é o único a falar. Não tenho pensamentos a respeito de nada, a não ser meu estômago nervoso.

— Sua mãe diz que não quer prestar queixa contra você. Ela não dormiu. Passou a maior parte da noite com os policiais e veio para cá de manhã.

Eu o encaro.

— Precisamos registrar sua admissão e isso deve ser feito muito formalmente, já que ontem à noite você foi incapaz de assinar qualquer coisa.

— Mas por que preciso ser admitido se estou prestes a ser liberado?

— Você sabe ler?

— É claro que sei ler.

— Então leia isso e, se concordar, assine, e então estará livre para ir para casa com sua mãe, se é que é para lá que ela quer levar você.

— De volta para casa?

— Parece que sim — diz o diretor. — E é melhor parar de esfregar o rosto. Isso abafa o que você diz e você vai acabar com *acne vulgaris*.

— *Acne vulgaris* é... — adianta-se o assistente social.

— Eu sei o que é.

O documento de liberação em frente e verso diz que fui posto "involuntariamente sob custódia do Departamento de Justiça" e que estou sendo "liberado por ordem do mesmo"; a data de hoje, alguns nomes, alguma coisa a respeito de "indenização contra danos à propriedade", e só.

Eu gostaria de guardá-lo como recordação.

— Então agora posso ir? — pergunto. — Posso voltar para casa?

O assistente social pigarreia.

— Bem, você pode ver sua mãe e vou participar da conversa de vocês na sala familiar por alguns instantes, só para ter certeza de que tudo está nos conformes.

— Ah.

Na hora do almoço, sento no refeitório com o assistente social. Há sete mesas, com cinco ou seis meninos em cada. Eles têm entre dez e dezessete anos, e fazem tanto barulho que a cada poucos minutos um homem vestindo uniforme marrom e verde aproxima-se e bate duas frigideiras uma na outra, dizendo: "Quem quer perder as orelhas agora? Quem?", mas todos riem e tornam a fazer barulho, inclusive o sujeito de uniforme marrom e verde. Nunca estive em um acampamento escolar, do tipo que os americanos têm, mas é assim que deve ser.

Meu apetite voltou, e como duas porções de purê de batata

com salsichas e dois pedaços de torta. O assistente social come um sanduíche de queijo cortado em triângulos e dá pequenas dentadas, as dentadas apressadas e acanhadas que um rato talvez desse. Parece ter medo de abrir demais a boca.

— Se fosse ficar aqui — diz ele, abaixando o sanduíche enquanto fala —, você ia comer super bem no primeiro domingo de cada mês.

— Por quê?

— Os chefs em treinamento dos grandes hotéis vêm e testam suas novas receitas. Chefs em treinamento de hotéis elegantes como o Shelbourne.

— Quero me hospedar lá um dia.

Ele ignora o comentário.

— E nas quintas à noite há um torneio de bilhar e aos sábados, dardos e tênis de mesa.

— Mas depois daqui os meninos vão para a prisão, não vão?

— Alguns vão. Alguns, não.

— Eu teria sido acusado de tentativa de assassinato se minha mãe tivesse prestado queixa?

— Muito provavelmente.

— Sou um sortudo então.

— Você é um dos garotos mais sortudos que já conheci. Tem alguma ideia do que sua vida poderia ter se tornado?

— Eu provavelmente teria ido para a prisão.

— É mais provável que passasse muito tempo em um hospital psiquiátrico para os doentes mentais criminosos.

— Crianças não vão para lá.

Ele abaixa o sanduíche.

— É verdade. Mas adolescentes vão.

Olho fixo para ele.

— Bem, então eu não teria ido para lá.

— Simplesmente se considere um garoto de sorte por ter uma mãe tão amorosa.

Não quero falar sobre minha mãe, quero vê-la. Ele não continua a comer seu sanduíche de queijo e o pão permanece na bandeja, como se houvesse saído de um desenho animado, com suas minúsculas marcas de dentes. Ele olha para mim esperando que eu diga alguma coisa e, quando não digo nada, me pede que vá para o quarto fazer as malas.

Deito na cama por algum tempo, encarando o teto, e golpeio as moscas com a Bíblia de capa mole que estava na gaveta da mesinha de cabeceira.

Às quatro horas, o assistente social entra.

— OK, eles estão te esperando.

A sala familiar é ampla, com três sofás laranja, uma televisão grande, um toca-discos e duas estantes repletas, principalmente, de revistas.

Minha mãe se levanta quando entro. Está maquiada e fez uma trança no cabelo. Ela estende os braços e penetro em seu abraço; ela me aperta e sinto o cheiro do chá com leite e açúcar que deve ter tomado enquanto esperava. Estou feliz.

— Não consegui fazer isso — diz ela.

Ela me solta e recua para olhar para mim.

— Você é meu filho, amo você e não posso ver sua vida destruída. A sua vida não vai ser destruída. A sua vida não vai ser destruída. Não por você, nem por mim. A sua vida não vai ser destruída. Está entendendo?

Sua voz soa decidida e alta.

— Estou — respondo.

Meu pai está de pé a um canto, segurando duas bexigas cheias de hélio, ambas laranja, da mesma cor que os sofás.

— E você está arrependido — diz ele sem se mexer. — Nós sabemos que está arrependido. Não está?

— Está — diz minha mãe. — Você está arrependido.

Eles se entreolham e alguma coisa parece estar resolvida. Minha mãe desmorona sobre o sofá e chora em silêncio. Permaneço de pé; o assistente social está atrás de mim, respirando pesadamente, mas nada diz.

Não quero me sentar. Quero ir embora. Olho para meu pai; é mais fácil do que olhar para minha mãe.

— Para que servem as bexigas? — pergunto.

— Para me sustentar — responde ele.

Isso deve ser uma piada, mas ele não sorri.

— Ah — digo.

— As bexigas são para as gêmeas — explica minha mãe. — Elas estão fazendo oito anos hoje. Nós vamos dar uma passada na casa de tia Evelyn para o jantar. E vamos parar no caminho para pegar o bolo. E não vamos falar sobre o que você fez. Você não vai contar que ficou trancafiado aqui. O que fez está esquecido e perdoado. Não tem outro jeito.

Sorrio, mas ela não olha para mim; olha para o chão.

— Está esquecido e perdoado — continua ela —, nós vamos esquecer, e você vai desistir dessa bobagem de detecção de mentiras. Não faz sentido estragar uma vida boa e promissora.

Olho para meu pai. Observo sua reação ao que minha mãe está dizendo. Será que ele tem um castigo reservado para mim? Seus ombros sobem e descem com a respiração e, impaciente, mas não zangado, ele desloca as bexigas de uma mão para a outra.

Olha para mim.

— Nós vamos começar de novo — anuncia. — Nós três. Vamos começar tudo de novo.

— Nós vamos voltar para Gorey?

— Vamos. Vamos embora amanhã.

— Que bom — respondo. — Eu quero voltar.

Minha mãe se levanta para sair e o assistente social se adianta e pergunta se ela está pronta para ir embora.

— Estou.

— Tem certeza?

— Tenho.

Ele abre a porta e nos conduz pelo corredor até a porta da frente. Despedimo-nos na calçada, ao lado do carro.

— Obrigado — digo. — Obrigado pela ajuda de vocês.

— Não há de quê — diz ele, enfiando as mãos nos bolsos.

— É, obrigado — diz meu pai.

O assistente social balança a cabeça e afasta-se, sem se despedir. Caminha em direção à porta da casa.

— Agora vamos — diz minha mãe. Abre a porta do carro e entramos, mas meu pai permanece ao lado do automóvel, e observa o assistente social.

— Obrigado — grita.

E, como o assistente social não ouve, meu pai torna a gritar:

— Obrigado! Até logo! — mas sua voz soa alta demais.

O assistente social vira-se e, quando vê que meu pai ainda está olhando para ele, acena; meu pai acena, a mão movendo-se rápido e por tempo demais no ar indiferente.

35.

Rumamos para a casa de tia Evelyn para a festa de aniversário e minha mãe e meu pai conversam sobre o tráfego e o tempo. Mas, quando baixo o vidro da janela e ponho a cabeça para fora, meu pai vira-se e grita:

— Que diabos você pensa que está fazendo?

Não discuto. Peço desculpas, ergo o vidro e recosto, calmamente, em meu assento.

Na cozinha da casa de tia Evelyn, minha mãe ajuda a acender as velas do bolo com mão lenta e firme, e meu pai começa a cantar. Canta tão bem que Kay, que raras vezes fala, a não ser junto com a irmã, comenta:

— Você canta bem, tio Michael.

Depois do bolo, tia Evelyn traz uma bandeja de sanduíches de presunto.

— Um belo pernil — anuncia.

Minha mãe cobre o nariz e a boca com a mão.

— Não sei o me deu, mas não consigo suportar o cheiro desses sanduíches de presunto.

Tia Evelyn ri.

— Quem já ouviu uma coisa dessas?

Minha mãe pega um sanduíche, mas não come; ele permanece em sua mão, perto da mesa.

— Eu podia fazer uns sanduíches de queijo em vez disso — digo.

Tio Gerald não ergue a cabeça, mas sua voz soa alta e sarcástica:

— Ponham esse menino no *Livro Guinness dos recordes* por ser o primeiro adolescente a oferecer um lanche à mãe!

Tia Evelyn ri novamente. Sozinha.

À tarde, os adultos vão para o salão no andar de cima para beber vinho do Porto e uísque. Estou na sala de estar com Liam e as gêmeas assistindo à final da Copa da Inglaterra. Não consigo ficar quieto sentado. Estou preocupado com o fato de que tia Evelyn e tio Gerald descubram o que aconteceu. Fecho os olhos por alguns segundos e, quando torno a abri-los, não consigo lembrar o placar.

Liam começa a gritar, insultando o goleiro do Manchester United por deixar passar um pênalti. O goleiro nada fez de errado, foi um bom chute, só isso, mas Liam continua a gritar com o goleiro.

— Seu idiota! Seu mongoloide! Seu fresco!

Todos os torcedores do Manchester United no público estão gritando com o goleiro, a boca escancarada, a maioria de pé, agitando o punho. Quando surge um close do rosto do goleiro na televisão, Liam aproxima-se da tela e cospe. O goleiro está se esforçando ao máximo para bloquear as bolas. No close, ele parece assustado.

Corro para o banheiro.

Estou com diarreia. As fezes fluem de dentro de mim e sinto uma aguda dor nas coxas. Elas continuam vindo, em grande quantidade, e, quando se precipitam para dentro do vaso, parte da água suja respinga na parte posterior das pernas. O cheiro é terrível. Puxo a descarga três vezes, o tempo inteiro apertando o nariz. Uso uma toalha para limpar a parte posterior das coxas e a enxáguo na banheira. Depois de ter lavado a toalha, lavo as mãos e abro a torneira de água quente por longo tempo, esperando que o calor e o vapor encubram o cheiro e me impeçam de passar mal.

Liam bate na porta.

— O que você está fazendo aí? Tomando banho?

— É — respondo.

Ele continua a bater e gritar comigo e tenho ganas de sair e acertar seu rosto. Vejo-me atacando seu rosto com as mãos.

Mas permaneço onde estou. Espero. Em vez partir para cima dele, torno a abrir a torneira quente da banheira. Com a torneira funcionando, não consigo ouvir Liam e me sinto melhor. Fico de pé diante do espelho e a água quente o embaça, o que faz que eu não consiga enxergar meu reflexo. Mas contemplo o espelho e observo o vapor na superfície do vidro.

— Quando a contagem chegar ao dez — digo —, você vai voltar e tudo vai estar normal outra vez.

Limpo o espelho. Quando consigo ver meu rosto novamente, não gosto do que vejo.

Deixo o espelho voltar a se cobrir de vapor. Limpo-o uma vez mais e analiso meu rosto. Sorrio. Da segunda vez está melhor. Coloco a mão sobre o reflexo de minha mão e digo:

— Você vai ficar bem. Não vai se tornar um criminoso. Vai ser melhor do que as outras pessoas.

Lavo as mãos e limpo sob as unhas, então pego a loção pós-barba de Liam e borrifo-a em minha cueca e nas pernas do jeans.

Volto para a sala. A partida de futebol terminou e Liam e as gêmeas estão comendo mais bolo. Sento na cadeira mais próxima à janela e olho para fora. Vejo um velho corcunda atravessar a rua. Ele não olha para ver se há carros se aproximando.

Às oito horas, meus pais aparecem para me levar para casa. Minha mãe sorri sem mostrar os dentes. Meu pai olha de verdade para mim pela primeira vez desde que foi me buscar no abrigo para meninos. Eu gostaria que ele me abraçasse, em vez de olhar para mim.

— Está na hora de ir — anuncia ele.

Adormeço no carro e vou direto para cama quando chego em casa.

Pela manhã, minha mãe vem ao meu quarto.

— É melhor você ir se lavar. Tio Jack e tio Tony estão chegando para o café da manhã. Eles concordaram em fazer a mudança.

Quero que ela venha se sentar em minha cama, mas não acho que seja o que vai fazer. Ela vai continuar no umbral.

— Eles sabem?

— Só quem sabe é vovó.

— E tia Evelyn? Você contou a ela?

— Nós contamos a ela o que contamos aos seus tios; que decidimos voltar para Gorey porque gostamos mais de lá.

Fico de pé e avanço em direção à porta. Ela cobre o peito com uma das mãos e tenta alcançar o ombro. Segura o ombro como se estivesse dolorido.

— John. Escute. Você vai a um médico em Gorey. Ele é psicólogo infantil. Vou levar você para vê-lo assim que voltarmos e você vai pelo tempo que ele disser que é necessário.

Não me interessam os médicos. Quero saber o que ela pensa, e quero saber por que está me levando de volta. Mas se eu perguntar as coisas podem mudar; coisas que não estão claras ou certas podem se tornar claras e certas. Talvez ela decida mandar me prender; talvez meu pai torne a partir; talvez eu seja castigado.

— Você está feliz? — pergunto.

Ela se afasta sem responder.

Tio Jack e tio Tony chegam pouco antes das nove. Comem duas porções de ovos com fatias de carne e chouriço e bebem três bules de chá. Como apenas torrada. Estou nervoso demais com a diarreia.

— Por que você não está comendo? — pergunta meu pai.

— Estou com dor de dente.

No instante em que digo isso, tio Tony distrai a todos reclamando de sua gota, do inchaço e da dor em seu dedão do pé.

— Até o peso do lençol no pé me causa dor — explica.

Minha mãe não tem paciência com tio Tony e dirige-se a ele como de costume.

— Bem, se você parasse de comer tanto peixe defumado e comidas gordurosas, talvez não tivesse gota.

Meu pai sorri com o canto da boca.

— Isso mesmo — diz tio Tony.

— Agora é hora de arrumar as malas, John — diz meu pai.

Abro as gavetas de meu armário. Todas as cinco edições do *Livro Guinness de recordes* desapareceram. São cinco anos inteiros que se foram.

Volto para a cozinha. Meus pais estão de mãos dadas, olhando um para o outro, sussurrando.

— Onde estão meus livros?

— Doei para caridade — diz minha mãe. — Prefiro que você leia alguma coisa diferente de agora em diante.

— Como o quê?

— Livros escolares.

— Mas eu precisava deles.

— Vamos fazer as malas e sair daqui — diz meu pai.

Vou para meu quarto, mas em lugar de fazer as malas sento na cama e atiro minhas roupas pela janela. Minhas camisas, calças e meias descem mais devagar do que eu esperava e aterrissam nas varandas do térreo; apenas uma calça chega até o chão.

Volto à cozinha com a mala vazia. Abro-a e a deposito no chão, perto dos pés de meu pai.

— Já fiz a mala — anuncio.

— Onde estão todas as suas roupas? — pergunta ele.

— Joguei pela janela.

Eles se entreolham e não parecem nem um pouco surpresos. Não protestam. Então, de repente, como se alguém houvesse apertado um botão, meus pais começam a rir e depois os risos param.

— De qualquer forma, você estava ficando grande demais para a maioria delas — diz minha mãe. — Provavelmente é melhor assim.

Às onze horas, estamos prontos para partir. Tio Jack e tio Tony encostam no carro e declaram que estão exaustos. Meu pai entrega a cada um deles um envelope. Ambos recusam, mas meu pai insiste que aceitem.

— É pouco. Final da história. Por favor, peguem.

— Nós somos muito gratos — diz minha mãe.

— Não tem de quê — diz tio Jack, e então nos despedimos.

Minha mãe senta atrás no carro e meu pai me pede para sentar no banco do carona.

— Tem mais espaço para suas pernas no banco da frente — diz ele.

Mas acho que minha mãe quer sentar atrás porque lá se sente mais segura.

Faz um dia bonito e ensolarado, sem nuvens, o tráfego flui bem. Conversamos sobre Ballymun. Minha mãe declara que nunca se acostumou com o cheiro do duto de lixo e com o barulho, e meu pai diz que nunca ficou tão feliz em ver um lugar pelas costas.

E depois eles só conversam a respeito das estradas e da viagem. Não conversam sobre nada. O tipo de conversa que robôs teriam. Isso me deixa nervoso. Me faz pensar que vai haver uma explosão repentina quando chegarmos a Gorey.

E então, do nada, minha mãe diz ao meu pai:

— Por sinal, eu estava certa sobre Jack, o Estripador, e Sherlock Holmes. Eles existiram na mesma época. Jack, o Estripador, cometeu seus assassinatos em 1888 e Sherlock Holmes surgiu pela primeira vez em 1887.

— Por que diabos você desenterrou isso agora?

— Acabei de ver um pub chamado The Sherlock. E então me lembrei que pesquisei o assunto na biblioteca da escola em Ballymun.

— Você venceu — diz meu pai, dando-lhe um tapinha na perna e eles sorriem um para o outro.

Paramos em um pub para comer alguma coisa, assim meu

pai pode descansar de dirigir, e nos sentamos em um compartimento perto dos fundos. A comida chega da cozinha ao bar através de uma janela de serviço. Gosto de ver as mangas brancas da camisa da pessoa que segura os pratos, mas não sua cabeça.

Há um cheiro gostoso de costela na brasa e gosto dos talheres pesados e dos pratos grandes. Meu pai está fumando. Acende um cigarro no outro. Minha mãe vai até o bar e pega três refrigerantes. Permanecemos um tempo sentados, sem nada dizer.

Uma menininha entra e sai do bar e deixa a porta aberta. Seu irmão se levanta e fecha a porta atrás dela e as pessoas mais próximas reclamam toda vez que ela deixa a porta aberta. Detesto quando as pessoas deixam portas abertas que provocam correntes de ar.

Mas foi quase exatamente isso o que aconteceu quando paramos no hotel perto dos montes Wicklow a caminho de Dublin. Tenho certeza! Lá também havia uma garotinha que deixava a porta aberta e seu irmão precisava se levantar e fechar a porta atrás dela.

Meu coração bate tão forte que posso sentir o sangue latejar em meus dentes e estou muito nervoso, mas preciso falar.

— O que vai acontecer? — pergunto.

— Bem, nós estamos indo para casa agora, e sua avó vai ficar muito feliz em ver você — responde meu pai. — Mas antes tenho uma coisa para você.

Ele me estende um pequeno pacote embrulhado em papel pardo. Desembrulho-o. É um boné, o tipo de boné idiota que os fazendeiros usam.

— É seu — diz ele.

— Por quê?

Minha mãe e meu pai entreolham-se, um desejando que o outro fale.

— Para parar com essa coceira — explica minha mãe. — Pelo menos até sua cabeça sarar e você perder esse costume.

— Eu não quero usar isso.

— Você vai usar esse chapéu — diz minha mãe. — Vai usar esse chapéu o dia inteiro, todos os dias, até que eu diga que não precisa mais.

Ponho o boné na cabeça e me sinto um idiota. É um boné marrom flexível, não um chapéu, nem mesmo um gorro. Não sei como chamá-lo. Retiro-o e o examino.

— Isso é uma bobagem. Eu nem tenho coçado — digo.

— Você está abrindo esse buraco na cabeça sem parar desde que saímos de Ballymun — diz meu pai.

Eu não sabia.

— Onde você conseguiu isso?

— Era do seu tio Gerald.

— Por que ele te deu o boné?

Minha mãe ri e parece feliz, satisfeita consigo mesma.

— Ele não deu — responde. — Seu pai o encontrou ontem atrás de uma cadeira, coberto de pelos e teias de aranha. Então pegou.

Visto o boné e percebo o que fiz: eu a trouxe de volta. Eu a trouxe de volta. Ela está melhor agora.

Minha avó está esperando diante do chalé quando chegamos; está de pé na soleira da porta, as mãos em seus amplos quadris. Está vestida de azul da cabeça aos pés, e isso normalmente significa uma ocasião especial. Colete, casaco e saia azuis, meias azul-claras e sapatos azuis.

Sou o primeiro a saltar do carro e caminho em sua direção. Quero que ela fique contente ao me ver e esperava que estivesse do lado de fora, perto da estrada, sorrindo, segurando Crito em um dos braços, o outro pronto para me abraçar. Mas não há sinal de Crito, e suas mãos permanecem nos quadris. Ela não se move em minha direção.

— Olá — cumprimenta. — Vocês tiveram um ótimo dia para a viagem.

— Olá, vovó — digo.

— Chapéu bacana — diz ela.

Ela permanece onde está, na soleira da porta, olhando para mim.

— Você não vai ajudar a pobre da sua mãe e o pobre do seu pai com todas aquelas malas grandes e pesadas?

Dirijo-me ao porta-malas e retiro a última mala, uma pequena e vermelha.

— Agora você é grande e corajoso o bastante para dar uma mãozinha.

— Desculpe — digo. — Eu não estava pensando nisso.

Estava pensando no seguinte: que gostaria de uma melhor volta ao lar. Mas não mereço. Não haverá compreensão para o que fiz. Nenhum perdão me será concedido; haverá apenas o esquecimento.

— É melhor você entrar e desfazer as malas — diz ela. — E vou preparar alguma coisa para nós todos comermos.

Vou para meu quarto, fecho a porta e verifico debaixo do colchão.

O Oiraid de Saritnem e o dinheiro ainda estão lá. Sinto-me bastante aliviado ao ver minhas coisas: ninguém deve saber onde as guardo e o que faço com elas deve ser problema meu.

Sento no chão e tomo uma decisão. Provavelmente não ficarei com o dinheiro e talvez tampouco conserve o Oiraid de Saritnem; está cheio de erros de aprendizado, erros do passado. Se eu descobrir um jeito de devolver o dinheiro e me livrar do Oiraid de Saritnem, tudo voltará ao normal. Não haverá nada neste meu caminho de consertar as coisas.

* * *

No jantar, estamos todos em nossos antigos lugares à mesa da cozinha e comemos ensopado aguado com mais cenouras do que carne e limpamos o prato com grossas fatias de pão integral. Crito senta aos meus pés e, quando me inclino para acariciá-la, percebo que está mais gorda do que quando partimos. Ergo-a e a ponho no colo, para que seu focinho fique perto da fivela de meu cinto. Ela parece lembrar de quem sou e enrosca-se feito bola antes de fechar os olhos. Ninguém me pede para tornar a colocá-la no chão.

— O rom-rom de Crito está bem alto — digo. — Ela deve estar feliz em nos ver.

— Deve estar — diz minha avó.

— Você também? Está feliz por termos voltado?

— É claro que estou — diz ela sem sorrir. — É bom ter vocês em casa.

— E é ótimo estar aqui — diz minha mãe. — Senti tanta falta.

A xícara de minha mãe treme em sua mão e eu não queria que isso acontecesse. Faço uma coisa que nao fazia desde antes do Natal, desde antes de meu pai ter mentido a respeito dos gatinhos. Pego um biscoito do pacote e o mergulho em meu chá. E conto em voz alta, para ver quanto tempo o biscoito leva para se dissolver e cair dentro do chá. Pego outro, e retiro o biscoito um segundo antes de quebrar.

— Cinco segundos — digo. — Um recorde.

Rio, e eles prestam atenção a isso que eu costumava fazer à mesa depois das refeições antes de Ballymun, e faço agora porque acho que eles vão se lembrar; um pouquinho de como eu era. Vou mostrar a eles que sou o mesmo menino.

Minha avó parece satisfeita e ergue a xícara acima da cabeça.

— *Slàinte* — diz. — Por vocês estarem em casa.

— *Slàinte* — digo, levantando-me. — E viva!

36.

Acordo à noite. Meu braço está dormente, como se todos os ossos houvessem sido removidos. Quando ergo o braço, este pende frouxo e morto, como pescoço de galinha quebrado. Sinto medo de que esteja paralisado como castigo. Saio da cama, acendo a luz e fico movendo o braço, esperando que volte à vida. E rezo o pai-nosso.

Minha mãe entra.

— Por que você está acordado? — pergunta.

— Meu braço está paralisado ou coisa parecida. Eu não estava conseguindo sentir.

— E agora?

— Ainda está dormente. Não estou entendendo.

Ela sorri.

— Está dormindo — diz. — Só isso. Seu braço foi dormir.

— Mas parece que ele morreu.

— Não se preocupe. Ele vai voltar.

Sento na cama, esfregando o braço. Ela permanece perto da porta aberta.

— O papai está falando pouco — comento. — Ele ficou muito calado.

Ela respira fundo e baixa os olhos para um ponto no tapete em algum lugar entre seu pé e a extremidade da cama.

— Ele vai falar novamente. Só deixe ele quieto.

— Mas ele estava lendo ontem à noite. Isso é bom, não é? E você está feliz de novo. Isso também é bom, não é?

— É.

Ela olha para mim por longo tempo e devolvo seu olhar. Já a olhei nos olhos, mas dessa vez é diferente. Ela me encara como se nunca houvesse me visto, como se estivesse apreensiva, conhecendo um estranho. Quero que ela se aproxime, mas ela se afasta.

— Nós temos que ir ao seu novo médico amanhã — anuncia. — Volte a dormir.

Quando me levanto, ela sai.

Quando acordo e vou para a cozinha, meu pai já se acha à mesa.

— Dia — cumprimento.

— Dia — diz ele. — Quer salsicha?

— Quero, por favor.

Ele sorri e sua franja cai sobre os olhos. Parece bonito e jovem. Quero conversar com ele.

— Você está contente por termos voltado? — pergunto.

— Estou. Você está?

— Estou. Bastante.

— Que bom, então — diz ele.

— Por que você está feliz por voltar? — pergunto, querendo mais.

Ele dá meia-volta e cruza os braços sobre o peito.

— São motivos demais para dizer.

— Diga só um.

Ele olha para a janela.

— Bem, aqui é legal.

— O que você está querendo dizer com legal? — pergunto.

Ele torna a se voltar para a frigideira e vira as salsichas.

— Você queria voltar e estamos de volta. Devia estar feliz o bastante com isso.

Ele não está mentindo porque não está dizendo nada; não está conversando comigo, não está me dando um bom motivo. Será que tem um plano contra mim? Está escondendo alguma coisa? Será que pretende se livrar de mim? Qual é sua suspeita a meu respeito? Estou nervoso e meu estômago se agita. Saio da mesa e, quando estou na soleira da porta, viro para ele e digo:

— Eu estou contente. Obrigado por ter me trazido de volta.

— O chapéu fica bem em você — diz ele, sorrindo, a voz estrangulada.

Vou direto para meu quarto. Será que ele sabe que roubei o chefe de estação da casa grande? E se souber, o que mais sabe? Verifico debaixo do colchão e tudo está onde deixei.

Olho para o rosto do chefe de estação, o bigode, o quepe vermelho com viseira, e o enfio no bolso. Pego o dinheiro que tirei da bolsa da vovó e o coloco embaixo do forro rasgado de minha mala. Vou descobrir um jeito de devolvê-lo. Vou fazer isso em breve, quem sabe aos poucos; ela não vai perceber. Ou talvez espere até depois de sua próxima ida às corridas, quando ela não saberá ao certo quanto dinheiro possui.

Pego o Oiraid de Saritnem e o enfio na mochila. Depois de tudo, não vou destruí-lo. Vou colocá-lo em um saco plástico, cavar um buraco sob a árvore onde está a boneca e enterrá-lo ali, para poder desenterrá-lo e ler, se algum dia quiser, na ida ou na volta da escola.

Não deixarei nenhuma prova que ele possa usar contra mim; nada que possa usar para se livrar de mim. Vou devolver tudo. Tudo ao seu devido lugar.

Subo as escadas. Minha mãe está sentada na beirada da cama, os cotovelos sobre os joelhos, o rosto nas mãos.

— Ah, John — diz ela. — Eu só estava recuperando o fôlego.

— Por quê?

— Subi e desci essas escadas quatro vezes esta manhã.

— Por quê?

— Acho que estou mal do estômago.

— É por isso que suas mãos têm tremido um pouco ultimamente?

Ela olha para mim, está linda e calma e parece me amar. Fecho a porta e mantenho as costas apoiadas nela.

Ela senta-se ereta.

— John, por favor, deixe a porta aberta.

— Não. Quero conversar com você em particular. Pode ser?

Ela olha para mim um instante, sem saber o que fazer; eu me aproximo e sento ao seu lado na cama. Mas ela nada diz. Nem uma palavra. Também não digo nada. De repente ela se joga para trás; também me jogo e permanecemos deitados juntos de costas, contemplando o teto baixo. Seguro sua mão e ela não se importa.

— Você está feliz por nós termos voltado? — pergunto.

— Claro que estou.

— Por quê?

— É bom estarmos juntos novamente. Aqui é o nosso lugar.

— Isso é bom porque andei pensando em fazer a maquete de uma cidade. Como a da casa grande.

— Que maquete de cidade?

— No quarto das crianças no andar de cima. Acho que falei sobre isso. De qualquer maneira, quero fazer uma para mim. Vai demorar bastante tempo, mas quero muito fazer uma.

Ela senta e sento junto com ela, nossas pernas fora da cama.

— E queria que minha maquete da cidade fosse ainda maior e melhor do que a da casa grande. Vai ter escolas, igrejas e até mesmo um hospital e um cemitério.

Ela sorri.

— Então, será que nós podemos ir até lá de novo para eu bater uma foto? Assim posso trabalhar a partir da foto.

— Podemos conversar mais sobre isso mais tarde?

— Não podemos decidir agora?

Ela se levanta e põe a mão sobre o estômago.

— Ah, meu Deus, preciso ir ao banheiro novamente.

Desço as escadas estreitas atrás dela e observo a maneira como seu cabelo sedoso desliza por suas costas.

Ela entra no banheiro e fecha a porta. Espero do lado de fora, mas ela está demorando muito. Fico preocupado.

— Você está bem, mamãe?

— Estou, estou. Vá e espere por mim na cozinha.

Espero na cozinha e, às onze e meia, ela me leva até Gorey para a consulta com o dr. Murphy, o psicólogo infantil. No carro, diz que preciso vê-lo durante seis meses pelo menos. Não me importo. Isso me garante seis meses em Gorey.

Ela fala no tom entediado e monótono que usou durante todo o caminho para casa, voltando de Dublin. Dirige a sessenta quilômetros por hora nas estradas sinuosas, como se considerasse possível se livrar dos pensamentos indo rápido demais.

Chegamos ao estacionamento do shopping center e da sala do dr. Ryan.

— Esse não é o prédio do doutor Ryan? — pergunto.

— É.

— Mas eu não quero que o doutor Ryan me veja aqui.

— Por que não?

— Ele vai achar que sou maluco.

— Bem, você é.

Ela abre a boca e lança a cabeça para trás. Quer que eu pense que está brincando, mas está mentindo sobre o modo como se sente; está simulando uma risada.

Salto do carro.

— Não venha comigo então — digo ao bater a porta do carro. — Você pode acabar morta ou coisa do gênero.

O dr. Murphy está sentado atrás de uma imensa mesa com tampo de vidro. Seu rosto comprido acha-se refletido no vidro, assim como um pedacinho do céu azul da janela atrás dele.

Ele se apresenta e examino as pinturas na parede; duas são de camponeses na neve. O dentista em Dublin tinha o mesmo tipo de pinturas.

O dr. Murphy tenta chamar minha atenção movendo-se de repente. Mas continuo a observar as pinturas.

— Você gosta delas?

— Eu gosto de Bruegel — respondo, esperando loucamente estar certo.

— Bem, ninguém tinha dito que você era conhecedor de arte.

— Eu sou — digo. — Me interesso muito por arte.

Mentir desse jeito me dá vontade de rir. Pego um grampeador grande em cima da mesa e o desloco sobre o joelho para conter o riso.

— Quem sabe então não podemos voltar a isso mais tarde. Antes vou fazer algumas perguntas e quando tiver terminado, vamos ter uma ideia muito melhor do... uma ideia muito melhor do seu estado mental. Tudo bem para você?

Ele parece nervoso; talvez ache que vou atirar o grampeador em cima dele. Talvez eu devesse fazê-lo rir mencionando o psiquiatra mais rápido do mundo, o dr. Albert L. Weiner, que tratou mais de quarenta pacientes em um dia em suas salas, e empregou eletrochoque e relaxantes musculares. Mas as agulhas que usou não se achavam devidamente esterilizadas e, em 1961, ele foi preso por doze acusações de homicídio culposo.

Torno a pôr o grampeador em cima da mesa.

— Antes de mais nada, como você está se sentindo hoje? Está um pouco melhor do que em Dublin? Na ocasião do incidente?

— Estou me sentindo bem — respondo.

Não sei como estou me sentindo, a não ser pelo fato de estar me sentindo muito desperto, como se não tivesse o menor problema para lembrar de qualquer coisa que já tenha lido. E estou melhor do que quando minha mãe deixou meu quarto no meio da noite. Sinto-me bem quanto a ter mentido a respeito de ser amante de arte e pelo fato de o dr. Murphy não poder me controlar, embora ache que possa.

— Como se sente agora sobre o que aconteceu com sua mãe?

Fios esparsos e finos de cabelo projetam-se do círculo calvo cor-de-rosa no alto de sua cabeça, e posso ouvir sua respiração, desagradável e úmida.

— Acho que tenho a sensação... tenho a sensação de que não foi real. Tenho a sensação de que outra pessoa fez aquilo.

Tenho a sensação de que foi um filme. Tenho a impressão de que ela não era minha mãe, era alguém que eu não conhecia.

O dr. Murphy senta-se ereto e adota uma posição tão diferente da anterior que fico chocado. Recosta-se na cadeira, o máximo que a cadeira permite, os braços atrás da cabeça comprida e estreita, e a súbita mudança me faz despertar, como se as cortinas se abrissem em uma sala escura. Enxergo-o como se fosse a primeira vez. Isso deve ser algum tipo de técnica.

— Você tem consciência de que tentou matar sua mãe? Estava consciente de seus atos na ocasião e está consciente agora?

Não me movo.

Ele se desloca para a frente mais uma vez.

— Não — respondo. — Eu acabei de dizer. Nada daquilo parecia real. Eu tinha a sensação de que eu não era eu. Eu tinha a sensação de que eu era outra pessoa.

— Quem você era, na ocasião, se não era você?

— Outra pessoa. Não sei quem, só não era eu.

— Mas ainda assim você sentiu que era humano. Você era um menino humano.

— Bom, eu não era um animal. Não era um cachorro, nem uma ovelha, era?

— Estou percebendo que você está zangado. Você acha minhas perguntas injustas?

— Não.

Ele se levanta.

— Quer um copo d'água? Ou um refrigerante?

— Tudo bem. Por favor.

— Qual deles? A água ou o refrigerante?

— Uma Fanta.

— Só tenho Club Orange, serve?

Ele abre a geladeira (a porta fica atrás de um painel de madeira) e retira uma garrafa de Club Orange, então me estende uma caixa contendo centenas de canudos com o topo dobrável.

Escolho um azul.

— Azul para meninos — diz ele.

Fecho a cara.

— Enquanto você toma seu refrigerante, vou fazer algumas perguntas e a coisa mais importante é que você responda honestamente. Posso te pedir que me dê sua palavra de que vai responder honestamente?

— Pode — E é o que vou fazer.

Ele senta atrás da mesa, dessa vez em posição normal, pernas embaixo da mesa, a caneta na mão, suspensa sobre uma folha de papel em branco.

— OK. Está pronto?

— Estou.

— Você consegue ignorar a dor física?

— Consigo. Às vezes. — Penso no fato de fazer minha cabeça sangrar e não sentir.

— Você às vezes não tem certeza se fez alguma coisa ou se só pensou a respeito?

Ele tem pressa e não parece se interessar pela resposta. Se eu não estivesse dizendo a verdade, sua falta de atenção incomodaria menos, mas já que estou dizendo a verdade, não entendo por que ele parece tão desinteressado.

— Sim. Às vezes fico confuso desse jeito, principalmente durante a noite.

— Você passa muito tempo olhando para o vazio?

— Bastante. Mas fico pensando, não só olhando. Estou sempre pensando quando estou olhando.

— Você às vezes não tem certeza se um fato ocorreu ou se era um sonho?

— Não — respondo. — Isso nunca aconteceu.

Agora fui incoerente.

Ele ergue os olhos e tosse.

— Você às vezes não consegue se lembrar de acontecimentos importantes da sua vida?

— Eu não consigo me lembrar de ter nascido ou de quando era bebê.

— E os acontecimentos dos últimos seis ou sete anos?

— Não me lembro da minha primeira comunhão. Só sei o que aconteceu porque tiramos fotos e porque minha mãe me conta o que aconteceu.

De repente, ele parece interessado. Levanta-se e dirige-se à mesa menor perto do fichário e da geladeira. Dá as costas para a mesa menor e entrelaça as mãos diante da fivela do cinto.

— Será que nesse dia pode ter acontecido alguma coisa ruim que você não lembra?

— Como posso saber, se não consigo lembrar?

Também me levanto e estendo-lhe a garrafa de Club Orange, mas ele a recusa com um aceno de mão.

— Por favor, John. Sente.

Sento e ele também, novamente atrás da mesa grande com tampo de vidro.

— Às vezes você encontra anotações ou desenhos que deve ter feito, mas que não lembra de ter feito?

— Encontro — minto.

— Você ouve vozes dentro da cabeça?

Ele não deveria querer saber mais sobre os desenhos antes de partir para a próxima pergunta?

— Só a minha. É isso o que você está querendo dizer?

— Às vezes outras pessoas ou objetos não parecem reais para você?

Essa é uma boa pergunta. Preciso pensar a respeito por algum tempo; a respeito do que significa "real".

— Não. Sim. Às vezes pessoas. Como minha mãe. Ela não parecia real antes ou durante o que aconteceu, mas depois pareceu. Depois que aconteceu, ela pareceu real novamente.

Engulo em seco e paro de falar.

— Você quer dizer mais alguma coisa a respeito disso?

— Não.

— Talvez ajude. Dizer mais alguma coisa talvez ajude. Isso é importante.

Baixo a cabeça e nada digo.

— Bem?

— Não.

— Você alguma vez já sentiu que seu corpo não é seu?

— Isso é um pouco idiota.

— Qual é a sua resposta?

— Não.

— Alguma vez você deixou de reconhecer seu próprio reflexo no espelho?

— Não.

Ele se levanta e tenho esperanças de que esteja na minha hora de ir para casa. Estou com muita fome.

— Certo, John. Você se saiu bem. Pensou nas respostas e foi bastante paciente. Agora vou te deixar algum tempo sozinho. Vou para outra sala conversar com sua mãe. Tudo bem para você ficar aqui sentado por alguns minutos?

— Tudo bem.

Ele sai e tranca a porta atrás de si, então reparo nas barras nas janelas e meu estômago revira. De certa maneira, parece injusto; ele deveria ter dito que iria me trancar e, por saber que estou trancado, quero sair.

Ele não volta após dez minutos, então procuro alguma coisa para comer na geladeira. Há um pouco de manteiga, uma maçã e nada mais. Como a manteiga enquanto leio alguns panfletos e artigos a respeito de suicídio infantil, mas nenhum dos registros menciona a idade dessas crianças, e me pergunto quantos anos tinha o suicida mais novo, e como eles fizeram isso.

Fico entediado. Ele me deixa esperando por meia hora. Eu gostaria de conversar com alguém.

Tiro a camisa e olho para meu braço. Lá está — o número do telefone do sr. Roche.

Disco o número, mas não espero que ninguém atenda.

— Alô?

— Alô. É John Egan.

— E essa, agora! Olá.

— Voltei para Gorey e ainda tenho meu dom. Quero usar meu dom, mas todos querem que eu guarde segredo — sussurro.

— Quem quer que isso seja segredo?

— Todo mundo.

— E por que ele deve ficar em segredo?

— Eles acham que é destrutivo e perigoso.

— E é?

Escuto passos lá fora.

— Preciso desligar — digo e desligo.

Mas os passos somem e ninguém chega. Estou sozinho novamente e, embora o silêncio na sala seja pesado, sinto-me mais leve.

O dr. Murphy retorna com minha mãe. O pedaço de manteiga tornou meu céu da boca escorregadio, mas, fora isso, sinto-me bem.

Minha mãe sorri e estende a mão para que eu a segure, e

o dr. Murphy ergue a sobrancelha, não de forma ostensiva, mas percebo nitidamente, assim como minha mãe.

Ela olha para ele, sorri, então me dá um bom e longo beijo no rosto.

— Vamos, meu querido. Vamos te levar para casa.

É uma tarde ensolarada e quente. Ela pega minha mão e caminhamos até o carro.

— O que ele disse? — pergunto.

— Pouco me importa.

— Você não se importa? Por que não?

— É que me ocorreu, enquanto ele tagarelava sobre transtornos dissociativos, personalidades limítrofes, medicamentos e eletrocardiograma... bem, me ocorreu que não me interessa o que ele pensa. Ele só viu você uma vez e está querendo te atri

Viro-me e rio. Seguro suas duas mãos e as levanto.

— Então eu estou livre?

Ela para bruscamente e solta minhas mãos.

— Não fique tão empolgado.

Ela continua a andar e vou atrás dela.

37.

Às oito e meia da manhã, acordo e ouço meu pai conversando lá fora com outro homem. E então alguém sai pela porta da frente. Poucos minutos depois, minha mãe bate à porta.

— Tem alguém aqui que quer ver você — diz ela.

— Quem é?

— É o seu antigo professor, o senhor Roche.

Ela fecha a porta e apoia-se nela. Explica que o sr. Roche não leciona mais na Gorey National School e que agora trabalha como professor particular.

— Parece que ele soube que você tinha voltado e quis fazer uma visita. Mas ele não sabe de nada. E, como já discutimos, ninguém precisa ficar sabendo o que aconteceu.

— Quero ver o senhor Roche.

— Bom. Agora se vista. E não se esqueça do boné. Seu pai saiu um instante e quando voltar vai querer ver você usando o boné. E não saia antes de fazer a cama.

— Não posso fazer a cama depois? É falta de educação deixar as visitas esperando.

— Eu digo o que é ou não é falta de educação — declara ela. — Faça a cama.

Ela fica vigiando enquanto arrumo a cama. Então ordena que eu me vista (com o chapéu) e me lave antes de ir para a sala.

O sr. Roche está sentado na poltrona de minha avó, ao lado do fogo.

Está vestindo terno e segurando um presente; uma caixinha embrulhada em papel prateado.

— Olá, jovem — cumprimenta ele, sorrindo.

O cabelo na altura dos ombros foi cortado curto, ele parece mais gordo e tem o rosto flácido, principalmente ao redor boca e do queixo.

— Olá, senhor.

Ele olha para minha mãe e ela sai, mas não fecha a porta; deixa-a ligeiramente entreaberta. O sr. Roche se levanta e me entrega a caixa.

— O que é isso?

— Só um pequeno presente. Abra mais tarde.

— Tudo bem.

— Vamos pôr as novidades em dia primeiro?

— Obrigado por ter vindo — digo.

— O prazer é todo meu. Então, como vai você?

Não me agrada o fato de ele ter vindo sem avisar, e ele está recostado e relaxado demais na poltrona de minha avó. Sento na beirada do sofá. E, embora me sinta só, arrependo-me de ter telefonado ontem para ele.

— Eu gostaria de saber das novidades — diz ele.

Não consigo falar. Não sei o que há de errado. Não sei como começar. Não sei por que ele está aqui. Sinto-me desajeitado e feio, e não quero ser olhado da maneira que ele está olhando para mim.

Mas ele se levanta, aproxima-se e senta ao meu lado. Senta-se bem próximo e pousa a mão na manga de minha camisa. Eu deveria estar feliz com sua presença aqui; afinal de contas, queria que ele gostasse de mim.

— Então, me diga como você está. Estou percebendo que sua mente está acelerada.

Será que ele consegue? Será que consegue perceber isso?

— Está me parecendo que você gostaria de contar tanta coisa que não sabe por onde começar. Está me parecendo que esse seu rosto simpático está tentando esconder um monte de coisas interessantes.

Olho por sobre seu ombro em direção à porta. Isso decerto o fará calar a boca.

— Por que não começa contando como era em Ballymun? E o que me diz do seu dom para detecção de mentiras?

Torno a olhar para a porta.

— Não tenho mais — respondo.

— Mas ontem você...

Cubro a boca com o dedo para fazê-lo calar, mas ele continua.

— Talvez você nunca tenha tido um dom — diz. — Talvez seja tão comum quanto os outros garotos.

Meu coração palpita de mágoa e raiva.

— Mas eu pensei que o senhor acreditasse em mim. — digo.

O sr. Roche estende o braço para tocar minha mão. Olho para ela, curioso.

— Então me fale a respeito desse dom. Como era quando você percebia que alguém estava mentindo? De que maneira você sabia?

Sento-me ereto. E então percebo o que ele está tentando fazer. Está tentando me forçar a falar sobre meu dom, fazendo que eu me defenda. Acho inteligente, mas isso também me deixa furioso. Minha raiva me surpreende. Estou calmo, e de repente odeio tanto o sujeito que me enganou que gostaria de nunca mais vê-lo. Quero sair da sala.

— Eu simplesmente sabia — respondo.

— Mas como, John?

— Não é como dizem os livros. A polícia sabe que um criminoso está mentindo a respeito de um crime "porque sua boca fica seca, porque seu rosto fica corado e a artéria carótida pulsa". Mas nunca vi essas coisas. Eu percebia por pequenas coisas. As expressões faciais, as mãos e principalmente a voz.

— Mas você estava detectando mentiras dentro de sua própria família e essas são pessoas que você conhece muito bem. Você não está simplesmente analisando essas pessoas a partir do seu conhecimento sobre elas? Você já flagrou outras pessoas mentindo?

Fico de pé.

— De qualquer maneira — digo —, já não tenho mais esse dom.

Ele nada diz durante algum tempo, eu tampouco. Permanecemos em silêncio por vários minutos e o relógio acima do console da lareira bate tão devagar que é como se estivesse tentando fazer meu coração parar.

Estou agitado e inquieto. Rasgo o papel que envolve o presente até que o tenha aberto. Jogo os pedaços de papel no chão. O presente é um elegante conjunto contendo uma navalha, um sabonete, um pincel e uma loção pós-barba. Há um cartão também, que provavelmente contém dinheiro. Vou abri-lo mais tarde.

— Espero que essas coisas não sejam prematuras — diz ele.

— Não. Eu gosto delas. Obrigado.

Aproximo-me dele porque acho que deveria abraçá-lo ou demonstrar alguma gratidão, mas ele também se levanta e ficamos próximos demais. Começo a suar.

— Então, obrigado — digo.

— O prazer foi todo meu.

— Obrigado.

Minha mãe entra. Está maquiada e com boa aparência.

— Preciso levar John embora agora — anuncia. — Ele não tomou café e nós temos mil coisas para fazer hoje.

— Certo, então — diz o sr. Roche. — Estou indo.

— Sim, senhor. Obrigado, senhor.

Saímos junto com ele. Quando ele chega ao jardim, para, põe as mãos nos quadris, olha para a estrada e então para o relógio. Ele não tem carro. Pergunto-me o quanto terá de caminhar, e o mesmo faz minha mãe, mas ela não se oferece para levá-lo.

Durante o café, tanto minha mãe quanto meu pai leem enquanto comem o mingau, e minha avó permanece ao lado do fogão, descascando cenouras.

De repente, meu pai abaixa o livro e pigarreia.

— John? Você quer ir hoje até a casa grande? Sua mãe disse que você queria ir até lá para dar uma olhada na maquete da cidade.

— Sério? Hoje?

— É — responde ele. — Está fazendo um dia de sol lindo e achamos que a maquete de uma cidade parece um ótimo projeto.

— Eu ia gostar muito. Ia adorar.

— Então tudo bem. Assim que terminarmos o café da manhã.

— O pessoal pode ter voltado de Dublin — diz vovó. — Talvez não deixem vocês entrar.

Ela deixa cair uma batata e ela rola para baixo da mesa. Recolho-a e lhe entrego. Fico de pé ao seu lado e ela diz:

— Agora que estou pensando nisso, acho que o pessoal não voltou para casa. Acho que vão deixar vocês entrar.

— Certo — diz minha mãe. — Vamos nós quatro.

Todos olhamos para vovó.

— Não, não — diz ela. — Vão vocês. Eu vou ficar aqui. Vocês não vão demorar.

Chegamos aos portões da casa no instante em que o jardineiro está saindo com sua van. Minha mãe se inclina diante de meu pai e toca a buzina. O jardineiro a vê e ela acena na direção dele. Ele para e salta da van. Ela sai do carro e corre até ele.

Meu pai e eu permanecemos no carro, observando. Minha mãe está perto do jardineiro e ele olha para o relógio. Balança a cabeça, mas ela pousa a mão em seu braço. Deve estar dizendo "por favor", pois está sorrindo.

Ele torna a olhar para o relógio e então concorda com um movimento de cabeça.

Ela volta para o carro.

— Nós temos cinco minutos. Só isso. Eu disse a ele que John tem seis semanas de vida.

— Ele se lembrou de nós da última vez? — pergunto.

— Não me pareceu.

Meu pai olha para minha mãe.

Ela balança a cabeça.

— Vamos entrar, então.

— Vou ficar aqui e esperar — diz ele. — Vocês só vão demorar cinco minutos.

— Você vem também — diz ela. — E traga a câmera.

Meu pai me entrega a câmera e percorremos os cômodos do andar de baixo durante algum tempo, então informo que quero subir, sozinho, ao quarto com a maquete da cidade.

— Por que você precisa ir sozinho?

— Posso explicar depois? Juro que vou explicar. Vocês vão ficar felizes e satisfeitos quando eu contar.

— Esteja de volta em dois minutos — diz meu pai.

Olho para o relógio.

— Prometo — digo.

Entro no quarto das crianças e ele está como antes, só que dessa vez há mais garrafas cheias de areia e um segundo cavalo de pau entre as duas pequenas camas.

Vou até a maquete da cidade, perto da janela, e a examino. Tudo está exatamente como antes. Há trens, lojas, gente de plástico, arbustos e cães. E o trem para Pigalle tem uma sacada para os passageiros na parte de trás.

E então reparo: há um novo chefe de estação. E, assim como o chefe de estação em minha mão, este tem bigode, usa quepe vermelho com viseira e está de pé sobre um pedaço de plástico verde.

O chefe na estação de trem para Pigalle foi substituído. Lá está ele, idêntico ao que se encontra em minha mão, um pouco menos sujo, mas igual. E agora há dois; dois iguais.

Ponho meu chefe de estação perto do substituto. Eles ficam lado a lado. É uma cena estranha, porém feliz, os chefes de estação gêmeos. Mas talvez não sejam gêmeos; talvez sejam irmãos, amigos, ou apenas dois homens muito parecidos. Ou podem ser a mesma pessoa.

Bato uma fotografia de um dos chefes de estação sozinho, e então bato uma segunda fotografia dos dois chefes juntos.

Dou um passo atrás e sorrio.

* * *

Guardo a câmera no bolso de minha capa de chuva e saio do quarto das crianças. Dirijo-me ao patamar no topo das escadas, onde paro, olho para baixo e vejo minha mãe. Lá está ela, lá está ela esperando.

Desço para cumprimentá-la e, enquanto caminho, cerro frouxamente os punhos ao lado do corpo. Grito "Ei!" na metade do caminho, e ela se vira para olhar para mim. Quando chego ao pé das escadas, ela sorri e sorrio de volta. Meu pai acha-se próximo à porta principal, as mãos nos bolsos.

— Você terminou? — pergunta ela.

— Terminei — respondo. — E consegui o que precisava.

— O que você tem aí? — pergunta ela.

— Onde? — digo.

— Nas mãos?

— Nada.

— Está me parecendo que você tem alguma coisa nas mãos.

— Bem, não tenho.

— Então abra as mãos.

Recuo e me choco contra o corrimão.

— Por quê? — pergunto.

Meu pai avança, vem em nossa direção.

— Abra as mãos! — diz minha mãe.

Nada digo; ela cobre minhas mãos com as suas e tenta abri-las.

E agora meu pai acha-se à minha esquerda e está puxando meus dedos.

— O que você está escondendo?

Mantenho as mãos fortemente apertadas.

Minha mãe luta com minha mão direita e meu pai agarra a esquerda. Emprego toda a minha força para impedi-los, mas ambos, por fim, triunfam, e minhas mãos estão abertas e vazias. Ambas vazias.

— Estão vendo? — pergunto, rindo. — Não tem nada aí. Exatamente como eu disse.

Meu pai sorri e diz:

— Melhor assim. — Mas não está zangado.

— É, melhor assim — diz minha mãe, e tampouco ela está zangada.

Deixamos a mansão e caminhamos lado a lado até o carro. Sento no banco de trás, perto do meio, e me inclino para a frente para poder enxergar o rosto dos dois. Meu pai dirige devagar, com uma das mãos ao volante, a outra pousada de leve na coxa. Minha mãe olha pela janela, calma, eu acho, e feliz. É um dia perfeito para ir à praia e quem sabe, se eu pedir, é para lá que vamos.

Os chefes de estação estão juntos. O trem está chegando e os sinos da cancela estão tocando. Quando o último passageiro embarca, os chefes de estação agitam simultaneamente a bandeira branca e observam o trem enquanto este se afasta da plataforma. O maquinista acena para eles da janela de sua cabine, mas eles não prestam atenção. Estão muito ocupados, conversando.

Quando sentem frio ou precisam descansar, ou quando precisam de alguma coisa doce ou quente para comer, podem entrar juntos no bufê da estação. Podem sentar a uma mesa perto da janela, tomar chá, comer torrada e bolo, e observar as pessoas indo e vindo. E a lareira, lá dentro, vai lhes aquecer as mãos e o rosto.

A porta está aberta.

Agradecimentos

Agradeço a meu editor, Michael Heyward, cujo excelente trabalho transformou *O menino que odiava mentira* em um livro melhor. Agradeço também — pelo mesmo motivo — a Stewart Andrew Muir, Carolyn Tétaz, Jenny Lee, Marion May Campbell e David Winter. Obrigada também a Jamie Byng, cuja confiança inabalável torna possível que eu escreva todos os dias. Um agradecimento especial a minha revisora irlandesa, Anne McCarry, de Wexford, por sua ajuda meticulosa e paciente. Agradeço também a Mark Monnone, Rosalie Ham, Sue Maslin, Helen Bleck, Karen McCrossan, Polly Collingridge, Jessica Craig, Alice e Arthur Shirreff, Barbara Mobbs e David McCormick. E, por sua generosa conferência dos dados de última hora, meus profundos agradecimentos a Colin Brennan.

#LIT53948
O menino que odiava
mentira

ESTA OBRA FOI COMPOSTA PELO GRUPO DE CRIAÇÃO EM ELECTRA E
IMPRESSA PELA GEOGRÁFICA EM OFSETE SOBRE PAPEL PÓLEN SOFT
DA SUZANO PAPEL E CELULOSE PARA A EDITORA SCHWARCZ
EM AGOSTO DE 2010